Salvar el amor

Phillip C. McGraw

Salvar
el amor

Estrategia en siete pasos
para volver a conectar con
la persona amada

integral
desarrollo
personal

Salvar el amor

Título original: *Relationship Rescue*
Autor: Phillip C. McGraw
Traducción: Julia Mónica Stajnsznajder
Directora de arte: Monique Smit
Diseño de colección: Jordi Salvany
Diseño de cubierta: Jordi Salvany
Compaginación: Pacmer, S. A. (Barcelona)

Ref: DP-15 / ISBN: 84-7901-604-3
Dep. Legal: B-34.225-2000
Impreso por Liberdúplex, S. L. (Barcelona)

Índice

Agradecimientos

Agradezco a Oprah Winfrey su continua amistad y apoyo a mi trabajo. Le doy las gracias por su visión de este mundo y por ofrecerme la plataforma de su *show* televisivo, donde se refleja claramente el compromiso por brindar un poco de salud e imaginación a las vidas de todos aquellos que siguen su programa. Es la verdadera voz de Estados Unidos, la más clara y precisa, y ha sido capaz de cambiar este mundo gracias a su coraje e integridad.

Agradezco a mi esposa Robin y a mis hijos, Jay y Jordan, haber creído en «papá» y los sacrificios personales que asumieron mientras yo invernaba trabajando. Los tres estaban excitados y entusiasmados con el proyecto y nunca se quejaron ni se sintieron desatendidos. Un agradecimiento especial para Jordan, por sus constantes visitas a mi estudio y por observarme en secreto desde el balcón de arriba: «gracias Peteski». Mi familia me estimula y me ama incondicionalmente. Ellos son mi refugio para los malos momentos. Si la valía de un hombre se ve reflejada en su mujer y familia, yo soy un hombre sano y bendecido.

Gracias a Skip Hollands por su apasionada y enérgica manera de editar este manuscrito. Skip ha sido increíblemente astuto, sensato y severo al sacar adelante tanto el manuscrito como a mí mismo. Desde luego consiguió realizar con éxito ambas cosas. Su humor, sus noches sacrificadas y su inagotable talento resolutivo han sido los ingredientes indispensables para el desarrollo de esta obra. Gracias Skip por tu noble espíritu y amistad. Tu presencia en este proyecto ha marcado una gran diferencia. Eres un verdadero profesional en el sentido más amplio del término.

Jonathan Leach, una vez más, aportó su talento único para escribir y organizar este proyecto, concretamente en la fase más complicada y crucial del libro. Gracias Jonathan por tu buena voluntad, a pesar de que no contabas con el tiempo para hacerlo. Has estado ahí para ayudarme cuando te he necesitado y estoy muy agradecido por ello.

Gracias, como siempre, a Gary Dobbs, mi amigo de toda la vida y compañero. Él siempre está en mi balcón, como yo en el suyo.

Gracias a Bill Dawson, por su genuina amistad y sus legítimas orientaciones y asesoramiento. Bill es una de esas pocas personas que nunca dicen «no». Gracias, otra vez, a Scott Madsen, que tampoco dice que no.

Gracias también a Tami Galloway y Melodi Gregg, que trabajaron felices e inagotablemente en la preparación del manuscrito. Sus espíritus siempre brillaban, incluso a primeras horas de la mañana o durante los fines de semana, pudiendo estar en un billón de sitios más interesantes. No hubiera podido hacerlo sin ellas.

Y una vez más, gracias a los miles de participantes de los seminarios, que me enseñaron, año tras año, qué influye en que las relaciones funcionen o fracasen en el mundo real. Espero que mi trabajo, en general, y mis publicaciones, en particular, reflejen que yo he sido el verdadero estudiante que ha tenido que aprender.

Gracias, otra vez, a Bob Miller y Leslie Wells de Hyperion. Nunca me he sentido mejor conmigo mismo que después de una conversación con ellos; es una experiencia única. Son dos personas que para publicar un libro necesitan creer en su integridad, de no ser así, no lo publican. Consiguieron sacar lo mejor de mí debido al desafío que implica tener que subir a su nivel.

Por último, aunque no los últimos, agradezco a todas las personas que me apoyaron en televisión y con *Life Strategies* (Estrategias de vida). Ha significado mucho para mí tener noticias vuestras y enterarme de los cambios acontecidos en vuestras vidas.

Prólogo: restablece
la comunicación contigo

Si en tu relación tienes problemas, grandes o pequeños, te diré cómo solucionarlos. No intentaré ser ni agradable ni locuaz ni tocaré tu punto vulnerable con mis palabras. No voy a usar ninguna de esas expresiones típicas de la psicología divulgativa actual, ni pienso caer en las teorías de moda. Voy a indicarte de forma directa, y no a través de un discurso vacío, las respuestas efectivas que han sido enterradas por la psicología barata de hoy.

Hay una premisa que debes enfrentar si quieres salvar tu relación y mejorar la comunicación con tu compañero: tienes que ser sincero contigo mismo. Cuando digo sincero, me refiero a un 100 % leal y fiel a ti mismo. Sin mecanismos de defensa, sin negación, absolutamente honesto. Si te pones a la defensiva, discutes por todo, eres rígido, terco y obstinado, perderás seguro. Este libro indica cómo mejorar la relación, pero el vehículo para conseguirlo eres tú y no tu pareja y tú. Para restablecer la comunicación con la persona amada has de empezar por ti.

Aunque puedes cambiar completamente a tu compañero y canjearlo por uno mejor, sin duda no conseguirás ninguna diferencia a menos que empieces antes que nada mirando en tu interior. Este proceso no es de a dos, sino exclusivamente tuyo. Tienes que recuperar el poder, coger las riendas y convertirte en una persona que inspira respeto y que es capaz de consolidar un amor activo y duradero. Este cambio se inicia desde dentro hacia fuera a medida que entras en contacto con tu verdadero yo y decides qué hacer con tu amor y tu vida. El propósito que persigues debe ser tan claro como el agua. La solución, es decir, el rescate de tu vida en pareja, depende sólo de ti. Si actúas con cualquier otro condicionamiento o idea, garantizas el fracaso, un fracaso triste y absoluto. Por este motivo he de comenzar forzosamente sumergiéndote en ti mismo. Sé que no estás siendo honesto y sincero contigo, de lo contrario no tendrías problemas con tu pareja ni necesidad de leer este libro.

De hecho, si tu relación se ha torcido, se ha llenado de tristeza, pena, confusión, malentendidos o sencillamente está vacía, por definición sé que te has alejado de ti mismo, has perdido de vista tu verdadero yo, tu poder personal, tu dignidad, tus criterios personales y la propia autoestima. Has tolerado la pena, el mal humor y las actitudes autodestructivas. Has apartado de tu vida tus sueños y esperanzas, has aceptado la apatía y tantas cosas que no querías. En el camino, posiblemente hayas dejado que tu compañero te maltrate a lo largo de los años. Pero aún más importante, tú te has maltratado. Has culpado a tu amante o a otras circunstancias por tu vida en vez de esforzarte en encontrar las respuestas dentro de ti. Has perdido contacto con el núcleo de tu conciencia: el lugar donde estás absolutamente definido, en el que almacenas todas tus fuerzas, instintos, valores, talentos y conocimientos. Haz memoria, hubo un lugar y un tiempo en el que sabías quién eras y qué querías. Creías en ti mismo, y tu vida estaba llena de esperanza y optimismo. Te encontrabas ligado al núcleo de tu conciencia. Estabas centrado en esa parte de la conciencia que nos otorga Dios y que te define exclusivamente. Puedes volver a ella otra vez.

Esto no es una simple conversación de autoayuda, encontrarás el concepto fundamental que buscas dominar. He estudiado durante toda mi vida a personas exitosas. Siempre me he preguntado por qué crean relaciones maravillosas y viven de modo gratificante mientras otros individuos, igualmente talentosos, caen en la mediocridad. Todos conocemos a gente que tiene todas las oportunidades y posibilidades de escalar y, así y todo, no consigue prosperar ni hacer nada productivo. También conocemos a otras personas que parecen no poseer nada y venir de cualquier parte para luchar contra la adversidad; sin embargo, consiguen prosperar y adueñarse del mundo. He descubierto de forma determinante y clara que quienes hacen las cosas bien están en contacto con el núcleo de sus conciencias, tan seguros de su capacidad y de su valía que no sólo se respetan a sí mismos enormemente sino que inducen a los demás a que los traten con respeto. Asumen la realidad con una inmensa claridad que les proporciona la firme confianza de que sólo ellos pueden determinar su calidad de vida. Han restablecido sus núcleos de conciencia, han exigido su derecho a tener una existencia plena y próspera, y han rechazado aceptar menos, tanto de ellos mismos como de los demás.

Oír la verdad no suele ser fácil, pero ésta siempre prevalece. Si no descubres todas las leyes de la vida que te provocan, te dan impulsos negativos y te hacen dudar con mensajes confusos, y no te vuelves a comunicar con el núcleo central de tu conciencia, no importa todo lo demás que puedas aprender porque te tendrás en tan poca consideración que seguirás saboteando tu relación. Estarás detenido en la pena, la culpa, la rabia y la confusión. No podrás escapar.

Por eso voy a por ti. Debes reclamar tu poder y tu fuerza para convertirte en una persona magnífica y extraordinaria. No hablo de ser más dominante respecto a tu pareja: mi fórmula no te dará más control sobre tu compañero, tampoco te ayudará a tener más argumentos.

No se trata de apartar a los demás para tener más tú. Pero contribuirá a elevarte y a dar más a aquellos que te rodean. Hablo del poder que viene de dentro y que nace de la convicción, la capacidad de inspirar, crear, experimentar tu vida y tu relación de pareja a un nivel totalmente diferente. Es el poder cálido y tranquilo de la dignidad y el valor. Cuando vuelvas al núcleo de tu conciencia y empieces a crear tu propia experiencia, verás cómo el mundo, incluido tu compañero, comenzará a tratarte de forma diferente. Emerson escribió: «Lo que se esconde detrás y delante de nosotros palidece en comparación a lo que se esconde dentro de nosotros mismos».

Así que ésta es tu premisa. A medida que avances en la lectura de este libro, deberás contemplar todo lo que se te presente con la mirada puesta en cómo restablecer la comunicación contigo mismo, con el núcleo central de tu conciencia que ha estado allí desde el día en que naciste. Conforme leas, piensa en cómo infundirás honor y nobleza a tu corazón y tu mente para empezar a asumir el mundo desde una posición de fuerza en vez de desde la debilidad. Comprométete ahora mismo a conseguir más de ti mismo y para ti. Con cada página quiero que levantes la cabeza, que tu pecho y tu barbilla se alcen, pero no de forma arrogante sino como un mensaje determinante. Al comunicarte con el núcleo central de tu conciencia, redescubrirás tu fuerza interior y estarás en el buen camino. Puede que sea el acto más sencillo y gratificante de tu vida y el mayor regalo para tu compañero sentimental.

Es tu hora, es tu turno

Han pasado 10 años desde que estuve sentado con Carol y Larry en mi consulta. Un caso bastante típico, ya que el motivo de su visita era que tenían problemas para definir la relación. Una vez estuvieron absolutamente convencidos de que su profundo amor y optimismo contribuirían a que su relación perdurara, vinieron a verme. Les parecía que vivir juntos estaba muy bien y pensaban que la unión los completaría. Desde el principio hicieron sacrificios y prometieron compartir su amor.

Aquí estamos, tratando de entender por qué aquello que pensaron que los haría tan felices, en verdad los convertía en seres atrapados y sobrecogidos por un inexplicable sentimiento de desilusión. Se herían, especulaban con los pensamientos del otro y se preguntaban cómo se podía llegar a estar estancados y dolidos tan rápidamente. Carol se enjugaba las lágrimas apenas se deslizaban por su mejilla y se tocaba la garganta. Larry miraba por la ventana, con los hombros caídos, mientras se acariciaba la barbilla. La relación tenía un matiz de desesperación, acentuada por momentos de enfado y ataques al carácter y la personalidad del compañero; en un último esfuerzo decidieron buscar ayuda profesional. Carol me dijo: «Estoy cansada de sentirme sola. Tengo ganas de gritar o golpear algo, pero no sé qué ni por qué. Estábamos tan bien y contentos..., y ahora nuestro amor se ha vuelto frío, amargo y sin vida. ¿Es esto todo lo que hay?».

Comencé a hablar, dándoles a ambos un lugar en común y la misma sabiduría convencional que tanto yo como otros terapeutas del país hemos transmitido durante años. Les aclaré que iban a tener que comprometerse para resolver los problemas. «Os tenéis que comunicar mejor, ver las cosas con los ojos del compañero, intentar trabajar cada una de vuestras diferencias y recordar vuestros votos de matrimonio.» Había aprendido que debía comportarme ante mis pacientes de manera cálida y genuina mientras decodificaba todo tipo de respuestas. Sin embargo, enseguida me encontré diciendo: «Bla, bla, bla...».Y me pregunté si, a través de la práctica de los últimos años, alguien se había dado cuenta de que toda esa habladuría ya no funcionaba, que la mayoría de las parejas con problemas no lograba estar mejor.

Me encontraba con dos personas buscando respuestas y yo no hacía más que hablarles de «la naturaleza de las relaciones», lo cual no iba a cambiar su situación. Mi consejo profesional era bueno, de poder vivir en una torre de marfil o tener una existencia muy peculiar. Pero, para los que estaban en este mundo, tenían hijos, demandas financieras, competían por los afectos y padecían estrés, poco podía significar.

Casi todos los consejos sobre cómo mejorar las relaciones en nuestra sociedad no sólo no funcionan sino que ni siquiera se aproximan a una tentativa de resolución. Era verdad entonces y lo es ahora. Las investigaciones demuestran que dos terceras partes de las parejas, matrimonios o de hecho, que buscan ayuda profesional, después de un año están mucho peor o, si no, igual. La tasa de divorcio en Estados Unidos no baja del 50 %, y el 20 % se divorcia unas dos veces durante su vida. Las instrucciones agradables y genéricas de cómo «comunicarse» mejor, o bien de inspirarse para lograr una profunda comprensión de la relación, no fueron teóricamente posibles hace 50 años así como no lo son ahora.

Ese día con Carol y Larry fue crucial para mí. Decidí que, si continuaba impartiendo las terapias convencionales de los tratados de psicología, los estaría engañando sin darles la posibilidad de superar sus conflictos. Resolví en ese momento que me dedicaría a investigar por qué las relaciones estaban destruyéndose en Estados Unidos y qué hacía falta para recomponerlas. La gente necesitaba una manera sólida y práctica de reestructurar su estilo de vida para construir una relación sana en vez de prolongar una convivencia miserable. Mi titulación y mis méritos no tenían ninguna importancia, iba a tener que ensuciarme las manos en esa parte oscura de la vida, ofrecer consejos primarios y encontrarme con todas las Carols y Larrys del mundo real hasta llegar al borde del precipicio donde se encuentran las parejas con problemas.

Este libro trata precisamente de todo esto. Explicaré lo que creo qué debes hacer para satisfacer las necesidades de tu pareja y cómo construir los fundamentos de la vida para vivir plenamente con la persona amada.

Lo que voy a contarte no tiene nada que ver con las teorías de la comunicación de los libros, tales como «escuchar activamente» o «relación con empatía». No voy a llorar contigo, a cogerte de la mano con ternura, ni hacer que tu pareja y tú os sintáis mejor escribiendo cartas de amor o poniendo rosas en la almohada por la noche. Si buscas un libro que proporcione ideas para una salvación rápida de tus heridas emocionales, sugiero que des este manual a otra persona porque yo pretendo sacudirte hasta la médula, despertarte y luego ayudarte a diseñar una vida y una relación memorables.

Admito que hablo sin tapujos. Y también quiero aclarar que en este libro no encontrarás las cosas fáciles. Para realizar las actividades debes estar muy comprometido. Esta guía es una llamada clara y sonora —una orden sin grandes consideraciones y disculpas, que desterrará los miedos y las defensas, te hará viajar por los confines de tu pasado, estimulará los valores personales, y promoverá tu actuación para buscar lo que quieres en la vida—. Mi misión es contribuir a desenmarañar las capas de confusión y pensamiento distorsionado que han dominado últimamente tu relación. Asimismo tendrás que destruir el mundo falso en el que has vivido hasta ahora y hallar la consistencia con el núcleo de tu conciencia para encontrar las respuestas positivas.

Creo que necesitas muchas respuestas. Las relaciones, en general, y los matrimonios y las familias, en particular, se están desintegrando ante nuestros ojos. Las familias olvidan su propósito y, en cambio, se manifiestan sentimientos de violencia doméstica, disfunciones emocionales y abusos.

La epidemia puede compararse a un tren bajando a gran velocidad desde lo alto de una colina. Si estás leyendo este libro, seguramente es porque viajas en ese tren y quizá estás desesperado.

Sé que lo único que te importa es amar a alguien y ser amado. Pensabas que una relación afectiva podría completarte. No eras idiota o masoquista para buscar una relación que te hiciera sufrir ni tampoco perezoso. Sin embargo, aquí estás, ambos sabemos que no importa cuánta fuerza de voluntad tengas para continuar, ya que hay una línea fuera de ese círculo que, si la traspasas, te hará decir: «Es suficiente, no seguiré un minuto más». Te conoces bien para darte cuenta de que, si cruzas la línea, será el principio del fin. Sabes que tu dignidad y tu corazón sólo pueden soportar cierta dosis de malestar y que, al pasar el umbral, estarás cavando tus talones y el pacto de dedicación conjunta se acabará de inmediato.

Puede que esta línea se presente todavía en algún momento de tu futuro o que en este preciso instante estés caminando por ella como si fuera un hilo. Estoy aquí para impedir que la cruces. Posiblemente no entiendas cómo ni por qué tu relación vive esa confusión, pero yo sí. Sé también por lo que estás pasando y la manera en que ocurrió. Quizá parezca arrogante y, de ser así, lo siento, sin embargo, después de haber estado en el infierno con miles de parejas y volver a la normalidad, me he vuelto bastante hábil. Tengo claro qué debes hacer para controlar tu relación y llevarla por el camino correcto. Si permaneces junto a mí durante la lectura de este libro, te mostraré cuáles son tus carencias. Asimismo, te haré entender, por ejemplo, que no eres inadaptado o incompetente en tu relación, simplemente se han amontonado pilas de acusaciones en tu contra.

Es asombroso, has llegado hasta aquí

Si me conoces por mis trabajos escritos o por programas de televisión, sabrás que soy la última persona en la Tierra que pensaría que eres una víctima. Tampoco diría que para buscar una causa de lo que hoy gobierna tu vida debes mirar alrededor y no en ti mismo. La sociedad te ha enseñado que compartir la vida con otra persona está bien y es correcto. La misma sociedad dictamina hasta qué punto una relación tiene éxito, considerando cómo te comportas con ella y tu familia, pero nunca se ha preocupado por mostrarte de qué manera has de hacerlo.

Piensa en lo siguiente: los requisitos para sacar un carnet de conducir son diez veces más complicados que los que se requieren para casarse. A fin de conseguir el carnet, al menos, debes pasar un examen en el que se comprueba cierto nivel de conocimientos y competencia. De hecho, la sociedad permite que, pagando dos dólares y firmando en el juzgado, se declare a dos personas marido y mujer. Quizá tu única experiencia de cómo se vive en pareja haya sido observar la relación de tus padres. El problema es que seguramente ellos han tenido una instrucción más elemental que la tuya e, incluso, menos conocimiento acerca de las relaciones.

Has aprendido en el colegio a leer y escribir, a sumar y restar, pero nunca te enseñaron cómo interpretar tus emociones. Tampoco has recibido una educación sistemática en cuanto a lo que puedes esperar de una relación o a cómo comportarte en ella. Nadie te ha explicado la manera de relacionarte ni tampoco de seleccionar un buen compañero. No te han instruido en el arte de ser cónyuge, ni qué hacer cuando las cosas van mal. Si lo piensas bien, nadie te ha ayudado a definir lo que la palabra «mal» significa.

Como resultado, puede que hayas elegido a tu pareja por razones equivocadas y que, a partir de ahí, te hayas propuesto actitudes, objetivos y expectativas erróneas. He aquí la mala suerte: cuando buscas ayuda profesional, la mayoría de los «terapeutas», con todos sus libros de texto y teorías psicológicas al abasto, parece que no lleguen a entenderte. Me sorprende la cantidad de psicólogos, psiquiatras, terapeutas maritales, consejeros, sanadores, columnistas y autores de autoayuda que hay en este país que encaran los problemas de las relaciones de una forma vergonzante. Es hora de que las conversaciones paralelas y los pensamientos confusos se acaben. En el viaje por estas páginas, no estarás expuesto a quiméricas teorías y mala información, se te presentarán técnicas y realidades para crear y dirigir una relación sana, en lugar de aconsejarte que visites profesionales caros o que leas eufemismos cálidos y confusos que sólo sirven para alejarte de lo que normalmente te puede ayudar. Aprenderás la verdad, y la verdad es que tu relación tiene problemas porque **tú** los has propiciado.

Lee esta oración otra vez: tu relación tiene problemas porque **tú** los has propiciado. Déjame ser aún más claro: no me refiero a que los pautaste de esa manera a causa de malos humores periódicos o por algo horrible que hiciste hace cinco meses o cinco años. Los has provocado con una actuación activa, consistente en programar, diseñar y coreografiar tu estilo de vida para generar y dar soporte a una mala relación. Has elegido vivir de una forma en la cual no hay otra salida.

Durante este libro, lo repetiré insistentemente: no es posible que mantengas una relación sana y estable, a menos que generes y adoptes un estilo afín. Todas las personas, en cada paso que dan, cuentan con un estilo de vida que les brinda apoyo en su esencia.

Si eres saludable, eficiente y productivo y tomas tu núcleo de conciencia, con tu estilo de vida brindas apoyo a tu forma de actuar. En caso de que seas una persona emocionalmente apenada y conflictiva en las relaciones, perdiendo tu núcleo de conciencia, con seguridad tu estilo de vida lo corroborará. No puedes tener una mala relación a menos que estés marcado por el estrés, la presión, la distracción y una existencia caótica. Más aún, si tu relación con otra persona es disfuncional, mantienes la misma situación contigo mismo.

No te estoy culpando, sólo te hago notar lo que hay. Una mala relación no existe si no se alimenta de alguna manera. Si piensas que estoy equivocado, mira hacia fuera por tu ventana. ¿Ves malas hierbas en tu jardín o en el campo próximo al tuyo? Pues, no es por casualidad. Alguna razón habrá para que estén allí. Y, lo que es más importante, de alguna forma han debido crecer. No surgieron de la nada, el ambiente tuvo que favorecer su existencia.

No me refiero a que has elegido un ambiente o tipo de vida conscientemente. La realidad de tu relación, junto con tu estilo de vida y tu estabilidad interior, están del todo entretejidas. Si has proyectado y llevado a cabo tu vida para estimular distancia entre tu compañero y tú, en lugar de fomentar un espacio común, de lucha en vez de cooperación, de acusaciones y rechazo en lugar de responsabilidad y aceptación, es lógico que ahora estés experimentando dolor y frustración. Los problemas no florecen aisladamente, se necesita alimentarlos y estimularlos.

Como ejemplo, compara el estilo de vida de alguien que tiene sobrepeso con el de una persona activa que se mantiene en forma. Ambos han diseñado sus vidas para llegar a lo que se han convertido. El obeso busca comida en todo momento. Vive para comer, mientras que la otra persona come para vivir. Ésta es una dolorosa verdad, pero verdad al fin. En lo que concierne a tu relación, has elegido vivir modelos de pensamientos, sentimientos y comportamientos que, a su vez, han generado algo que no te da lo que querías. Vives para sufrir en lugar de disfrutar de la vida. Esto tiene que cambiar y ha de ser antes de que las otras piezas que forman tu círculo caigan.

Imagino que muchos, en este momento estaréis diciendo: «Espera un segundo, doctor Phil, toda tu literatura de cómo situarme en el lugar adecuado es fantástica, pero lo que no sabes es lo desagradable que puede llegar a ser mi compañero. No tienes ni idea del infierno que representa en mi vida. Estoy de acuerdo en hacer que mi relación sea mejor, pero ¿qué hará mi pareja al respecto? ¿Por qué todo ha de recaer sobre mí? Yo soy sólo la mitad de este trato».

Confía en mí, sé lo que estás padeciendo y te prometo que tu pareja tendrá su turno en este entierro. Posiblemente, ella no esté sentada a tu lado leyendo este libro, tú eres el único que lo hace. Mi influencia, mi transmisión de conocimientos es contigo, por eso me concentro en ti; y si aprendes ya harás lo mismo con tu compañero. No te preocupes, ya que para bailar un tango son necesarias dos personas; por lo tanto, si puedes cambiar y crear un estilo de vida y un ambiente diferentes para tu relación, si puedes recuperar tu poder y reclamar dignidad y respeto, influirás en gran medida en tu pareja.

No puedes controlar a tu compañero, ni hacer cambios por él. Tampoco puedes decirle qué debe hacer. Sin embargo, puedes inspirarlo. Ofrécele un nuevo conjunto de comportamientos y estímulos para responder. Si te alejas de los esquemas mentales destructivos y del círculo vicioso de las interacciones frustrantes, destierras las peleas y comienzas a vivir de otra manera, le va a resultar muy difícil continuar echando veneno. Puedes dejar de sabotear tu relación y a ti mismo e inspirar el tipo de reacciones que quieres de tu pareja.

Frente a ese bagaje constructivo, no podrá discutir solo o provocar acaloradas disputas sin tu participación. Tu compañero puede desfogarse durante un rato, tal vez retirarse y estar receloso, pero eventualmente se sentirá un poco estúpido de estar sentado en un rincón mientras tú pareces sentirte más feliz, optimista y en paz.

Salvar tu relación significa salvarte a ti

Además, ¿cuál es la alternativa, permitir que tu estilo de vida actual persista y amplíe la separación entre tus sueños y tú? No se trata de cirugía del cerebro o de física cuántica, sino de que entiendas que lo que estás haciendo y la manera en la que vives, simplemente, no funciona. Sencillo y claro, no funciona. Si no presionas un poco para descubrir qué no va bien e identificar cuáles son los fundamentos que soportan tu mala relación, continuarás sufriendo.

Seguirás sumido en los aspectos erróneos de la relación, a expensas de aquello que determina mayormente su éxito o fracaso. Intentarás creer que está bien olvidarte de algunos de tus sueños, diciéndote que al menos te sientes «seguro» y «cómodo». Cada vez confiarás más en el lenguaje de los perdedores y te convencerás de que sabes que «debes» hacer algo para pasar la crisis y cambiar. Pero no tendrás ni la más mínima idea de cómo empezar.

Cuando eliges una forma de actuar, aceptas al mismo tiempo las consecuencias, por lo tanto trata de escoger de manera diferente a como lo hacías hasta ahora. Lo lograrás si estás abierto a este libro y a todo su contenido.

En este momento tienes más claro hacia dónde nos dirigimos. Si vas a intentar salvar tu relación de pareja, el primer cable que debemos arrojar es hacia ti, para que puedas tirar y salir del pantano emocional en que te encuentras. Al cambiar la forma en que te tratas, alteras el elemento más importante de la ecuación: modificas el ambiente de tu relación y las prioridades que dictaminan tu tiempo y energía.

Tienes que volver a diseñar el telón de fondo o el contexto en el cual trasciende tu relación. Hasta que no vivas con dignidad, respeto e integridad emocional, no podrás restablecer la comunicación contigo y los demás. Como suelo decir, no es posible que des lo que no tienes. Si no posees un amor puro y sano y respeto por ti mismo, ¿cómo ofrecérselo a otro? Si no puedes es ridículo esperar reciprocidad.

No estoy sugiriendo que seas otra persona sino que surja de ti lo mejor que tengas. Llegado a este punto, deja de herirte y tu vida comenzará a cambiar. Puede que sientas que estás perdido en un laberinto sin salida, sin una ruta que te lleve al núcleo de tu consciencia y a la fuerza y sabiduría que residen allí. Bien, estoy a punto de crear un camino con salida para cuando quieras o lo necesites. No estoy atrapado en la ideología de la torre de marfil. Lo que más deseo es obtener buenos resultados. Estoy preparado para derribar la pared del laberinto y liberarte de las penas y la infelicidad que te consumían, brindándote un acceso seguro a las instrucciones y respuestas sobre lo que debes hacer para obtener lo que buscas.

Pero, como he dicho anteriormente, necesito tu ayuda. Tienes que estar dispuesto a admitir que respecto a conducir una relación, todo lo que piensas, sientes y haces no funciona. Has de estar deseoso de modificar tu posición hacia una personalidad de profundas convicciones, emociones duraderas y modelos ejemplares de comportamiento.

Cuando menciono «modificar tu posición», quiero que abraces un cambio completo en cuanto a tu manera de pensar, sentir y actuar con tu pareja y contigo. Puede que sea más violento de lo que imaginas. Digo que elimines las pólizas a todo riesgo y aprietes el botón de esas ideas que borraste a lo largo de 10, 20 o 30 años. Haz borrón y cuenta nueva y comienza a pensar de diferente manera. Me gustaría que te consideraras una persona cualificada que merece una relación de calidad.

Al centrarte en tu núcleo de conciencia, comprobarás que no existe nada malo en ti que justifique no tener una relación satisfactoria con la que compartir la vida, el amor y la risa todos los días.

¿Estás preparado para incorporar un nuevo tipo de pensamiento, de sistema de creencias y una nueva forma de ver a tu pareja y a ti mismo? Para saber si estás dispuesto a continuar leyendo este libro, responde las siguientes preguntas:

• ¿Puedes olvidar lo que piensas que sabes sobre las relaciones?
• ¿Eres capaz de medir la calidad de tu relación, basándote en los resultados en lugar de en las intenciones o promesas?
• ¿Puedes tomar la decisión de ser más feliz que correcto?
• ¿Tienes la capacidad de dejar de jugar el papel de culpable y reconocer que hoy es un nuevo día?
• ¿Deseas cambiar de posición en cuanto a la manera de acercarte y comprometerte con tu pareja?
• ¿Acaso estás ansioso de ser realista y honesto contigo mismo, sobre ti mismo, sin importar lo doloroso que sea?
• ¿Eres capaz de parar de negar y ser completa y totalmente honesto sobre el estado de tu relación actual?

Sé que para la mayoría puede resultar difícil responder honestamente «sí» a todas las preguntas. De cualquier manera, no abandones hasta que te comente dos puntos importantes.

Oponerse a la tendencia:
puedes lograr que tu relación funcione
Primero, no es demasiado tarde. Tienes que poder creer y aceptar que no intentarás salir de la relación antes de poder salvarla. Quizá pienses que tu relación ha fracasado y que has tratado por todos los medios de salvarla. Tal vez te sientas cansado, desacreditado y vencido. Sin embargo, has de quitarte este pensamiento de la cabeza o, de lo contrario, te ahogarás en el agua con un yunque atado al tobillo. No importa cuántas veces te han herido ni las veces que te has desilusionado ni las que has llegado a pensar que podría ser diferente y enseguida has

vuelto a caer en el lado oscuro. Debes querer otra oportunidad. Aun cuando los daños hayan sido tan profundos para que ahora no estés seguro de que te importe la supervivencia de tu relación, crees que no podrías tolerar más dolor en la relación o no te sientas motivado o esperanzado, puedes salir del arroyo si dices lo siguiente: «Ojalá me sintiera otra vez bien con mi pareja». Es todo lo que necesitas. Si reúnes lo que tienes en tu mente y en el corazón y dices: «Me gustaría sentirme nuevamente bien en la relación y poder enamorarme de la persona que una vez amé, ya que esas emociones me hacían bien», ya tenemos suficiente para avivar las ascuas del fuego.

Segundo, no estás solo. Puede que te sientas aturdido y desmoralizado, sumergido en la soledad que aparece cuando una relación se deteriora.

Quizá te sientas intimidado y sorprendido por lo que aparentan ser problemas insuperables o heridas que corren profundamente por tus venas. Pero quiero que sepas que, de ahora en adelante, tienes una pareja. Es una persona que quiere transitar contigo por ese laberinto de emociones y está dispuesta a relacionarse sin juicios ni críticas, pero con la voluntad y el coraje necesarios para decir la verdad. Voy a ser tu pareja. He aconsejado a miles de personas y enseñado a otras tantas en seminarios. Las he ayudado a crear y mantener las relaciones clave de sus vidas. He aprendido lo que tú sabes y, lo más importante, lo que tú no sabes acerca de compartir la vida con otro ser. He diseñado este programa para encontrarte en cualquier punto en el que estés y darte el poder para cambiar. Poder que proviene de conocer la verdad absolutamente al desnudo. En realidad, una vez descubres cómo llegaste a meterte en ese lío, intentas deshacerte de esa confusión y, enseguida, te estremeces al notar que estás casi fuera. Y, si aún tienes el coraje de ser honesto contigo, el éxito no te parecerá tan distante.

No procederemos de una manera casual. La estrategia para recuperar tu relación incluye siete pasos de gran magnitud.

Primero, nos concentraremos en definir y diagnosticar dónde está ahora tu relación, puesto que nunca podrás cambiar lo que no conoces. Si logras definir y precisar qué no funciona en ti —así como lo que no está bien en tu relación—, serás capaz de fijar objetivos razonables para el cambio. Me refiero a lograr un entendimiento de tu persona y tu pareja a un nivel totalmente diferente. Una cosa es decir: «Duele, no me gusta cómo me siento, algo falla». Otra es llegar a lo que no funciona mediante la consideración de las estructuras, los comportamientos, los conceptos filosóficos y las emociones. Cuando descubras la base del conflicto, podrás encontrar una solución. Te quedarás perplejo al constatar el poder que te da ese conocimiento mientras persigues salvar tu relación.

Segundo, tengo que liberarte de los malos pensamientos. Como he comentado antes, no has padecido una ausencia de información, has experimentado un envenenamiento en tu pensamiento producido por una infusión de información equivocada. Esta información errónea —los «mitos» que rodean las relaciones— te ha llevado por la ruta equivocada, te ha hecho elegir las alternativas incorrectas para definir los conflictos. Si diagnosticas los problemas de forma errónea y por desconocimiento adoptas pensamientos falsos, te condenarás a una vida en la cual usarás un tratamiento equivocado al resolver problemas incorrectos.

Tercero, es importante que empieces a ser consciente de tus actitudes negativas, comportamientos y formas específicas con las que haces un daño irreparable a tu propia relación. En otras palabras, modificar la forma en que interaccionas, que hace que quedes en directa oposición al yo sano que se encuentra bien definido en tu núcleo de conciencia.

No puedes estar a la defensiva y empezar a quejarte de tu pareja porque te prometo, basándome en resultados, que vas a descubrir mucho que reparar en ti mismo antes de concentrarte en tu compañero. Lo mejor es aceptarlo y entender cómo y por qué tu relación no es lo que deseas y, a partir de aquí, comenzar a moldearla. Son buenas noticias que el protagonista seas tú mismo, así podrás controlar tu vida.

Sólo entonces, después de haber comprendido la dimensión de tu pensamiento equivocado, las malas actitudes y acciones, y el impacto que tienen en tu relación, puedes avanzar hasta el cuarto paso, el cual favorece la internalización de lo que denomino «valores personales de la relación». Éstos se convertirán en los pilares de la nueva estructura de tu vida en pareja. Te llevarán hacia tu núcleo de conciencia, el equilibrio emocional y te estimularán para que puedas brindar a tu compañero todas las respuestas positivas necesarias para realimentar vuestro vínculo.

Ahora es el turno del quinto paso que te enseñará una de las fórmulas activas más básicas y poderosas en el centro del funcionamiento humano: la fórmula específica para una relación exitosa.

Alerta roja: esta fórmula no servirá hasta que domines los cuatro primeros pasos. Si no los has completado, puede que pierdas la posibilidad de aplicarla efectivamente. Ten paciencia mientras te preparas para el éxito. El deseo de ganar queda eclipsado por la voluntad de prepararse para ganar. No te precipites e intenta trabajar con esta fórmula. Pronto verás resultados y, sobre todo, no te aflijas: llegarás a tiempo.

En el sexto paso comenzaremos el proceso de restablecer la comunicación con tu pareja. Muchos de vosotros habéis permitido que la conexión se interrumpa durante largos años. Para otros, en cambio, se trata sólo de despertarla y no permitir que la distancia se interponga entre los miembros de la pareja. Para prevenir o remediar la incomunicación es posible restablecer las negociaciones, trabajar mediante una serie de pasos críticos para aprender a tratar nuestras necesidades y las de nuestro compañero y nos arrime al éxito. Una de mis premisas es reconocer las cosas antes de reclamarlas.

Tienes que decidir lo que realmente deseas de tu relación, de ti y de tu pareja. Ya aprenderemos cómo lograrlo. Mediante un programa estructurado en 14 días, tu pareja y tú descubriréis dónde comienza vuestra nueva vida en común.

Por último, en el séptimo paso, aprenderás a gestionar tu relación desde el momento en que mejore la situación. Seamos honestos, ni tú ni tu pareja habéis nacido ayer. Ambos tenéis un gran bagaje emocional, por tanto será necesario un tiempo considerable a fin de librarse de esas cicatrices y establecer nuevas perspectivas. Para asegurarnos que estás preparado para enfrentarte con lo que te depara el futuro, lee el siguiente capítulo donde defino la vida diaria de una relación, incluyendo temas tan íntimos como el sexo y tan negativos como las peleas y el abuso físico.

Relación: un proyecto de estatus

Para completar estos siete pasos hay algo que debes hacer: comenzar ya. Coloca tu relación en lo que denomino un «proyecto de estatus». Esto significa que tienes que decidir conscientemente trabajar de forma activa y resuelta para mejorar tu situación día a día. No es que necesites afirmar el «quiero» o «intento» trabajar en ello. Digo que tienes que **hacerlo** todos los días. Elabora una rutina y proyecta tus tiempos a diario: sacas la basura, llevas a los niños al colegio, vas a trabajar... Resérvate un tiempo para combatir los problemas de tu relación, un espacio todos los días para que tu relación de pareja mejore y llevar a cabo las tareas que propongo en este libro. Recogerás del proyecto lo que hayas sembrado.

Tal vez tengas que reconsiderar tus horarios u olvidarte de otras actividades y encontrar el tiempo para dedicar a este programa. Esto implica volver a considerar las ocupaciones de los fines de semana, las vacaciones y lo que sea para poder trabajar en el reencuentro con tu pareja. Colocar tu relación en un «proyecto de estatus» significa adjudicarle la importancia que se merece y que debes comprometerte durante todo el trayecto. He aquí una fórmula muy útil: SER – HACER – TENER.

Comprométete, haz lo que deba hacerse y tendrás lo que desees. No creas que se trata de dedicarte a tu relación sólo durante un ratito. Tienes que insistir en ello. Hazlo hasta que logres tener lo que habías proyectado. Sospecho que se ha necesitado un período de tiempo largo para estropear tu relación, de manera que puedes brindar el tiempo que haga falta para enderezarla.

En este viaje tendrás inconvenientes, penas, frustraciones, pero también cambios. Manténte interesado y facilitarás el cambio. Tu dedicación debe prolongarse hasta que se desarrolle tu nuevo estilo de pensamientos, sentimientos y acciones. No basta con tener «deseos» o «esperanzas» de poder tener una relación mejor. Has de sentir la necesidad verdadera de alcanzar el fondo y encontrar el apetito por la excelencia que habita en alguna parte dentro de ti. Y, luego, intentar liberarlo.

Tienes que estar decidido a desafiar los inconvenientes, tus propias inseguridades y la sabiduría convencional que te ha llevado al desengaño. Exígete desde un buen comienzo. Adopta la filosofía de la pasión que dice: «No renunciaré, no dejaré que mis esperanzas y sueños se posterguen». No te equivoques, tu vida es tu única oportunidad. No estamos hablando del traje para un ensayo. Tiene que ser un imperativo para ti: alcanzar lo que quieres y hacerlo ya. Si estás dispuesto a negociar por menos, no olvides que eso es lo que obtendrás.

Finalmente, estar en un «proyecto de estatus» significa que no debes olvidar la importancia de tu relación contigo mismo. No puedes pedir otra cosa que lo mejor de ti y para ti. Te debes decir que no está mal que lo quieras todo. No es malo pedir dignidad, amor, honor y romance en tu vida. Te mereces todo lo que quieras poseer o lograr. Debes admitir que la paz, la alegría y la abundancia en la relación no son sólo para los demás, son también para ti. No eres egoísta porque lo desees, tampoco es producto de la inocencia o la inmadurez. Lo que es inmaduro es precisamente conformarse con menos.

No tiene nada de malo querer, esperar, pedir y aspirar en una relación en la cual te tratan con honor, dignidad y respeto. No resulta irreal la idea de que tu compañero te haga sentir protegido. No es extraña la creencia de que Dios te ha provisto de otra persona en este mundo a quien puedes confiar tus secretos más sagrados y necesidades íntimas.

No estoy sugiriendo que el optimismo ciego o la negación de los riesgos sea la perspectiva correcta, ni pretendo decirte que no existen problemas o que éstos se solucionarán inmediatamente.

Sólo pido que te convenzas de una vez de que puedes hacerlo y que tu relación mejorará. A menudo he dicho: «En ocasiones tomamos la decisión más acertada y, en otras, tenemos que tomarla». Si quieres la información, las herramientas y un plan específico de acción, no te queda otra alternativa que decidir la forma adecuada para producir auténticos cambios en tu vida y recuperar a tu pareja. Continúa leyendo, en estas páginas encontrarás las estrategias —muchas de ellas aparentemente ilógicas— que te permitirán restablecer la comunicación con la persona amada.

Quizá no quieras «oír» todo lo que aquí «se diga». Puede que no estés dispuesto a eliminar todos esos mitos destructivos que menciono acerca del funcionamiento de las relaciones ni te agrade la idea de bucear dentro de ti en busca de la verdad. Sin embargo, estoy seguro de que te compensarán los resultados. Te encantará saber que puedes reprogramarte para el éxito más que para el fracaso, que serás capaz de pasar de ser un individuo que espera que las cosas ocurran en un futuro a ser quien activamente las promueva. Entonces, tu pareja y tú podréis buscar lo que queráis, detener el dolor que os invade y crear más paz, amor y alegría en la relación.

Define el problema

Siempre que me cuentan que una relación no funciona, primero pregunto: «¿Qué es lo que sucede específicamente?». En general, por respuesta obtengo... silencio. Entonces vuelvo a cuestionar: «¿En qué situación os encontráis?». Algunos me explican ciertas «incidencias» que han ocurrido entre los dos miembros de la pareja y describen el dolor y los sentimientos. Deduzco de todo eso que no saben cómo definir la causa del problema y la fricción.

Lo siento, pero esa respuesta no me satisface. Tienes que ser realista y extremadamente claro en cuanto al lugar donde os encontráis ahora y por qué. Debes conocer el activo y el pasivo de la relación, las cosas que funcionan bien y las que no. Has de saber con exactitud cómo evoluciona tu relación o si está deteriorándose, si se ha estancado o se encuentra a la deriva y sin control. Existe un viejo adagio que dice: «La mitad de la solución de un conflicto radica en definir el problema». Necesitas conocer el momento específico de la relación y qué hace que suceda de esa manera. No es posible cambiar o curar lo que se desconoce.

Es muy importante que sepas lo que has hecho para que la relación esté en el lugar en que se encuentra actualmente. Para ello tienes que analizar los aspectos negativos y positivos. ¿En qué medida has contribuido a ello y de qué manera has contaminado la relación? Al afirmar que algo no está bien, ¿puedes identificar qué es? ¿Adivinas o actúas por reflejos, en lugar de seguir una estrategia definida? ¿Obedece a una falta de comunicación, a la tendencia a pelear, a tu miedo a la intimidad, a un vacío general o a cualquier otro problema?

¿Estás seguro de que la ansiedad o la preocupación que sientes es por causa de la relación, o quizá se deba enteramente a otro motivo?

No cometas un error: una relación enferma es como cualquier otra dolencia que necesita un diagnóstico. Si llegas a uno falso, no sólo tratas equivocadamente al paciente sino que ignoras el problema real puesto que piensas que ya lo sabes.

Lo peor que puedes hacer es plantear conclusiones erróneas sobre las causas y los efectos de las crisis de pareja. Para recuperar a tu compañero sentimental, tu labor consiste en diagnosticar qué debe cambiarse y buscar estrategias de intervención correctas. No es un proceso extremadamente complejo ni tampoco has de tener una gran experiencia para llegar al diagnóstico. De hecho, es mejor que no estés profesionalmente entrenado para ello. Pero has de ser particularmente honesto acerca de la relación y de la parte que a ti te toca. No puedes engañarte ni endulzar lo que te ha pasado. Si tu relación se encuentra en un pantano, debes admitirlo. Si estás emocionalmente en bancarrota es porque tu pareja y tú estáis completamente agotados, acéptalo. En caso de que estés casado, pero vivas un «divorcio emocional», admítelo. Si la relación está matando y consumiendo tu autoestima y autovaloración, no lo niegues. Quizá te hayas endurecido y te hayan salido callos por el dolor, acéptalo también.

Por favor, no digas: «Bueno, lo tenemos que hacer un poco mejor» cuando, en verdad, has de propiciar un cambio profundo. Tanto si debes actuar ya como prepararte para hacer mucho en la relación, la verdad es que no resultará nada fácil. ¿Es culpa de uno de los dos que ha volcado toda su frustración en el otro? ¿Acaso habéis sido padres durante mucho tiempo y os habéis olvidado de lo que significa ser amigos y amantes? ¿Ya no recordáis cómo prestar atención al otro? ¿No hacéis el amor? ¿Qué ha ocurrido con vuestra intimidad? ¿Eres frío y distante con tu pareja por algo ocurrido hace 10 años? ¿Trabajas para percibir doble salario y no tienes suficiente tiempo para tu compañero? ¿Hay tensión debido a una aventura pasada de alguno de los dos?

Este libro no servirá para que te sientas y leas. Ten a mano lápiz y papel. Debes asumir un rol activo desde el comienzo hasta el final. Tú eres el que está en la escena y, por ello, eres el agente de cambio. Tienes que comprometer tu mente, corazón y alma para comprender tus propios sentimientos.

Perfil de conceptos personales

Comienza el siguiente cuestionario diseñado para estimular tu reflexión acerca de tu relación actual. Analiza la manera en que los problemas de pareja te afectan. Utilizaremos estas revelaciones y la información obtenida a medida que necesitemos esclarecer lo que ocurre en tu relación. Este cuestionario presenta el comienzo de 42 oraciones, que debes completar de forma honesta y espontánea. No te quedes en un punto demasiado tiempo, ya que la primera reacción probablemente sea la más reveladora.

Alerta roja: antes de comenzar con el primer ejercicio, deja que te comente que has de ser inocente y cándido en todas las respuestas. Tú y yo sabemos que puedes manipularlas y convertirlas en socialmente aceptables. Resiste la tentación de escribir siempre la respuesta «correcta». Nadie más que tú leerá las contestaciones.

Si aminoras la marcha ahora, te estarás engañando y más adelante lo harás también con tu pareja.

Sugiero que uses un diario para anotar tus pensamientos y, de esa manera, ayudes a mantener tu confidencialidad además de facilitar las respuestas. Pensar las contestaciones es, sin duda, completamente diferente que tener que escribirlas sobre papel. Al redactarlas, pones más atención en la coherencia e intentas expresar una idea completa. Esto es fundamental, ya que aflorará un gran número de pensamientos, sentimientos y respuestas. Poder reflejar algunos de estos pensamientos por escrito será útil a medida que avancemos en la lectura de este libro. El diario te permite ser objetivo y eso es muy importante cuando te evalúas a ti mismo.

Asegúrate de que eres el único que tiene acceso al diario. De hecho, intenta proteger tu privacidad y la confidencialidad de tus escritos. Te tienes que sentir libre y desinhibido al escribir. Ser fiel a tus pensamientos y sentimientos facilitará el cambio que necesitas para que tu relación sea como quieras. Continúa en tu diario las siguientes frases:

1. Tiendo a negar...
2. Soy muy feliz cuando...
3. A veces yo...
4. Lo que me enfada es...
5. Deseo...
6. Odio cuando...
7. Al enfadarme, yo...
8. Daría cualquier cosa si mi pareja...
9. En ocasiones...
10. Sería más encantador si...
11. Mi madre y mi padre...

12. Si sólo tuviera...

13. Mi mejor cualidad es...

14. A veces, por la noche...

15. Cuando era un niño...

16. Mi peor rasgo es...

17. Mi vida realmente cambió cuando...

18. Si mi relación se acaba será porque...

19. Mi pareja odia cuando yo...

20. Si estoy solo, yo...

21. Mi compañero se enfada cuando...

22. El gran miedo de mi pareja es...

23. Me duele si ella...

24. Me siento muy solo cuando...

25. Tengo miedo...

26. Amo...

27. Solíamos reír más porque...

28. Sería mejor si...

29. Amigos...

30. Me siento falso cuando...

31. No puedo perdonar...

32. Nosotros juntos...

33. Me sorprende que...

34. Creo...

35. Otra gente piensa...

36. Los hombres...

37. Las mujeres...

38. Siento remordimientos por...

39. No vale la pena...

40. Me ayuda cuando...

41. Si pudiera...

42. Parece que nosotros nunca...

Aunque no acabes de darte cuenta, las respuestas a estas preguntas te han provisto de datos muy interesantes acerca de tus actitudes y de algunos modelos correspondientes a tu comportamiento. Basándote en las 42 respuestas anteriores, responde a continuación:

• Lee las respuestas a los ítems 4, 6, 7, 16, 17, 24, 25, 31. ¿Qué te indican sobre la ira en tu vida y en la relación? Escribe un mínimo de dos párrafos en tu diario.
• Lee las respuestas a los ítems 1, 2, 14, 25, 27, 30. ¿Qué te indican sobre los miedos en tu vida? Escribe un mínimo de dos párrafos en tu diario.
• Lee las respuestas a los ítems 2, 8, 10, 14, 20, 23, 24, 42. ¿Qué te indican sobre la soledad en tu vida y en la relación? Escribe un mínimo de dos párrafos en tu diario.
• Lee las respuestas a los ítems 4, 6, 8, 11, 12, 16, 19, 31, 38, 41. ¿Qué te indican sobre la culpa y el perdón en tu vida y en la relación? Escribe un mínimo de dos párrafos en tu diario.
• Lee las respuestas a los ítems 2, 3, 5, 8, 12, 26, 28, 34, 41, 42. ¿Qué te indican sobre los sueños en tu vida y en la relación? Escribe un mínimo de dos párrafos en tu diario.

Perfil de la salud de la relación

Ahora que has aprendido más sobre ti mismo, echemos un vistazo a tu relación. A continuación presento un amplio cuestionario, del tipo de respuestas «verdadero/falso», que incluye ítems significativos sobre tu salud y la de tu pareja. Nuevamente pido que seas sincero y escribas tu primera reacción. Es importante que no pierdas el tiempo pensando cada respuesta, deja que tus ideas fluyan.

1. Estoy satisfecho con mi vida sexual.
2. Mi pareja no me escucha realmente.
3. Confío en mi pareja.
4. Me siento criticado y no considerado.
5. Tengo esperanzas en cuanto a nuestro futuro.
6. No es tan fácil compartir mis sentimientos.
7. A menudo, mi pareja dice: «Te quiero».
8. A veces siento rabia.
9. Me siento apreciado.
10. Estoy fuera de control.
11. Mi pareja está a mi lado en los momentos difíciles.
12. Es cruel en sus críticas.
13. Me entiende.
14. Temo que se aburra.
15. A mi compañero no le gusta compartir lo que piensa.
16. Me imagino divorciado.
17. Mi relación es como siempre he soñado.
18. Sé que tengo razón.
19. Mi pareja me trata con dignidad y respeto.
20. Él es quien toma en la relación (yo doy).
21. Con frecuencia hacemos cosas divertidas juntos.
22. En ocasiones sólo quiero herir a mi pareja.
23. Me siento querido.
24. Prefiero mentir antes que tratar un problema.
25. Todavía hay mucha pasión en nuestra relación.
26. Estoy atrapado sin salida.
27. Mi pareja piensa que soy divertido.
28. Nuestra relación se ha vuelto aburrida.
29. Me gusta ir a citas solo.
30. Mi pareja se avergüenza de mí.
31. Confiamos mucho uno en el otro.

32. Nos hemos convertido sólo en compañeros de habitación.

33. Sé que mi pareja nunca me dejará.

34. No estoy orgulloso de mi cuerpo.

35. Mi compañero me respeta.

36. Me compara constantemente con otros.

37. Todavía me desea.

38. Parece como si quisiéramos cosas diferentes.

39. Puedo pensar por mí mismo.

40. Estoy harto de mi pareja.

41. Soy honesto con ella.

42. La gente no tiene ni idea de cómo es nuestra relación.

43. Mi compañero está abierto a las sugerencias.

44. Mi pareja me engaña.

45. Es la persona que más me apoya.

46. Me siento juzgado y rechazado por ella.

47. Le importa si estoy triste o preocupado.

48. Me trata como a un niño.

49. Sitúa nuestra relación por encima de todo.

50. Nunca lo satisfago.

51. Mi pareja quiere oír mis historias.

52. Elijo mal a la persona con quien compartir mi vida.

53. Deseo tener tiempo para estar juntos.

54. Mi pareja piensa que soy aburrido en la cama.

55. Tiene suerte de tenerme.

56. Me trata como a un empleado.

57. Siempre gano en las disputas.

58. Envidio las relaciones de mis amigos.

59. Mi pareja me protegería de ser necesario.

60. Sospecho de mi pareja.

61. Siento que me necesita.

62. Mi compañero está celoso.

Vuelve a mirar el ejercicio, cuenta todas las respuestas pares a las que has contestado verdadero y escribe el total. Luego cuenta las respuestas impares que has calificado de falso. Suma los dos números, el de respuestas verdaderas y falsas para obtener la puntuación global.

Este ejercicio está diseñado para que puedas tener una rápida idea acerca de la salud de tu relación. Si la puntuación total está por encima de 32, es muy posible que estés en una situación de peligro, al borde del abismo. Por el contrario, si el total oscila entre 20 y 32, la relación atraviesa un momento difícil, al que denomino «divorcio emocional». Si has puntuado entre 12 y 19, se encuentra en un nivel estándar. No son buenas noticias pero, mediante esfuerzo, tiene muchas posibilidades de «sanarse». Si, en cambio, está por debajo de 11, tu relación puntúa por encima del promedio normal y posiblemente necesite mejorar en ciertas áreas.

Perfil del problema global de la relación

Mira otra vez la lista que acabas de completar sobre el perfil de la relación sana y anota las áreas que van en contra de la salud de la misma. En otras palabras, escribe el concepto principal de todas las respuestas pares que has respondido verdadero y las impares que has respondido falso. Por ejemplo, si has escrito verdadero a la respuesta 60, apunta: «Tengo sospechas de mi compañero». En caso de que hayas contestado falso a la pregunta 61, anota: «No siento que mi pareja me necesite». Es muy importante que transcribas estas ideas en tu diario porque te ayudarán a tener claros los objetivos que harán que tu relación sea más feliz. Usaremos esta información extensamente para definir otros perfiles, de manera que trata de esmerarte en tu trabajo.

Ahora, tras analizar la lista, concéntrate en la siguiente. Son características que describen problemas de las relaciones. Anota en tu diario del 1 al 10 los que son más fuertes o más débiles, respectivamente, en términos de presencia e influencia en tu relación (por ejemplo, si crees que hostilidad/desdén es la emoción mas fuerte en tu relación de pareja, producirá una valoración de 10. Cuando el amor sea la más débil, corresponderá un 1).

- Hostilidad/Desdén
- Apatía
- Miedo
- Desconfianza
- Odio
- Amor
- Soledad
- Culpa/Vergüenza
- Ira
- Frustración

Perfil del problema específico de la relación

Seamos más concretos. He anotado algunos tipos de problemas que podrían aplicarse en tu relación. De hecho se trata de áreas en las que tienes que identificar tus problemas y marcar con un círculo. Luego evalúa desde el 1 (tu área de mayor problema) hasta el número que corresponda a las de menor conflicto. Es decir, si crees que el área de los problemas más significativos es la confianza, le otorgarás un 1. Si la de menor conflicto es el sexo, y has identificado 7 áreas relevantes, entonces lo puntuarás con un 7. No tienes que evaluar todo —sólo las áreas que representan más para ti–. Escribe una vez más en tu diario una oración que describa la esencia del problema.

- Confianza
- Sexo
- Dinero
- Familia
- Tiempo
- Hijos
- Falta de intimidad
- Comunicación
- Rabia
- Drogas/Alcohol
- Dureza
- Crítica
- Miedo
- Infidelidad
- Aburrimiento
- Falta de pasión
- Celos
- División del trabajo

Perfil del comportamiento en la relación: tu pareja

Las siguientes listas te ayudarán a ordenar tus pensamientos sobre cómo te sientes respecto a tu pareja. En caso de que algunas de las respuestas sean las mismas, no te preocupes: está muy bien. Puedes utilizar tu diario para entender mejor tus sentimientos.

- Haz una lista con cinco ejemplos del comportamiento amoroso de tu pareja hacia ti en el último mes.
- Escribe cinco cosas odiosas que tu compañero te haya hecho en el último mes.
- Describe las cinco mejores cualidades de tu pareja.

• Apunta en una lista los cinco defectos que más aborreces de ella.

Perfil del comportamiento en la relación: tú

La anterior ha sido la parte más fácil. A continuación hay 10 preguntas similares, que debes contestar con total honestidad, para organizar y guiar tu evaluación sobre cómo te sientes contigo mismo y con el tipo de relación de pareja que habéis establecido. Son preguntas que tal vez no te formularías, por lo tanto piénsalas detenidamente. Toma ahora mismo la decisión de buscar la verdad, aunque duela. Prepara tu corazón y tu mente para que estén abiertos más que a la defensiva. Culpar es de cobardes y negar es destructivo y propio de personas sin iniciativa. Consulta tu diario para entender mejor lo que sucede.

• Haz una lista con cinco ejemplos de un comportamiento amoroso hacia tu pareja durante el último mes.
• Apunta cinco cosas poco amables u odiosas que le hayas hecho en el último mes.
• Menciona tus cinco mejores cualidades.
• Describe tus cinco defectos más aborrecibles.
• Haz una lista con cinco cosas que tu compañero te haya pedido, por lo que te haya regañado o criticado para que corrigieras y que no le hayas hecho caso.
• Menciona cinco características tuyas por las cuales tu pareja se ha enamorado de ti.
• Apunta cinco razones por las cuales tu compañero sentimental te dejaría de amar.
• Describe la relación sexual que mantenéis, prestando especial atención a ti mismo en los siguientes aspectos: modelo de iniciación, frecuencia, calidad, problemas.

• Escribe la intensidad (mucha o poca) en que te concentras en tu pareja, atendiendo a los siguientes aspectos: deseo de estar físicamente juntos, hablar uno con el otro, estar a solas con ella, protegerla o apoyarla cuando lo necesita, complacerla.

• ¿Espera tu compañero con ansiedad encontrarte al final del día? De no ser así, escribe en tu diario las razones. Sé lo más específico que puedas. Si tú protestas por algo que él ha hecho, escríbelo. Quizá tengas una manera especial de mirarlo, anótalo también. Si con sólo verlo experimentas una sensación desagradable, transcríbelo.

Espero que este test te ayude a entender que arreglar una relación comporta mucho más que componer tu pareja. De hecho, no pienses que debes encarrilar al otro. Durante el libro insistiré en esta idea una y otra vez: confía en mí, tienes mucho trabajo que hacer contigo mismo.

No has de pretender aventajar a tu pareja, sino sacar provecho a favor de la relación. También diré frecuentemente que te acerques con un firme deseo de hacer parte de ti el problema que os aqueja. Cualquier cosa que él o ella haga de forma constante en la relación, estará vinculada a la forma particular en que tú respondas. Tus reacciones le enseñan cómo ha de tratarte o cómo continuar tratándote. Tus respuestas favorecen su comportamiento. Si se excede de alguna manera en la relación o se manifiesta de forma ruda o irracional, puede deberse a que ha aprendido que esa conducta es aceptable para ti. Quizá hayas recompensado a tu pareja por ese comportamiento al rendirte, abandonar tu posición o haberte afligido tanto que ya no puedes expresar con claridad lo que sientes o crees.

Reconocer tus propios problemas puede ser muy alentador cuando finalmente consigas saber qué sucede. Tu voluntad para no asumir un papel defensivo inspirará a tu pareja.

Perfil del estilo de vida de tu relación

A lo largo de este libro pediré que evalúes tu propio estilo de vida y el que tu pareja y tú habéis creado y definido juntos. Debes identificar qué hay en la convivencia que favorece y mantiene una relación conflictiva.

Habéis definido mutuamente vuestra relación. Ambos habéis contribuido, conscientemente, a diseñarla tal como es. Habéis negociado y llevado la relación al punto en que se encuentra actualmente. Cada uno ha ejercido cierta influencia en el otro, a través de la retroalimentación y la reciprocidad de las respuestas. Puede que no hayáis logrado el resultado que esperabais durante el período de negociación, pero es lo que hay. Y es lo que tendréis, a menos que desarrolléis un estilo de vida que os permita crear un comportamiento sano.

Veamos entonces dónde os encontráis ahora. No puedo enfatizar con más agudeza lo importante que resulta aceptar el concepto de «responsabilidad del estilo de vida» para que cambies tu relación actual y disfrutes de una interacción más saludable en el futuro.

No existen excepciones. Las siguientes preguntas te ayudarán a descubrir cómo funciona tu estilo de vida en contra de la relación de pareja. Una vez más, si no eres totalmente honesto en tus respuestas, te estarás causando daño.

• ¿Tu pareja y tú mantenéis diálogos serios? ¿Siempre habláis de problemas?

• ¿Sois pesimistas y pensáis que las cosas de la vida no funcionarán bien jamás?

• ¿Piensas que te dominan tus hijos, tu trabajo, tus tareas domésticas y tus deudas financieras?

• ¿No te sientes en forma? ¿Tal vez tengas sobrepeso? ¿Tu actitud de acicalarte para andar por casa ha declinado?

• ¿Sientes que tienes poca energía? ¿Te sientas frente al televisor durante mucho tiempo? ¿Te resulta difícil mantener los ojos abiertos después de la cena? ¿Algún miembro de la pareja pretende estar dormido cuando el otro se va a la cama?

• ¿Pasáis largos períodos en los cuales uno de los dos ha perdido el interés por el sexo, el afecto o el contacto físico?

• ¿Os aburrís con facilidad?

• ¿De ser vistos en público, la descripción podría ser que parecéis personas felices?

• ¿Buscáis a otros para que os apoyen y entretengan?

• ¿Alguno de los dos bebe más que antes? ¿Os interesa algún tipo de drogas?

• ¿Uno de los dos se atormenta si el otro lleva la razón en la relación, haciendo que los dos deban mantenerse «en guardia» cuando están juntos?

• Si haces algo para apoyar a tu pareja, ¿te aseguras de que lo sepa y que te deba un favor? ¿Ella hace lo mismo contigo?

• ¿Sabe cada uno de vosotros cuándo interrumpir una discusión?

• ¿Intentáis hacer comentarios ásperos y ataques personales en medio de una discusión?

• ¿Os apartáis con frecuencia en lugar de deciros lo que tenéis en mente?

• ¿Ya no tenéis interés en lo que interesa a vuestro compañero y viceversa?

• ¿Crees que tienes comportamientos o actitudes que, aun sabiendo que son destructivos, no quieres cambiar por el bien de la relación? ¿Le sucede lo mismo a tu pareja?

• ¿Piensas que a pesar de que tu compañero sea lo que más quieres, sería difícil olvidar tus sentimientos negativos hacia él? ¿Crees que le ocurre lo mismo?

• ¿Ya no habláis de cómo será el futuro juntos? ¿Lo que haréis cuando os jubiléis? ¿En qué soñáis?

Prueba de comunicación en la pareja

¿Qué tipo de modelo de comunicación habéis desarrollado entre los dos? La siguiente prueba ha sido diseñada para que entiendas mejor la manera en que te relacionas o no con tu pareja. Estas preguntas también te servirán para descubrir si estás de verdad cómodo con la persona supuestamente más importante de tu vida.

Te recuerdo nuevamente que las respuestas son estrictamente personales. Responde en tu diario si son verdaderas las afirmaciones que expresen, al menos, algún problema ocasional con tu compañero.

• A veces parece que no puedo encontrar las palabras para expresar lo que quiero decir.
• Me preocupa entregarme abiertamente a mi pareja por si acaba rechazándome.
• A menudo no hablo porque temo que mi opinión sea equivocada.
• Gritar sólo empeora las cosas.
• Hablo mucho y no dejo que mi compañero se exprese.
• No me interesa hablar con él.
• Una vez comienzo una discusión, no puedo detenerme.
• Mi discurso es muchas veces defensivo.
• Con frecuencia traigo a colación los fracasos anteriores de mi pareja.
• Mis acciones no reflejan lo que digo.
• Realmente no escucho.
• Intento contestar a un enfado con otro y a un insulto con otro.

- Engaño mucho a mi pareja.
- Muy pocas veces hablo de cosas importantes.
- En muchas ocasiones miento por omisión.
- Odio cuando mi compañero viene con un problema.
- Creo que es vital ventilar todas las quejas que tengo contra él.
- Expongo mis desavenencias de una manera muy brusca.
- Al discutir sobre las quejas tiendo a decir «tú siempre» o «tú nunca».
- Generalmente intento herir a mi pareja cuando me quejo.
- No me gusta discutir porque luego se refleja en la relación.
- No quiero hablar sobre nuestros sentimientos negativos, ya que sólo sirve para estar peor.
- No creo que tenga que sacar el tema de lo que me molesta, puesto que la persona que está a mi lado debería saberlo.

No hay un número correcto o incorrecto de verdaderos o falsos. Tienes que analizar las respuestas y deducir dónde están los problemas de comunicación. Te ayudará a contestar las próximas preguntas y contribuirá a formular una estrategia para restablecer la comunicación con la persona amada en el último capítulo.

Prueba química
He aquí otra manera de calibrar si el estilo de vida en tu relación funciona bien. Responde las preguntas siguientes sobre la química que existe o no entre tu pareja y tú. No temas descubrir la verdad. Por más superficiales que parezcan, estos temas pueden llegar a tener una gran influencia en todos los aspectos de tu convivencia.

1. No creo ser siempre atractivo para mi pareja.
2. Mi compañero me hace sentir sexy.

3. Ya no nos tocamos ni besamos como antes.

4. El sexo con mi pareja es revitalizador y satisfactorio.

5. Preferimos estar solos que con otras personas.

6. Ya no miro a mi pareja a los ojos cuando estamos juntos.

7. Si no hacemos el amor en un par de días, lo hecho a faltar.

8. Muchas veces ofendo a mi pareja.

9. Me gusta proporcionarle placer.

Todos los números pares a los que has contestado verdadero y los impares a los que has respondido falso puntúan en contra de tu relación. Si tu puntuación es más alta que 3, obviamente tienes problemas en los aspectos íntimos/sexuales de la relación. Toma nota de los puntos en que la puntuación es negativa para que, en la etapa de planificación, figuren como objetivos.

Las cinco preguntas espinosas

Ahora vamos a lo esencial. Ya sé, te estarás preguntando lo siguiente: «¡Eh!, ¿Qué hemos estado haciendo hasta ahora?». Mucho, pero estas cinco preguntas que debes formularte sirven para descubrir la distancia en que te encuentras de la línea de peligro de que hablábamos anteriormente: lo mal que te sientes en tu relación y la actitud negativa que invade todo lo que rodea a tu pareja y a ti. No debes compartir estas respuestas con tu compañero bajo ninguna circunstancia. Más adelante, en este libro, veremos que el ser humano intenta exagerar los sentimientos negativos cuando está desilusionado y, en cambio, olvida enfatizar los positivos. De momento, con esta explicación es suficiente. Tienes que escribir las respuestas en tu diario. Ten el coraje de ser honesto, aun cuando las verdades te asusten pues lo peor que existe es negar los problemas. En la mayoría de los casos, una intervención apropiada y a tiempo puede ser la llave del éxito.

1. Si consideramos que al menos una definición de amor es la que asume que la seguridad y el bienestar de tu pareja son tan importantes para ti como tu propia seguridad y bienestar, ¿dirías que tu forma de comportarte refleja amor hacia tu pareja? ¿Por qué?

2. Siguiendo la misma definición, ¿está tu compañero enamorado de ti? ¿Por qué?

3. Al saber cómo es tu vida en pareja ahora, ¿te volverías a relacionar con la misma persona y harías todo del mismo modo? ¿Por qué?

4. Cuando te comparas con otras relaciones, ¿sientes que te han estafado o que te has vendido por muy poco? ¿Por qué?

5. Si pudieras romper tu relación o divorciarte de tu marido o mujer ahora mismo, sin inconvenientes o costes legales y sin provocar situaciones conflictivas a tus hijos —si los tienes—, ¿lo harías? ¿Por qué?

Sé que tratar estos temas no resulta para nada divertido, pero al hacerlo habrás tomado la decisión de sacar tu relación adelante. Si conoces la situación real entre tu pareja y tú, identificas algunas fuerzas destructivas muy peligrosas y poderosas en tu vida. Quiero saber hasta qué punto estás en esta relación porque es tu propósito o por inercia. Pasar el resto de tu vida con alguien, simplemente porque resulta más fácil no cambiar, no es en absoluto un signo de salud. Si te sientes así, queda mucho por hacer. Al menos, reconoces cómo te sientes. Estoy convencido de que puedes afrontar todos los riesgos si tienes claro de qué se trata. Al obligarte a conocer la verdad, por lo menos sabes cuál es el fondo y hacia dónde ir desde allí, contra qué luchar, de forma tal que puedas salir de esta situación. La desilusión no es la solución.

Sospecho que en ninguna otra oportunidad has sido tan honesto contigo mismo, tus sentimientos y tu relación como en este momento. Quizá llegues a encontrarte contigo, así como también con tu pareja por primera vez y de una manera muy especial. Puede que tus emociones estén confusas, pero no debes rendirte. Si ya has realizado la prueba y concluido que tu relación es, de lejos, peor de lo que te imaginabas, te recomiendo que continúes leyendo. Has brindado mucha información errónea, por tanto resulta un milagro que tu relación —buena o mala— se haya mantenido hasta ahora. Quiero que desees profundamente encontrar la verdad dentro de ti. Estás a punto de hacer un giro de 180 ° en tu relación.

Destruye viejos mitos

Como he comentado al comienzo del libro, una de las principales razones por las que consideras erróneamente que tu relación es un fracaso radica en que tu compañero y tú pensáis que lo más apropiado es seguir ciertas «reglas» o parámetros en la relación. Reglas que en un principio parecen bastante lógicas y, por lo tanto, te hacen sentir que debes cumplirlas para no fracasar.

Sin embargo, esta perspectiva debería haber sido la primera señal de peligro: lógica, ¡correcto! Si se aplica la lógica a las emociones de amor y romance, sin duda habrá problemas. La verdad es que en esta situación se ha de hablar más de mitos que de reglas, generados por consejeros bien intencionados pero, al mismo tiempo, poco informados. También difundidos por escritores equivocados, cuyo único interés es la venta de sus libros y no la posibilidad de brindar ayuda. (Tendrás que decidir si yo lo hago mejor que ellos, pero éste es un riesgo que debo correr si planteo la cuestión.) Seguramente te han explicado, una y otra vez, todos los «atributos» necesarios para llegar a ser una pareja feliz. Asimismo te han bombardeado con imágenes románticas y te han instado para que tu compañero y tú forméis una unidad perfecta que va por la vida en colosal armonía y dicha.

Lamento decirlo, pero creo que te han engañado de la peor manera posible. Es hora de reparar los daños y enfrentarte a esa falsa lógica. Voy a compartir contigo 10 de los mitos más peligrosos de las relaciones amorosas que, en realidad, son los más comunes. Cuando los leas, imagino que tu primera reacción será preguntarte si me he vuelto loco. Algunos de ellos han formado parte de tu esquema mental durante mucho tiempo, así que posiblemente tengas dificultades para admitir que son falsos.

Puede que pienses, y haces muy bien, que si los mitos que voy a compartir contigo no son verdaderos, **deberían** serlo, pues parecen muy acertados, atractivos y lógicos.

Sólo puedo decir que tu tendencia a ser partidario de estas creencias, porque son familiares, te acarreará una continua desilusión. Clasifico estas creencias ancestrales como mitos porque **no funcionan**. Para proclamar esta idea me he basado en un simple criterio: los resultados. Según estos últimos, los 10 mitos no tienen nada que ver con el hecho de que una relación sea o no exitosa. Por desgracia, considerando estos mismos resultados, también he descubierto que dichas creencias tienen una vinculación directa con el fracaso de una relación. Si permites que formen parte de tu pensamiento, vivirás en una perpetua frustración. Al seguir creyendo que estos mitos deben incluirse en la lista de los principios básicos de tu vínculo amoroso, inevitablemente te sentirás vencido, a pesar de que realices esfuerzos hercúleos para llevarlos a cabo. La información equivocada se traduce en decisiones equivocadas y las decisiones equivocadas conllevan inexorablemente resultados equivocados. La siguiente frase ilustra este hecho: «Estamos totalmente perdidos, pero qué bien que lo estamos pasando».

Es crucial cambiar de posición respecto a esas creencias populares que dictaminan cómo ha de actuar una pareja ideal. No diagnostiques y trates de dar soluciones erróneas a tus problemas. La búsqueda de la felicidad tiene que comenzar por un pensamiento correcto, erradicando el incorrecto y limpiando las «lentes» para llegar al núcleo de tu conciencia y que la verdad, tu sabiduría innata, pueda brillar.

Es el momento de desprenderte de esos mitos y estar abierto para concentrarte en lo que realmente importa en una relación.

Mito 1: una relación perfecta depende de que los miembros compartan la misma forma de pensar

Muchas veces he encontrado parejas angustiadas que pensaban que debían cambiar su forma de pensar tan dispar y buscar homogeneidad en el pensamiento de la pareja para poder ver el mundo a través de los ojos del otro. Sin embargo, se trata de la empatía, la panacea. ¿No parece lógico, loable y poco egoísta?

Es imposible, nunca podrás ver a través de los ojos de la persona amada. En pocas ocasiones estarás en condiciones de entender y apreciar cómo y por qué ella tiene esa manera tan particular de interpretar el mundo ya que eres totalmente diferente a tu pareja.

Eres genética, fisiológica, psicológica e históricamente diferente. Has sido condicionado de forma diferente. Has aprendido diferentes historias, tienes diferentes prioridades y le das un valor diferente a las cosas.

Intentar ver el mundo como lo hace tu compañero sólo tiene sentido sobre el papel.

En la sesión terapéutica se logra llevar a cabo una interesante conversación al respecto que no suele trascender de la consulta. Y, además —como mucho—, se enseña un ejercicio práctico para realizar en casa. La terapia tradicional tiende a enseñar a los hombres a ser más sensibles y a comprometerse más emocionalmente y, a las mujeres, a mediatizar sus sentimientos y a pensar de forma lógica. Tengo en mente una pregunta: «Estos terapeutas, ¿a quién pretenden engañar?».

Los hombres siempre serán hombres y, las mujeres mujeres, y ningún terapeuta puede cambiarlo.

Si piensas que soy un tonto reaccionario que no siente simpatía por la evolución de los roles sociales de ambos sexos, por favor, piensa de nuevo en todo esto. Creo que es fantástico que las mujeres ocupen cargos importantes y que los hombres se queden en casa cambiando pañales. Sin embargo, me adhiero al pensamiento de los que opinan que la naturaleza psicológica de unos y otros no es intercambiable. Como creo que existe un plan superior que ha sido organizado por un poder supremo desde el inicio de la creación, tengo la firme convicción de que hemos sido concebidos de forma diferente y que existe una buena razón para ello. El plan original planteaba una división del trabajo: se esperaba que los hombres realizaran determinadas tareas, en las que no había lugar para la sensibilidad o emoción, y las mujeres tenían ciertas responsabilidades, donde la sensibilidad y el discernimiento eran más importantes que la fuerza bruta.

Los hombres no son tan sensibles ni emocionales como las mujeres sencillamente porque no se pide que lo sean. Resulta absurdo intentar que adquieran los rasgos y las características propias de las mujeres. Y, lo que es peor, si eres una mujer que intenta continuamente adoptar el punto de vista de los hombres, puedes socavar tu propia estructura. No puedo observar el mundo a través de los ojos de mi mujer ni viceversa. Y, aun si pudiéramos hacerlo, no mejoraría nuestra relación. Somos diferentes y eso es un hecho. Necesitamos asumirlo porque viviremos con ello, nada cambiará.

Sin duda, algunos no piensan de esta forma, y esto incluye a muchos profesionales que se dedican a la terapia de parejas.

Puede que esta gente no haya transitado por demasiados caminos de la vida y no tenga idea acerca de las relaciones en el mundo real. No te equivoques: estos profesionales entienden la psicología de las diferencias entre los sexos.

La prueba es que, durante su período de instrucción, todos ellos han estudiado la magnitud de la disparidad; no obstante, al pretender solucionar los problemas de las parejas conflictivas y adoptar el pensamiento vanguardista de este milenio, parece que se hubiesen olvidado de esas diferencias fundamentales. El problema es que, cuanto más se intenta desdibujar los papeles y otorgarles un estatus universal *unisex*, más se aproxima uno a la falta de control. Intentar arreglar «lo que no está roto» carece de sentido.

Este tipo de pensamiento engañoso es peligroso, ya que, si se da este consejo basado en un mito a una pareja desprevenida, ésta puede quedar paralizada y posiblemente no pueda realizar las acciones constructivas convenientes. Menciono la palabra «peligroso» porque no existe ni una posibilidad entre un millón de que uno de los dos integrantes de la pareja se sienta capaz de llevar a cabo esta acción. No funciona y obedece a un concepto que se conoce como «impulso instintivo».

El impulso instintivo es la tendencia que permite a todos los organismos bajo presión recurrir y exhibir sus inclinaciones **naturales**. Esto ocurre también en los animales. A veces, mirando el canal de la CNN, me sorprende captar el sentimiento de consternación y conmoción nerviosa de los reporteros y las víctimas desesperadas que han sido atacadas por un animal salvaje al que se había «domesticado» y adoptado como mascota. El comentarista explica típicamente lo siguiente: «Hoy nos llega una patética historia desde Sheboydan... Las autoridades no ofrecen ninguna explicación sobre el ataque del animal salvaje a su amo...».

Cada vez que escucho algo por el estilo, asiento con la cabeza y pienso: «¿Cómo puede ser la gente tan inconsciente?». Coge un animal salvaje que, durante siglos, ha sobrevivido como depredador, modifica artificialmente su comportamiento y, luego, se queda perpleja cuando el animal revierte su instinto a su programa genético y ataca a su «amo». El animal no se está comportando de forma «salvaje», simplemente lo es. Su conducta obedece a su naturaleza. Puede que los seres humanos nos consideremos más inteligentes (o no) pero, sin duda, actuamos de forma similar.

Quizá podamos forzar y cambiar nuestro rol durante un tiempo, sin embargo, en un análisis final, no se es lo que no se es. Ésta es una verdad psicológica y está bien que así sea.

Por favor, entiende lo que pretendo decirte: no se trata de que dos personas del sexo opuesto eviten ser compatibles. Aunque nuestras características primarias disten bastante de ser parecidas, tenemos rasgos y tendencias secundarias que, de alguna manera, van en dirección al otro sexo. Sácate de la cabeza la idea de que tu relación personal va a ser mucho peor que la de tus amigos si tu pareja y tú no tenéis perspectivas y características comunes a los dos sexos. El macho, en tu relación, quizá no tenga contacto con su «lado femenino» y, a su vez, la hembra, puede que no tenga interés o inclinación alguna en su «lado masculino» y en usar la fuerza.

Más adelante hablaremos sobre cómo podemos conocer a nuestras parejas y dónde se encuentran en nuestros corazones y mentes. También mencionaremos la manera de aceptar las diferencias más que hacer de ellas una fuente repleta de conflictos. Una relación es mucho más agradable cuando estás con alguien que enriquece tu vida y no sólo la refleja. Creo que antes de finalizar el viaje por estas páginas, estarás bastante agradecido por las diferencias con tu pareja que en estos momentos representan una gran frustración.

Mito 2: una relación perfecta necesita una gran dosis de romanticismo

¿Es un mito? ¿Cómo puede ser, acaso no he dicho en el capítulo 1 que tendrás lo que te mereces: un gran amor y romance? ¿Por qué desear un romance es un mito?

Me refiero aquí a las expectativas ilusorias, romance tipo Hollywood. Créeme, tu vida en pareja requiere mucha aventura sentimental.

A menudo se da el caso de que los dos miembros de la pareja necesitan hacer un esfuerzo para ser románticos, para sentir lo que sentían en sus primeras citas, para cenar a la luz de las velas y pasar los fines de semana sin los niños. No te engañes, por muy discorde que suene, estar enamorado no es lo mismo que enamorarse. En muchas ocasiones he escuchado a la gente decir: «Vale, doctor McGraw, ya no me siento enamorado». Me comenta que la chispa en su relación de pareja se ha apagado. Después de preguntarle al respecto, comienzo a entender lo que esta persona pretende decir: «No me siento como cuando me estaba enamorando de mi pareja actual». Lo que a este individuo le falta es estar chiflado por el otro, cosa que sólo ocurre al comienzo de una relación.

Esto es lo que quiero dar a entender cuando afirmo que la mayoría no sabe cómo medir el éxito en su relación. Muchos tienen un concepto distorsionado del amor. Que los sentimientos cambien no significa que sean menos satisfactorios. Puede existir un gran número de emociones y maneras de experimentar los sentimientos durante una relación que, aunque diferentes, sean igualmente valoradas. Lo que una vez nos provocó una sensación extraña, excitante y positiva, puede volverse profunda y segura, y es también positivo.

Admito que el estado de enamoramiento constituye una experiencia adictiva. No existe nada equiparable al sentimiento que provoca el noviazgo inicial..., pensar que has encontrado a la persona que te salvará de todo lo que falta en tu vida. Enamorarse no sólo hace que aflore esa sensación de deseo sino que permite creer que puedes superar todas tus limitaciones. Piensas que tus días de soledad han finalizado. Estás convencido de que has encontrado a la persona con la que podrás conversar de todo lo que te viene a la mente por las noches.

A lo largo de mi trayectoria profesional he hablado con muchas parejas jóvenes que se han enamorado profundamente y, en consecuencia, pensaban contraer matrimonio. Creían que el «amor» les haría superar cualquier desavenencia futura o todo tipo de desastre en su relación. Recuerdo haber conversado con una mujer sobre el hombre con quien se acababa de comprometer. Me habló con transparencia y honestidad sobre una serie de cuestiones que le preocupaban —la inestabilidad de su pareja en el trabajo y el abuso del alcohol—. Yo le pregunté: «¿Por qué quieres casarte con él?». «Doctor McGraw, no puedo evitarlo, estoy enamorada de él», respondió.

Está claro que ella no tenía idea de lo que era el amor. Estaba en la «fase 1», totalmente hipnotizada, y sentía todo el calor y el hormigueo propios de la aventura amorosa. Estaba lejos de poder prevenir que, en la «fase 2», estas características negativas de su pareja se harían evidentes y la dejarían sin la posibilidad de alcanzar el amor profundo y la seguridad.

El mito dice que la emoción extática que uno siente cuando se enamora de alguien es el amor verdadero. Sin embargo, se trata sólo del primer paso hacia el amor y es humanamente imposible permanecer en ese estadio. Por desgracia, la pasión descontrolada inicial que invade a todas las parejas se transforma en un compromiso profundo y permanente que sigue siendo de alguna manera excitante y satisfactorio aunque no tan extremo. La respuesta no es decirse a uno mismo que ya no se está enamorado ni tampoco terminar la relación para salir en busca de una nueva aventura, y así pasar de un momento emocional álgido a otro. La respuesta, que habrás descubierto cuando hayas finalizado este libro, es aprender a avanzar por las distintas etapas del amor. Cuando lo hagas, vivirás con tu pareja experiencias profundas y ricas que nunca antes hubieras imaginado. Las emociones cambian, pero no significa que sean menos intensas o significativas que la sensación de hormigueo de los primeros días.

Si te has dejado engañar por este mito y, en consecuencia, juzgas tu relación bajo la perspectiva de esos primeros días o de la versión de Hollywood de un amor romántico, podrías clasificar de forma injusta la calidad auténtica de una relación como de baja categoría. En la vida real no puedes oír cantar a Whitney Houston en la parte trasera de tu casa ni tampoco asistir a fiestas cada noche vestido con ropa de etiqueta. A diferencia de los personajes de los culebrones de la tarde, tienes que ir a trabajar, aumentas de peso, te cansas y tienes que llenar el depósito del coche tú mismo y sacar la basura mientras tu pareja da de comer al perro.

Esto es vivir en el mundo real. Un romance especial requiere dedicación y la tranquilidad de saber siempre dónde se encuentra tu pareja, sobre todo si se está acercando la noche.

Una relación especial puede ser simplemente compartir el diario cada mañana, una pasta en la panadería y hacer el amor un par de veces a la semana. La explicación está en el metro que usas para medir y en saber definir lo que significa la palabra «perfecta» en el mundo real.

Mito 3: una relación perfecta implica poder resolver los problemas

Volvamos por un momento a nuestra hipotética consulta terapéutica. Tu pareja y tú habéis convenido una sesión para intercambiar opiniones acerca de unas cuestiones por las que habéis discutido últimamente sin haber llegado a ninguna solución. El doctor «Experto» recomienda que se debe aprender sobre las habilidades para la «resolución de conflictos» y la «solución de problemas». Aduce que se tienen que desarrollar estas «habilidades» de forma tal que ambos puedan acceder a un «terreno común» de forma civilizada.

El mensaje que recibiréis en la consulta será muy claro: si no podéis aprender a resolver vuestras diferencias, no tendréis una buena relación ya que estará plagada de enigmas conflictivos y confrontaciones. ¡Equivocación! Esto es completamente ingenuo y obedece a un pensamiento fantástico. El mito que cuenta con más defensores postula que las parejas no logran ser felices si no subsanan los desacuerdos mutuos. A lo largo de los 25 años de trabajo en el campo del comportamiento humano, yo he visto pocos, si es que he visto alguno, de los conflictos de parejas resueltos. Sé que suena extraño, pero es totalmente cierto. Algunos conflictos diarios de «poca importancia» pueden resolverse, aunque no así la mayor parte de las cuestiones fundamentales que crea la atmósfera conflictiva real de las parejas.

Reflexiona sobre tu relación y apuesto a que estarás de acuerdo conmigo aunque difiera de lo que los «expertos» en la materia puedan decirte. Hay cosas en las que no os ponéis de acuerdo, nunca lo habéis hecho y nunca lo haréis. Quizá las desavenencias estén relacionadas con el sexo, la manera de educar a los niños, cómo administrar el dinero o cómo demostrar los afectos. Sean cuales sean los temas en pugna, te garantizo que desde ahora y para siempre estaréis en desacuerdo. Y no se resolverán porque, para ello, es necesario que uno de los dos sacrifique sus creencias o traicione el núcleo de su conciencia.

Veamos un ejemplo. A menudo, una mujer piensa que el hombre no debería usar un tono áspero con los niños. Él, a su vez, considera que ella es demasiado condescendiente con ellos. La esposa dice que su pareja los castiga demasiado. El marido aduce que ella los educa mal y que serán unos inútiles.

¿No les resulta fascinante que este mismo conflicto entre un hombre y su mujer ocurra de generación en generación y que, de hecho, continúe siendo un punto de discordia incluso cuando los niños se hacen mayores? La polémica se mantiene firme, pero ahora cambia de los propios hijos a los nietos.

¿Por qué estos temas recurrentes aún provocan discusiones entre hombres y mujeres? Debido a que nunca se resuelven, y es una pérdida de tiempo pensar que puedes ingeniártelas para hacerlo, o bien persuadir a tu pareja de que tu opinión es más valiosa que la suya. Mis padres han peleado durante 53 años acerca de si ella debía ser más sociable y brindarle apoyo cuando él intentaba, por todos los medios, entretener a los clientes o colegas. Mi padre decía que debía ayudarlo. Ella no estaba de acuerdo. Él pensaba que a mi madre le gustaría si se le diera la oportunidad, pero ella refutaba la idea diciendo que ya había tenido la ocasión y que odiaba las relaciones públicas.

Nunca resolvieron ese tema y los dos mantuvieron firmemente su posición. Podrían haber encarado un programa de resolución de conflictos y solución de problemas y jamás llegar a encontrar un terreno común.

Algunas parejas, debido a que no pueden ponerse de acuerdo en un tema fundamental, interpretan la falta de concordancia como un rechazo puramente personal y, a partir de ese momento, viven una especie de frustración que los acompaña para siempre. Creen que deben ser excelentes mediadores para resolver problemas y así lograr tener un matrimonio feliz. Cargan con ese dolor y muy pronto comienzan a cuestionarse si algo malo sucede en su relación, que en verdad funciona bastante bien.

Otras parejas —en mi opinión más saludables— simplemente están de acuerdo en no coincidir. No dejan que las discusiones alcancen un punto demasiado personal y tampoco se permiten los insultos o contraataques cuando se sienten desilusionados. Acceden a lo que los psicólogos denominan «cierre emocional». No alcanzan este estado en el tema de disputa, pero sí en el ámbito emocional. Manifiestan estar en desacuerdo sin tener que asumir que una de las partes tiene razón frente a la otra. Al final se relajan y siguen con sus vidas. Deciden restablecer la comunicación a partir de sus emociones en lugar de distanciarse por un punto de vista diferente.

Más adelante hablaré profundamente sobre esta habilidad de poner la relación por encima de la discusión. De momento me conformo con decir que los esfuerzos por comunicarte mejor con tu pareja te proporcionan un resultado más satisfactorio que mantener una vida plena de conflictos.

Mito 4: una pareja perfecta debe compartir los mismos gustos e intereses para mantener la unión

Este mito hace que la gente viva situaciones sorprendentemente ridículas en las cuales termina sintiéndose perpleja, infeliz o incluso hostil. Conozco la parte «hostil» demasiado bien, ya que yo también, en cierto momento, creí que mi relación sería mejor si Robin y yo hacíamos alguna actividad juntos o desarrollábamos un interés común.

No me satisfacía compartir solamente todo tipo de irrelevantes y circunstanciales experiencias de interés mutuo. Pensaba que necesitábamos dedicarnos a algo importante. Entonces propuse jugar al tenis. Yo juego unos 300 días al año. Mi mujer no es una jugadora tan ávida como yo, pero lo hace muy bien, y le apasiona la camaradería. Yo lo hago para competir y los que juegan conmigo también. Apenas encontrarnos, el grupo con el que jugamos regularmente lanza la pelota y fija las bases de un arduo desafío. Mi mujer, en cambio, obtiene otro tipo de beneficio del tenis. Le gusta el ejercicio, pasar un tiempo entre amigos y el reto de lanzar la pelota cada vez mejor.

Hace unos 10 años, basado en este mito, nos comprometimos a formar parte de una liga de dobles. ¿Interés común? ¿Compartimos un tiempo de calidad? ¿Buena perspectiva para la relación? Todas respuestas correctas. Como decía, ocurrió hace 10 años y no creo que lo hayamos superado todavía. Me volvió loco y tuve ganas de matarla. Por mi lado, yo la volví loca a ella y creo que intentó matarme. La primera noche, al final del primer set del primer partido, ya no nos hablábamos. Robin no podía creer que yo fuera tan despreciable. Aparentemente lancé la pelota demasiado cerca de la mujer del otro lado. No fui amable cuando cambiamos de posición (querían compartir un té). Y cuando mi mujer falló un tiro, la miré enfadado y suspiré.

Ella quería conversar durante el evento, no sólo conmigo sino también con los adversarios. Además, si no le lanzaban la pelota cerca, ella no corría para conseguirla. Supongo que no quería despeinarse.

Sin duda, tú también habrás intentado algún proyecto en común con tu pareja, creyendo que estaríais más cerca. Nunca olvidaré a una amiga que salió a pescar una mañana con su marido. Después de escucharlo durante una hora criticar la manera en que ella estaba de pie o arrojaba la caña en un lugar incorrecto del río, la mujer tiró el equipo con rabia y le dijo: «Son las seis de la mañana, hace frío, eres cruel y me voy a casa. Y por si no me has oído bien, puedes comprar pescado en el supermercado por la tarde».

Quizá vosotros dos tengáis un interés común que os haga feliz. Está muy bien, son más posibilidades. Pero el mito al que me refiero no radica en que tengáis una actividad en común, sino en que intentéis buscar una para enriquecer la relación: no funciona. Me he encontrado con miles de parejas mayores que han estado felizmente casados durante muchos años. Les agrada el tiempo que pasan juntos, ser buenos compañeros, aunque también respetan la idiosincrasia del otro y no sienten el deber de aventurarse en actividades comunes.

No es lo que haces sino cómo lo haces. Si te obligas a mantener intereses comunes, creas estrés, tensión y conflicto, por lo tanto, no lo hagas. Simplemente, no te embarques en ese proyecto. No es correcto pensar que hay algo impropio en tu relación si no compartís actividades conjuntas. Te aseguro que realizáis gran cantidad de tareas cotidianas sin siquiera pensar en ello. Vivís, dormís, coméis y, si tenéis hijos, los educáis juntos. Tal vez quedáis para ir a la iglesia, pasáis juntos las vacaciones, incluso, vais juntos en bicicleta. Si no te apetece ir con tu pareja a un curso de cerámica, pues no lo hagas. Lo importante es que no clasifiques tu relación como deficiente o con un componente de amor poco comprometido porque no programáis actividades conjuntas.

Mito 5: una relación perfecta
es siempre pacífica y jamás conflictiva

Una vez más: ¡equivocado! Mucha gente teme a la diversidad de opiniones porque piensa que discutir es un signo de debilidad o un colapso en la relación de pareja. La verdad es que la discusión no es ni buena ni mala. Deja que te explique este mito más detalladamente. Si la discusión se lleva a cabo en concordancia con ciertas reglas de compromiso, en realidad puede contribuir de diferentes maneras a la calidad y longevidad de la relación. Para muchas parejas, este tipo de confrontaciones proporciona una gran liberación de tensión, mientras que, para otras, ofrece cierta paz y confianza porque constatan que pueden dejar fluir sus pensamientos y sentimientos sin sentirse por ello abandonados, rechazados o humillados.

No intentes mantener esta clase de discusiones, has de saber que las investigaciones demuestran que las parejas que pelean no fracasan por ello en sus relaciones. En verdad existe igual número de fracasos asociados a la falta de conflicto que relacionados con confrontaciones orales.

Desde pequeños aprendemos la importancia de ser considerados con los otros. Para ello nos enseñan los buenos modales y el autocontrol. Probablemente estás pensando que intento decirte que la amabilidad es un mito. ¡Equivocado! Siento un profundo respeto por las parejas que son amables y que albergan buenos sentimientos hacia el otro. Pero piensa en ello, después de todo lo que hemos comentado sobre las vastas diferencias fisiológicas y psicológicas entre dos personas, ¿es natural en una relación pensar siempre bien acerca del otro, nunca estar en desacuerdo, mostrar poca impaciencia y ocasionalmente manifestar resentimiento? ¿No sentirse harto de vez en cuando resulta acaso un signo de superioridad?

No te preocupes si discutes muy a menudo: éste no es el factor decisivo en la estabilidad y calidad de tu relación. Sin embargo, todo depende de cómo se discute y de las consecuencias que pueda acarrear la confrontación.

Por ejemplo, si tú eres del tipo de combatiente que rápidamente abandona las cuestiones de desacuerdo y, en cambio, ataca los valores de la persona con la que está discutiendo, actuarás como una fuerza destructiva. En caso de que seas del tipo que entra en discusión con la pareja porque las peleas son más excitantes que la vida en común, también estarás oficiando de agente destructivo. Si tu rabia y tus impulsos no obedecen a motivos que se pueden comprobar y sólo pretendes herir, plantear una lucha sarcástica y entrar en un juego vicioso, acabarás destruyendo tu relación.

De igual manera, si eres un combatiente que, al acabar la pelea, nunca llega al cierre emocional y, en cambio, guarda sus emociones en un «saco de yute» sólo para liberarlas más tarde, también imperará la fuerza destructiva. Siempre se debe llegar al cierre emocional tras una discusión; de no ser así, es muy probable que reacciones peor en la próxima pelea y que las consecuencias sean más graves.

No confundas la reacción acumulativa con una reacción excesiva. Ambas son interacciones destructivas y se suelen denominar erróneamente. La reacción excesiva se refiere a una respuesta desproporcionada ante un evento aislado. Es análoga a la vieja expresión de matar un mosquito con un revólver. Parece totalmente disparatado, en especial considerando el punto de vista del mosquito.

La reacción acumulativa, a pesar de ser explosiva, es en verdad opuesta a la excesiva. La primera tiene lugar cuando no has logrado un cierre en confrontaciones anteriores, relacionadas o no, porque te has negado a participar de forma saludable con tu pareja. Si en diez situaciones previas te has mordido la lengua antes de dar una respuesta afirmativa apropiada, inevitablemente has almacenado en tu interior toda esa energía emocional. Eres como una cacerola a presión con la válvula cerrada. Esta energía —ya sea enfado, resentimiento, amargura o algún sentimiento doloroso de ese estilo— tiene que ir a parar a alguna parte. La reacción acumulativa, en algún momento, sale y la energía de las otras diez confrontaciones presiona con mucha fuerza desde adentro, dejando perpleja a tu pareja y haciéndote pasar por una persona que se ha vuelto loca por algo totalmente irrelevante.

Hablaremos en otros capítulos sobre cómo pelear y discutir sin necesidad de ser destructivos y la manera de evitar el ataque personal (o tomarlo como si lo fuera). Debes buscar la mejor estrategia para recomponer tu relación después de una confrontación y que tu pareja quede liberada en lugar de sentirse atrapada y vencida.

Me gustaría dejar bien claro lo que quiero decir cuando me refiero al «cierre emocional»: no es cuestión de que se resuelva el problema sino de que sopeses tu corazón y tu mente en busca de un equilibrio e intentes ayudar a tu compañero para que haga lo mismo. (No ocurrirá si apuestas por el siguiente mito. ¡Compruébalo!)

Mito 6: una pareja perfecta te permite manifestar todos tus sentimientos

Vivimos en una era en la que estamos presionados a relacionarnos con nuestro interior para organizar un bagaje emocional capaz de salir a la luz en un momento de intensa emoción. Sin duda tiene sentido incorporar las siguientes sugerencias para vivir más felizmente en pareja. Deberíamos liberar todo lo que sentimos en nuestro interior, descargar cualquier tipo de pensamiento que cruce nuestras mentes, no quedarnos con nada, todo en nombre de ser abiertos y comunicativos.

Basándome en los resultados, puedo decir que el problema radica en que ventilar los sentimientos sin ningún tipo de control no funciona. Todos disponemos de una serie de pensamientos y sentimientos relacionados con nuestra pareja que en algún momento dimos a conocer porque pensamos que era «una buena idea». Pero si reflexionamos, quizá lleguemos a la conclusión de que no fue lo más acertado debido a unas cuantas razones −entre las cuales podemos mencionar que realmente no era nuestra intención decir aquello−. Piensa en las veces en que en medio de una intrincada discusión sacaste de la manga alguna de las debilidades de tu pareja. Sé honesto: te sentiste liberado al poder decirlo y así, eventualmente, situarte en un plano superior. Sin embargo ¿qué bien han hecho tus palabras? Ninguno en absoluto. En una fase inicial percibiste el regocijo de la rabia, pero lo más seguro es que hayas dañado tu relación; muchas veces el daño puede ser permanente.

He visto más de una pareja destrozada porque uno o los dos integrantes no pudieron perdonar algo que se dijo durante el proceso de confrontación en que se dio rienda suelta a todo lo que llevaban dentro. Aun si estás dispuesto a ofrecer tu lugar de preferencia para obtener algo a cambio, no serás capaz. En verdad, apostaría a que puedes pensar en cosas que has dicho meses o años atrás −verdaderas o no− que han hecho daño a tu pareja profundamente y que todavía no han sido superadas.

Tal vez hayas oído la historia del bautista: un pastor celoso animaba a los presentes para que desnudasen sus almas y cargasen a la congregación con sus culpas. Un viejo granjero se puso de pie, incitado por la invitación a confesarse, y exclamó: «Reverendo, he perseguido a mujeres y he visitado las casas de más baja reputación», a lo que el reverendo contestó de inmediato: «Cuéntanos todos los detalles». La gente aplaudió con entusiasmo para dar coraje al hombre. Y el granjero dijo: «Fui a la caballeriza y practiqué el sexo con los animales». En seguida, un grave silencio inundó la sala. Transcurrieron apenas unos minutos cuando de pronto el reverendo, mirando hacia abajo del púlpito, dijo en un tono preocupado: «Hermano, no creo que yo hubiese podido contarlo».

Este punto es significativo: antes de decir algo que puede tener consecuencias desastrosas, debes permitirte un momento para recapacitar. Tal vez debas –literalmente– morderte la lengua. En cuanto a tu relación, es primordial. No sugiero que distorsiones la verdad o que seas deshonesto. Quiero transmitirte que, para expresarte de forma abierta y honesta, antes debes estar seguro de cómo te sientes y si, lo que vas a decir, lo harás de la mejor manera posible. Recuerda que es probable que tengas que reconsiderar algunos temas antes de «soltarlos» durante una acalorada discusión.

Si crees que lo que vas a decir se puede transformar en «un eje fundamental de vida en tu relación» –así sea para ti o para tu pareja–, mejor piénsalo muy bien antes de comentarlo.

Quiero señalar que el acto de ventilar no es sólo verbal. Muchas veces los hechos hablan más que las palabras y, en ocasiones, son mejores comunicadores que éstas. Por ejemplo, cerrar la puerta a tu pareja en la cara, irte en un momento crítico, arrojarle una bebida, gritarle o no estar allí cuando necesite transmitirte mensajes destructivos puede dejar huella.

Hay algo más, debes tener sumo cuidado con lo que manifiestas abiertamente y la manera en que lo haces, sobre todo cuando sientes que has sido agraviado por tu compañero y preten- des que se entere. La forma en que respondas puede costarte credibilidad y hacer que no os concentréis en el punto funda- mental: su actitud destructiva hacia ti. He tratado con cientos de parejas, a lo largo de mi vida, en las cuales, por ejemplo, uno de los miembros cometió graves transgresiones y, a partir de ese momento, quedó totalmente ensombrecido por la reacción des- medida de su pareja. Cuando estas personas venían a mi con- sulta o asistían a alguno de mis seminarios, nos concentrába- mos en la reacción provocada más que en el acto original. Y, de pronto, la situación se tornaba peor para la víctima, puesto que la gravedad de su reacción eclipsaba el acto erróneo cometido precisamente por el compañero.

Uno de los mejores ejemplos es el de Karen y George. Esta pareja, supuestamente muy enamorada, asistió a uno de mis seminarios sobre relaciones sentimentales. El abogado de Ka- ren —uno de los perfiles de mayor reputación nacional en la rama de divorcios— le había recomendado que participase de estas jor- nadas, ya que su postura era la de recomponer más que la de desmantelar. Karen y George vivían y trabajaban en Manhattan, tenían carreras profesionales activas y satisfactorias, producto del trabajo intenso y el apoyo mutuo. Con todo, se encontra- ban en medio de los trámites de divorcio, ya que Karen —sin pruebas para demostrarlo— estaba convencida de que su marido le era habitualmente infiel.

De hecho, un poco antes de asistir al seminario y habien- do estado separados de forma voluntaria durante un mes, Ka- ren realizó un trabajo de investigación muy profundo en el que concluyó que George había pasado el fin de semana en com- pañía de una prostituta. Estaba del todo indignada y sentía que su proceder era correcto. Convenció al portero del nuevo piso de su marido para que la dejase entrar y, una vez dentro, cogió un cuchillo de carnicero.

Clavó brutalmente el cuchillo en cada una de sus camisas, trajes y jerseys que estaban colgados en el armario, justo en la parte del corazón. Con el mismo cuchillo destrozó la entrepierna de cada uno de los pares de pantalones. No voy a menospreciar vuestra inteligencia explicando el simbolismo de estos actos. Simplemente admitamos que Karen se sentía profundamente traicionada.

Aún no había acabado con el cuchillo, cuando cogió una pintura en aerosol y destruyó un cuarto de millón de dólares en cuadros y esculturas. Arrojó el equipo de música a la bañera, lo cubrió con detergente y lejía y abrió el grifo. Luego colgó una nota clara y concisa en la puerta: «Buenos días, George. Espero que ella haya valido la pena. Tú, hijo de tu madre, te puedes pudrir en el infierno por lo que me has hecho. ¡Te odio! Tu querida esposa, Karen».

Quizá George estuvo con otra mujer ese fin de semana, pero nadie habló sobre ese tema sino que todos quisieron hablar de la reacción de Karen. Ella se sintió muy incómoda y avergonzada por sus actos. Sabía que había perdido credibilidad ante los ojos de cualquiera de los observadores. Mientras tanto, George se dio cuenta de que era su oportunidad para jugar el papel de víctima debido a lo que la «lunática» le había hecho. Se sentía muy bien cuando la gente en el seminario le daba unas cuantas palmadas en la espalda y le confirmaba que lo habían tratado injustamente.

Pretendo demostrar que el mensaje que Karen había mandado a su marido para que viera lo que era capaz de hacer no funcionó; además, propició que él se transformase en una figura a la que todos tuvieron lástima. Aun cuando George fue responsable de lo que había ocurrido, quedó libre de culpas. Y todo ello debido a la actitud exagerada de Karen. Ella ayudó a que él no se sintiera responsable. No cometas ese error y controla tus acciones para no tener que ser tú el culpable y tu pareja la pobre víctima.

Mito 7: una relación perfecta no se mide por el sexo

No te lo creas ni por un minuto: el sexo proporciona una importante liberación del estrés y las tensiones de un mundo cuyo ritmo es agobiante y, a su vez, contribuye a la calidad de la intimidad de la pareja. El sexo constituye un ejercicio necesario para la vulnerabilidad en donde permites a tu compañero que se aproxime. De hecho, llega a ser una práctica muy constructiva. En la mayoría de los casos se trata de un acto mutuo de dar y recibir, y de compartir confianza simbólicamente.

Para algunos llega a ser una de las pocas cosas que hace que su relación de pareja sea diferente de otras.

No estoy afirmando que el sexo lo es todo. Si tu relación sexual es satisfactoria, representa un 10 % en la «escala de lo importante». En cambio, si tu relación no es placentera, puede llegar a tener un peso negativo del 90 %. Una buena experiencia sexual permite sentirte relajado, aceptado y, además, más comprometido con tu pareja. Por el contrario, cuando tu vida carece de sexo, este tema se vuelve de vital importancia entre vosotros.

Puede representar un valor simbólico gigantesco: representar el factor único fundamental de frustración. Os puede llevar a un sentimiento de profunda ansiedad (una mujer, por ejemplo, quizá crea que no es agradable y, por tanto, poco deseada por su marido), incapacidad (un hombre puede sentir que no sabe lo que tiene que hacer durante el coito) y, por último, el rechazo y el resentimiento. Cuando la vida sexual alcanza esos niveles, comienzan a surgir conductas destructivas entre tu pareja y tú. Uno de los dos puede pensar que el otro lo está castigando al privarlo del sexo y, por ese motivo, empieza una pugna, que por su parte causa todavía situaciones más violentas y destructivas. Los sentimientos de rechazo entre los miembros de la pareja suelen ser demoledores y dolorosos. Debido a que el sexo es tan íntimo y personal, los sentimientos de rechazo en esta área se magnifican desmesuradamente. Sin embargo, si lo comparamos con el rechazo de tu pareja respecto a una idea o un concepto, la carga emocional negativa adquiere proporciones más medidas.

Ya volveré sobre este tema con más detalle: cómo solucionar los problemas sexuales y recrear la actividad sexual de forma saludable. Por el momento, sugiero que te quites este ridículo mito de la cabeza. No me importa tu edad o el estado físico en que te encuentres. La creencia de que el sexo no es importante en las relaciones representa un mito peligroso que conduce inevitablemente al desgaste de la intimidad. Las parejas que prescinden de este elemento cometen un grave error. Elimina el factor sexual y estarás privado de la característica fundamental en las relaciones: la unicidad.

Las necesidades sexuales son naturales, apropiadas y se deben llevar a cabo. Cuando expreso esta idea, no me estoy limitando al coito en sí. Me refiero a la sexualidad como una experiencia física íntima, en combinación con una conexión mental y emocional. En este contexto, defino la palabra «sexo» como todas las formas privadas —y para algunos, públicas— de tocarse, acariciarse, abrazarse y cualquier otra manifestación física estimulante. No creo que se deba volver a la etapa del sexo apasionado y loco que debéis haber vivido cuando os conocisteis (consulta el mito 1); sin embargo, debe haber un lazo sexual entre los dos miembros de una relación sentimental, un tipo de química que os haga reconocer que sois más que amigos compartiendo una vida juntos. Sois amantes.

Mito 8: una pareja perfecta no puede prosperar si uno de los dos es «defectuoso»

La mayoría de los terapeutas dice erróneamente que si uno de los miembros de la pareja manifiesta un estado de «locura» o de cierta rareza en su personalidad, resulta imposible mantener una relación saludable. Por supuesto, lo que en realidad pretenden es vender una terapia. He oído a un número considerable de psicoterapeutas y autores afirmar que uno no se puede relacionar con la «locura».

Conozco muchos matrimonios que se han separado muy pronto. Una de las partes explicaba lo siguiente: «Cuando la gente se casa se vuelve realmente loca», «era una locura vivir con esa persona», «no sé lo que puede haber ocurrido, después de la boda comenzó a comportarse de manera muy extraña».

Cuando piensas en todo esto, me pregunto si sabes en verdad lo que significa ser «normal». Todas las personas tienen un rasgo personal distintivo y son diferentes unas de otras. Aunque esos rasgos no sean los que tú o incluso ellas elijan en un mundo perfecto, no debería provocar miedos y dudas en tu pensamiento acerca de quiénes son en realidad. Siempre y cuando las peculiaridades o los matices no sean demasiado abusivos o descaradamente destructivos en tu pareja, puedes aprender a convivir con ellos.

Durante algunos años, mi padre y yo hemos compartido la práctica clínica e, incluso, trabajamos juntos con una familia compuesta por el marido, la mujer y las tres hijas adolescentes.

El problema de esta familia, y para ser completamente honesto, en realidad consistía en que la madre era esquizofrénica.
Decía que oía voces, sobre todo a la tarde antes de que las niñas volvieran del colegio. Cuando la mujer hablaba con las
voces propias de su alucinación, era agresiva; pero, al hablar con
sus familiares y amigos, era dulce y tierna.

Admito que no es precisamente esto lo que busco conscientemente en una pareja. Pero, a diferencia de muchos psicóticos, la mujer tenía un trato prácticamente normal y, lo que es
más importante aún, cuidaba muy bien a su familia. Se dedicaba de lleno a su marido y a sus hijas. Sus alucinaciones eran
bastante benignas y no alteraban en lo más mínimo el ritmo de
la familia y el hogar.

Con todo, ésta era una conducta que merecía la pena cambiar. Además, Carol Ann sabía que debía mejorar. Su marido,
Don, asistía a la terapia casi todas las sesiones en que se le pedía
que lo hiciera y dedicaba el mismo tiempo a su mujer fuera de
la consulta. Debido a su apoyo, Carol Ann logró cierta mejora.

Y digo «cierta mejora» porque en una de nuestras últimas
sesiones me informó de que no había escuchado una voz en
un margen de 14 días, un período de silencio nunca antes superado. Aproveché para preguntarle si sabía que aquellas voces
que ya no escuchaba eran alucinaciones y no alguien que trataba de poseerla o ejercer control sobre ella. Contestó positi-
vamente y añadió que, para sentirse más segura, había cortado
todos los cables del sistema de comunicaciones de la casa. Lo
hizo con el objeto de prevenir en caso de que intentasen volver
a hablar con ella y usar uno de esos aparatos.

No puedo utilizar a Carol Ann como modelo ni tampoco
considerar que se ha curado; sin embargo, tanto la pareja como
la familia encontraron la forma de armonizar. Hace 37 años

que su marido y ella están casados y son muy felices, aun cuando los medios de comunicación de la casa no funcionan.

Os aseguro que ellos no son un ejemplo aislado. Existe mucha gente que tiene rasgos que podrían considerarse anormales. Por ejemplo, una mujer que después de tener hijos se vuelve totalmente paranoica en cuanto a la seguridad de los mismos. Se levanta diez veces durante la noche para ver cómo están. También puede haber un marido trastornado que piensa que alguien conspira contra su familia y construye un lugar de protección antibombas en su jardín. O bien descubres que tu compañero deambula por los alrededores de una manera muy extraña y llora sin ninguna razón aparente. Eso no significa que seas incapaz de relacionarte con gente así y llevarte bien.

Muchas veces pensamos que lo que no es lógicamente correcto resulta tóxico para la pareja; sin embargo, no es del todo cierto. Todos tenemos rasgos de personalidad peculiares y subterfugios, que —según cómo y dónde— pueden llegar a parecer extraños. Si estas características no son extremas ni destructivas para tu compañero, podrás convivir con ellas. Por otra parte, quizá te beneficies de ellas, las transformes en respuestas placenteras y las recrees para que eventualmente resulten satisfactorias. Incluso la «locura» puede ser simpática.

Mito 9: existe un camino correcto y otro incorrecto para hacer que tu relación sea perfecta

Nada puede estar más lejos de la verdad. No existe una manera correcta para alcanzar la relación ideal, para mostrar apoyo y afecto, ni para educar a los niños, relacionarte con la familia política, intervenir en discusiones y cualquier otro desafío presente en una relación de pareja compleja.

Lo importante es que encontréis vuestra forma de estar juntos y que ésta funcione. Aunque tu manera de actuar no sea la propuesta por los libros de psicología o no siga paso a paso el mandato que te legaron tus padres, no debes hacer nada que no sea lo que tu propia experiencia y voluntad dictaminen. El test del Tornasol (*Litmus Test*) verifica si lo que tu pareja y tú estáis haciendo genera los resultados esperados. Para ello no tenéis que seguir ningún principio en particular, simplemente se trata de elegir una forma con la que os sintáis cómodos y os conduzca a vuestro objetivo. Más adelante, después de haber constatado las consecuencias de la actuación, te recomiendo escribir tus propias reglas.

Con toda seguridad conoces algunas parejas sanas y felices que no pueden ser clasificadas bajo ningún modelo de relación de pareja conocido. Mis abuelos por parte de mi madre representan un ejemplo perfecto. Han desafiado cada una de las reglas de las relaciones. Esta gente trabajadora, simple y poco informada se ha pasado toda la vida en el oeste de Tejas, en un pequeño pueblo de 5.000 habitantes. Mi abuelo era el encargado del depósito de fletes del pueblo y mi abuela, planchadora durante los siete días de la semana. Eran realmente pobres en esa tierra olvidada del oeste.

Tuve la posibilidad de observarlos puesto que en mi adolescencia pasé largos veranos allí. Vivía en su casa y ayudaba en el depósito cargando y descargando fletes. Creo que no debían decirse más de veinticinco palabras a la semana uno al otro. No dormían en el mismo cuarto y el único interés en común que tenían era la supervivencia. Sin embargo, descubrí que estaban compenetrados. No tenía importancia dónde estuviéramos ni lo que hiciéramos, parecía que ellos siempre arreglaban las cosas para estar físicamente juntos, y hasta daba la impresión de que se tocaban. Tenían una casa vieja y grande y una mesa de comedor enorme y, aunque sólo ellos dos se sentaban a la misma, lo hacían en uno de los rincones.

Él la llamaba «la vieja criada» y ella a él «Cal». Si bien no hablaban demasiado entre ellos, con frecuencia contaban historias de su compañero a quienes se acercaran a hablarles.

Él medía 2 metros de alto y ella 1 metro 47 centímetros. Al verlos caminar uno al lado del otro, te preguntabas si mi abuelo alguna vez se había dado cuenta de que su mujer estaba ahí abajo. Él siempre decía que mi abuela estaba loca como un «melocotón de un huerto» porque los sábados por la noche miraba el programa de lucha profesional y se entusiasmaba con los luchadores y árbitros con quienes hablaría hasta por los codos. Ella, por su parte, decía a la gente que su marido era tan viejo que había que recordarle que respirara.

No se puede decir que su estilo de vida se encuentre en un libro de texto pero, cuando él murió, habían pasado 68 años juntos. La última vez que los vi a los dos, se ignoraban totalmente aunque iban cogidos de la mano. Tal vez los poetas y compositores tengan razón cuando se lamentan: «Dices más cuando no dices absolutamente nada».

Si se intenta que una pareja se conduzca por esquemas de pensamientos arbitrarios en relación con lo correcto e incorrecto, estemos llevándolos por senderos artificiales e imposibles. Existen tantas maneras diferentes de relacionarse como distintas parejas hay en el mundo. Hay diversos estilos de comunicación, de demostrarse afecto, de discutir o de resolver un problema. Algunos no son mejores que otros.

No intentes actuar de forma que coincidas con una conducta elaborada por otros, basada en sus líneas de pensamientos. Esos autores jamás te han visto a ti o a tu pareja (en caso de ser tu terapeuta, como mucho os ha observado unas horas por semana). Concéntrate en lo que funciona.

Alerta roja: además de evitar la rigidez de tus propios pensamientos, sentimientos o comportamientos, intenta no ser estricto y crítico con los pensamientos, sentimientos y comportamientos de tu pareja. No existe una manera correcta o incorrecta para que tu compañero te ame. Si parece quererte de un modo diferente al que tú consideras auténtico, puede que no tengas razón. Y lo más importante: no significa que la calidad de lo que él te da sea menos de la que tú le brindas.

Supongamos que te expresa un amor genuino en una lengua extranjera que no entiendes. ¿Qué conclusión sacarías? Podrías pensar que tu pareja no siente amor ni se compromete contigo. Para ella sería una situación muy frustrante, ya que ésa es la única lengua que conoce. ¿El hecho de que no haya elegido un modo de expresión que tanto tú como algunos terapeutas hayan decidido que es el correcto, acaso hace que los sentimientos de tu compañero por ti sean de menos calidad o valor?

Siempre he sido un enamorado de los gatos. Recuerdo que al comienzo de nuestra relación envié a mi mujer, Robin, una «postal de gato». Había un dibujo de dos gatos sentados en una cerca. A pesar de que se los veía de espaldas, se podía decir que uno tenía toda la apariencia de ser un macho y el otro una encantadora hembra. Tenían las colas entrelazadas y miraban la luna. Cuando abrías la postal podías leer: «Si tuviese dos ratas muertas, te daría una». Mi mujer se debió de haber quedado perpleja al recibir aquella nota. Por otra parte, yo pretendía enviarle un mensaje claro. A pesar del humor, la postal reflejaba mis sentimientos auténticos.

En verdad, todos podríamos esmerarnos más para expresar nuestro amor y devoción a nuestras parejas. Asimismo, deberíamos esforzarnos por aprender «el idioma extranjero» que hablan. Al aprender la lengua de nuestra pareja, en lugar de pedirle que adopte la nuestra, puede que descubramos que tenemos mucho más de lo que pensamos que tenemos. Sería trágico que perdieras la calidad de las ofrendas de amor y devoción de tu compañero por no haber reconocido a tiempo el valor de una buena rata muerta.

Mi mejor amigo, después de mi mujer, es Gary Dobbs. Siempre ha sido muchas cosas para mí, incluso mi mentor espiritual, y me ha ayudado en gran medida a madurar en mi relación personal con Dios. Me lamentaba un día de lo frustrado y engañado que me sentía cuando oía a la gente creyente decir que Dios había hablado con ellos sobre algún tema crítico. No le estaba contando sobre un teleevangelista con bastante laca en el pelo y joyas como para avergonzar a los más ricos; hablaba de gente creyente, legítima, que parecía disfrutar de esa conexión sublime. Una noche ayudaba a Gary a colocar las luces de Navidad –porque él es demasiado cobarde para subirse a una escalera– y yo lo miré y le dije: «¿Qué soy yo, comida para perros? ¿Cómo es que Dios no habla conmigo?». Gary nunca pierde una oportunidad, ni siquiera si está desenredando las luces. Dijo: «Creo que la verdadera cuestión es ¿por qué no lo escuchas tú a él?».

Odio cuando tiene la razón, pero la tenía. No es que Dios no hablara conmigo sino que yo no lo escuchaba porque tenía unas nociones preconcebidas de cómo se suponía que él hablaría conmigo. Después de haber visto la película *Los diez mandamientos* media docena de veces, esperaba que Dios tuviese algo que decirme, que pudiese, al menos, desplegar una voz resonante, separar algunas nubes y ríos, y me obsequiara con su mensaje. Había decidido de forma inflexible que Dios tenía una manera correcta de comunicarse conmigo y no pude aceptar o reconocer ninguna otra forma de revelación.

El comentario de Gary también me facilitó el entendimiento de la relación con los otros: quería asegurarme que no saboteaba esas relaciones por el hecho de vivir con algunas nociones preconcebidas sobre cómo la gente se relacionaba conmigo.

Si te acercas a tu pareja con ideas rígidas y no aceptas ni reconoces una lengua extranjera u otro medio de expresión poco tradicional, te alejarás del sendero de la paz y la alegría que construye una relación de calidad. Tu compañero no estará actuando de acuerdo a los estándares arbitrarios que tú has preestablecido. Resístete a ser inflexible en tu manera de relacionarte y crítico en la forma en que tu pareja lo hace.

Mito 10: tu relación de pareja será perfecta cuando consigas enderezar a tu compañero

Muchos de vosotros todavía tenéis esa noción infantil de que no es necesario tomarse demasiado en serio la responsabilidad de encontrar la propia felicidad. ¿Aún crees en los cuentos de hadas donde estar enamorado significa hallar a alguien que te haga feliz de ahora en adelante y para siempre?

Cuando ese cuento de hadas se vuelve irrealidad, comienzas a acusar con el dedo, a maldecir y a creer que todas las cosas desagradables que estás experimentando en la relación son a causa de tu pareja. Crees que tu infelicidad es el resultado de las acciones de tu compañero. Te dices que la vida sería mucho mejor si él o ella cambiara. En definitiva, concluyes que es muy poco lo que puedes hacer hasta que tu pareja no dé la vuelta a sus acciones.

Al tratar a gente con problemas de pareja, le preguntaba: «Si pudieras influir en alguien, ¿a quién escogerías?». La respuesta invariablemente era a sus compañeros. Quizá tú no seas diferente. Debes asumir que, si pudieses, te gustaría ejercer cierta influencia en el pensamiento, los sentimientos y el comportamiento de tu pareja.

Es un mito: la persona más importante para influir sobre ella eres tú, es decir la figura fundamental de la relación y, por ello, has de intentar esforzarte en cambiarla. Vuelve a descubrir tu dignidad y autoestima (tu poder personal). Es muy difícil volver a restablecer la comunicación con tu pareja si no tienes esa facultad.

No pretendo decir que tienes la culpa de todo lo que sucede en tu vínculo amoroso, sino que en principio eres responsable del estado actual del mismo.

Si tu relación no es del todo como quisieras, debes invitar a que tus pensamientos, actitudes y emociones propongan un desafío. Tienes fallos, falacias y características que estimulan de forma destructiva a tu compañero o hacen que tú mismo respondas negativamente.

Tal como he dicho antes, has elegido un estilo de vida que te conduce a una mala relación de pareja. Has escogido el tipo de pensamientos, sentimientos y comportamientos que provocan dolor en la relación, de la misma forma en que eliges la ropa diaria, el coche que conduces y el lugar donde trabajas.

Has hecho tuyos esos pensamientos, sentimientos y comportamientos porque, de algún modo, este sistema funciona para ti. Quizá, estas características o modelos interactivos te hayan permitido obtener algo a cambio, que ha reforzado la recurrencia de esa conducta. Si has encontrado esa retribución, has descubierto la línea de la vida que mantiene a flote y en estado recurrente las conductas destructivas. Una vez identificadas esas retribuciones, puedes cerrar el círculo y eliminarlas. Cuando ese sistema ya no sea de utilidad y no logre generar recompensas, dejará de existir.

Una vez, con una pareja de recién casados, vi frente a mí un ejemplo muy claro sobre este sistema de retribuciones. Aparentemente, Connie era demasiado celosa de su marido, Bill, y vivía con gran temor de que él violase los votos de fidelidad del matrimonio. Sospechaba que la dejaría o tendría una aventura durante uno de sus frecuentes viajes de trabajo. Connie lo llamaba constantemente y lo mandaba a buscar varias veces al día para controlar el curso de sus actividades. Una vez lo llamó 17 veces en un mismo día. Cada vez que hablaba con él, le decía lo mismo: «¿Estás con otra mujer?», «¿has flirteado con alguien?», «¿piensas que son más bonitas que yo?», «¿te gustaría estar con ellas y no conmigo?», «¿no me quieres, verdad?», «¿crees que soy fea, poco interesante y aburrida?».

Bill, por su parte, reafirmaba con mucha paciencia que la quería y que estaba comprometido con ella. Negaba la presencia de otras mujeres aun cuando sólo fuera por motivos laborales. Trataba de calmarla, insistiendo en su responsabilidad, fidelidad, aprecio por ella y atractivo. Esa conducta continuó durante mucho tiempo hasta que ambos se vieron envueltos en un círculo patológico que hacía tambalear su matrimonio. Connie no podía pensar en ninguna otra cosa y él se había convertido en un esclavo del teléfono. Los dos querían detener esa situación. Mi pregunta era: «Si no os gusta, ¿por qué no dejáis de actuar así? No sois gente tonta, tenéis la posibilidad de elegir, de modo que hacedlo y dejad de atormentaros».

Los dos coincidían en que no era tan sencillo y en que, por más que lo intentaran y se comprometieran a hacerlo, volvían al modelo original. Ambos expresaban frustración y confusión por estar haciendo algo que no querían hacer.

La respuesta seguramente es tan obvia para ti como lo era entonces para mí. Tanto Connie como Bill obtenían un tipo de recompensa enfermiza en ese modelo de interacción destructiva. Se desprende de esto que Connie tenía un serio problema de inseguridad personal; sin embargo, ella se reafirmaba cada vez que él pasaba el «examen». Cuando lo sometía a ese terrible interrogatorio, producto de su necesidad de reafirmación, acababa su confrontación diciéndole: «¿Por qué no tomas la decisión y me dejas ya, cosa que de todas maneras harás más adelante?». Y si Bill negaba tener esos pensamientos, profesaba su amor y admitía que no la dejaría, significaba que había pasado la prueba nuevamente y, en consecuencia, Connie se sentía segura. Necesitaba una dosis de confianza y reafirmación diaria. Se volvió tan adicta que esa necesidad pasó a controlarla.

Para Bill era como intentar llenar un agujero sin fondo. El problema de Connie no tenía nada que ver con él, pues todo estaba relacionado con las inseguridades personales de ella, así como con su falta de voluntad para diagnosticar la situación y resolver el problema desde dentro. Estaban avanzando a pasos agigantados hacia un precipicio. Él, que parecía desde fuera una pobre víctima, indudablemente consiguió que su ego creciera de forma espectacular, ya que se sentía «sobrevalorado, perseguido y estimulado por la enorme preocupación de su mujer». Sentía que su ego adquiría una gran fuerza al saber que su compañera estaba obsesionada con él. No obstante, como todas las conductas adictivas, muy pronto Connie y Bill se volvieron esclavos de este tipo de retribución enfermiza.

Ella tenía que tomar la decisión de si quería continuar nutriendo a ese narcisista de ojos verdes o no, a ese monstruo autodestructivo que la dominaba permanentemente, o bien crecer y correr el riesgo de permitirse ser amada y tener confianza. Para mí resultaba muy claro que si no elegía esto último, Bill no continuaría la relación por su parte; él debía decidir si prefería realimentar su ego de forma descontrolada o aprender a madurar en busca de una relación más sana.

En lugar de esperar que tu pareja cambie, será más útil y constructivo mirar en tu interior en lugar de a tu compañero. ¿Qué tipo de compensaciones estás afrontando con tal de mantener esas actitudes destructivas? Puede que ahora lo tengas más claro o que aún se mantengan escondidas. De cualquier manera, no cometas el error: existe una retribución. No eres una excepción a la regla porque no las hay.

De modo que tienes la posibilidad de elegir mantener el lugar central de la relación y culpar a tu pareja, o bien tomar la decisión de ser autodirigido y comenzar un cambio real.

Puedes llenarte de rabia impotente hacia tu pareja o elegir ocuparte de ti mismo y estimular tu relación para que coja la dirección correcta. Si quieres, deja que tu pareja te indique tus acciones o actúa en función de tus propios códigos, teniendo en cuenta tus objetivos.

Garantizo que, cuando acabes de leer este libro, serás capaz de ayudar a tu compañero para que se comporte, piense y sienta de manera diferente. Pero nunca creas que puedes controlarlo ni pienses que depende de él que tu vida sea mejor.

Elimina tu mal espíritu

Creer en los mitos no es la única manera de envenenar tu relación. Sin duda, cuentas con una técnica todavía más engañosa para dañar lo más importante que hay en tu vida: las «malas vibraciones».

Cada uno de nosotros tiene una parte emocional irracional y destructiva en su personalidad. Hay una parte que es inmadura, egoísta, controladora y ávida de poder. No es algo que quieras escuchar sobre ti mismo, pero es verdad y debes saberlo. De la misma manera que puedes conducir tu relación hacia una bocacalle sin salida, cayendo en esos mitos equívocos y sin importancia, la llevarás al borde del acantilado si dejas que tu mal humor —tu lado oscuro— sabotee los momentos de intimidad y paz.

Si eres honesto contigo mismo, sobre ti mismo, sabrás con exactitud de lo que estoy hablando. Por desgracia, justamente durante las interacciones de pareja —la parte de tu vida cargada con más emociones, en la que corres los riesgos personales más desafiantes—, es cuando tu mal humor puede aflorar. En efecto, a través de tus propias actitudes negativas, inconscientemente originas todo lo que en realidad desearías eliminar. Aun la gente más normal e inteligente puede valerse del peor comportamiento cuando trata con las personas que ama. Puede llegar a crearse un clima de sorprendente hostilidad y crueldad, defensas infantiles, razonamientos patéticamente inmaduros, acusaciones y contraacusaciones, culpabilización e ignominia, exageraciones y rechazos. En este momento, el mal humor surge súbitamente con un bramido, te encuentras lo más alejado posible de tu núcleo de conciencia.

Has abandonado los sentimientos de valía y dignidad y elegido a ti mismo como víctima.

La mayoría encuentra que esta parte de su personalidad es tan repugnante que no puede hacerle frente, de modo que cuenta con una larga lista de negaciones para justificar y explicar de mil maneras ese terrible comportamiento. En cambio, le gusta pensar en cómo es cuando las cosas van bien en su relación y actúa de forma madura, se brinda, es flexible y democrático. Pero su mal humor está siempre allí, oculto.

Si lo percibes, te sientes frustrado, amenazado y herido, si te rindes, tu lado oscuro aflora. Permitir que eso suceda y agudice el deseo de control sobre tu pareja puede contribuir a que tu relación fracase no de forma temporal sino muy probablemente para toda la vida. A pesar de cualquier otra cosa que funcione en tu relación, si no te ocupas de controlar el mal humor, éste terminará destruyendo cada fibra de tu vida conyugal y sellará su destino.

Asegúrate de escuchar mis palabras. Puede que estés pensando: «Es cierto, no siempre me encuentro de buen humor, positivo, es más, a veces tengo malas vibraciones». Debes averiguar si no eres uno de esos locos que abusan de los gritos. Déjame ser sincero contigo: tu mal humor puede llegar a ser pernicioso incluso cuando creas que no tiene el matiz dramático que has visto en otras personas.

Las malas vibraciones se manifiestan de maneras muy diferentes. Algunos tienen una marcada disposición para la autodestrucción que puede acabar con una relación en el transcurso de una noche, como se hundiría un barco con un agujero en su casco. Otros se inclinan por un estilo lento pero efectivo. Puede que este último no resulte tan pintoresco a los ojos de tus amigos, vecinos y parientes políticos que tengan la mala suerte de estar presentes durante un momento en que el ataque de mal humor se hace evidente. No porque tu mal humor sea gradual desestimes su acción como depredador de tu relación. Conforme pase el tiempo, tu actitud interior negativa adquirirá más control sobre ti. De hecho, inconscientemente atraerás todo eso que preferirías eliminar y tampoco entenderás nada de lo que te está sucediendo.

Debido a esa característica devastadora de tu personalidad, no estarás en condiciones de defenderte o de simular que no existe ningún problema con la esperanza de que éste desaparezca. Tampoco puedes confiar en que una terapia tradicional, donde sesión tras sesión un profesional intenta averiguar dónde se origina ese rasgo negativo, te ayude realmente.

Dudo que el psicoanálisis, por ejemplo, pueda encontrar la relación entre tu trastorno y las acciones de tus padres cuando eras pequeño. En mi opinión, este intento de solución no pasará de ser más que un entretenimiento mental.

Nada de lo que haya ocurrido cuando eras niño, que de alguna manera pueda estar relacionado con tu comportamiento actual, es susceptible a un cambio.

Sin embargo, aunque tú tampoco puedes modificar nada de lo ocurrido, lo importante es que te des cuenta de que ya no eres un crío. Como adulto tienes la posibilidad de elegir lo que piensas, sientes y haces. Si tu historia ha sido dura, lo siento de verdad. No me refiero a que debemos clarificar o minimizar el sufrimiento por el que has pasado. He oído muchas historias horribles que me dejaron físicamente perturbado. Si el relato de la tuya, en alguna medida, se identifica con el de un gran dolor, pues lo siento por ti otra vez. Algo aún peor que haber padecido, en una fase de tu vida, esas experiencias es traspasar toda esa memoria de sentimientos frustrantes a una nueva fase. Con todo, si has sido una persona que ha sufrido mucho a lo largo de su existencia, no debes escudarte en el dolor o usarlo para justificar tu lado oscuro, ya que, si persistes en mantenerlo oculto, seguirá vivo facilitando su traslado a tu vida actual.

Tienes que estar dispuesto a enfrentarte cara a cara con tus malas vibraciones, reconocer cómo se manifiestan en tu comportamiento para intentar desprenderte de ese esquema mental antes de que produzca más daño. Nunca lo erradicarás por completo pero, al menos, podrás reducirlo para evitar que llegue a consumirte. Ésta es la mejor terapia, la más efectiva que conozco. En verdad, no es mi intención que te deshagas del mal humor. Quiero que llegues a conocerlo tan íntimamente que, en caso de que quiera adherirse a tu vida como una garrapata, estés en condiciones de adelantarte a su acción y detenerlo. Pretendo que seas capaz de decir: «Bingo, he aquí a mi cazador al acecho que no permitirá que quede atrapado y evitará, por todos los medios, que lo negativo sabotee mi vida y la felicidad conyugal. En suma, declaro que el mal humor no se interpondrá entre mi pareja y yo».

No resultará muy divertido adentrarnos en la siguiente sección de este capítulo, ya que veremos las manifestaciones más habituales de mal humor. Recuerda que no podemos cambiar lo que desconocemos, por lo tanto, reúne el coraje necesario para incursionar en tu lado oscuro y controlar tus actos.

Característica 1: eres un marcador

Una relación sana define a todas luces una pareja participativa y comprometida. Los dos miembros cooperan, se apoyan y dependen uno del otro. No compiten. Algunos competidores testarudos quizás estén pensando: «¿Competencia?, ¿acaso estoy poseído por un mal espíritu si soy competitivo?». Sí, ¡correcto!

Cuando se trata de tu relación, esta afirmación es del todo correcta. Por favor, entiéndeme, pienso que no existe nada mejor que un hombre y una mujer que sepan bromear.

Me encanta observar a una pareja enfrascada en juegos de tipo «voleibol verbal»: tomándose el pelo, intercambiando historias divertidas y bromeando acerca de las excentricidades del otro. Hay una chispa encendida en su relación, una irritabilidad que se traduce en diversión. No es rivalidad, es amor con ingredientes humorísticos y con mucho ánimo.

La verdadera competencia en una pareja puede convertirse muy rápidamente en una batalla si una de las partes se vuelve muy desagradable. La competencia se basa en «marcar los puntos» y, si planteas la relación de pareja en términos de un intercambio de favores y obligaciones «lo haré por ti, si lo haces por mí», vuestra relación podrá caer en la lucha de poder que dista mucho de lo que caracteriza a una pareja sana: cooperación y apoyo mutuo.

La intimidad real y el cuidado no es un juego. Si ambos o uno de los dos miembros intentan justificar sus privilegios o demandan derechos opuestos a los que la otra parte puede dar, su actitud debe interpretarse como la de un gran egoísta. En toda relación hay uno que da y otro que toma. Los que toman justifican su actitud fervientemente. Cuando además se añade un elemento competitivo, la relación pasa a ser un forcejeo quid pro quo, dominado por la actitud «tú me debes».

Piensa en ello, por naturaleza la competencia requiere un adversario, un enemigo. ¿Cómo puedes ser un ganador a expensas de hacer perdedor a la persona que supuestamente amas? ¿Pretendes vivir en armonía en una relación en la cual ambas partes pelean por la superioridad, el poder y el control? Las parejas sólidas se construyen con sacrificio y preocupación y no con poder y control.

La alegría de dar se transforma en una pérdida cuando, por ejemplo, un marido compra un hermoso vestido a su esposa pero se lo regala, más que como un acto de amabilidad, pensando en que acumulará los suficientes puntos para que ella esté en deuda con él y, de alguna manera, en sus manos. O el caso de una mujer que se queda en casa, cuidando a los niños mientras su esposo aprovecha para ir a pescar con sus amigos, tampoco producto de un acto de bondad sino porque quiere que él le deba algo. Esta pareja no intenta bajo ningún concepto ayudarse mutuamente. Se trata de dos personas que tratan de dominar y controlar al otro. No ocurre de este modo en relaciones que manifiestan un cuidado y una entrega reales donde los miembros intentan dar más de lo que se espera de ellos.

Muchas veces esto conduce a un tipo de paranoia en la cual los matrimonios comienzan a preocuparse de si han de aceptar uno de esos regalos aparentes o actos de amabilidad por miedo a que el precio real del «presente» resulte demasiado caro.

En una relación competitiva nunca puede existir un reconocimiento honesto de los inconvenientes o errores cometidos porque eso sería renunciar al poder y al control. No importa en absoluto si el reconocimiento es fidedigno. La defensa, desviación de propósitos y resistencia, incluso ante las más constructivas críticas, están a la orden del día a expensas de la agonía de la relación.

En suma, la competencia en la pareja es como un viento enfermo que la atraviesa; en otras circunstancias hubiera podido ser una relación sana. Para mantener la superioridad necesitas comenzar muy pronto el proceso de poner al otro por debajo de ti, inflar tu ego y, a toda costa, intentar maximizar tus acciones y minimizar las de tu compañero. Tu actitud siempre responde a la felicitación: «Hurra para mí». Si tus hijos hacen las cosas bien, el mérito es tuyo. En caso de que hayas comprado una casa de vacaciones muy bonita, tu dinero lo ha facilitado. Nunca podréis llegar al punto en que estéis de acuerdo en no coincidir y sintáis el debido respeto por la posición del otro, tema que ya he mencionado en el capítulo anterior. Contabilizáis cada una de vuestras acciones donde resulta más valioso demostrar que el que está equivocado es el otro.

Cuando este tipo de actitud predomina en las relaciones, el significado del amor queda totalmente fuera de contexto. Nunca más podréis centraros en el espíritu de cooperación y unión. Estaréis intercambiando vivencias igual que en un mercado de compra-venta, comerciando con un valor a la espera de conseguir otro.

He aquí algunos indicadores de advertencia que pueden resultarte de utilidad para determinar si la competencia ha reemplazado el sentimiento de cooperación en tu relación:

• Intentas evaluar las cosas que hace tu compañero en relación con el tiempo libre, las salidas con amigos, las horas dedicadas a los niños y las tareas domésticas en general.
• Te aseguras de que tu pareja no tenga nunca el poder y que jamás haga nada «gratis».
• Acumulas «puntos» que te colocan por encima de tu compañero en la balanza.

• Haces concesiones en las negociaciones más que ofrecer un apoyo constructivo.

• Rara vez —si existe alguna ocasión— haces algo para apoyar a tu pareja sin antes asegurarte de que ella lo sepa.

• En todo tipo de disputa o confrontación con tu amante buscas activamente aliados en la familia y en los amigos para equilibrar el poder.

• Insistes en ser el que tiene la última palabra.

Si el espíritu de competitividad se ha infiltrado en tu relación, hazle frente. De la misma manera que con el cáncer o cualquier otra enfermedad infecciosa, negar el problema lo empeorará. Es evidente que existe un conflicto cuando uno de los miembros de la pareja posee un carácter y una actitud interactiva donde lo que pretende es garantizar su poder en la relación. Los dos representáis un equipo: se supone que os debéis apoyar uno al otro. El espíritu de competencia, sin embargo, crea un clima de negatividad que puede operar en contra de la alegría, confianza y productividad.

Característica 2: siempre buscas el lado negativo

La crítica legítima en una relación no tiene por qué considerarse negativa. Tampoco lo es que uno de los dos se queje de las acciones o actitudes del otro, a menos que obedezcan a una mejora en la relación afectiva.

No obstante, muchas veces la crítica constructiva conlleva la búsqueda de errores: te obsesionas en encontrar los fallos y las imperfecciones en lugar de priorizar los valores de tu pareja. Casi siempre le dices, de una manera u otra, lo que ella debería hacer. Cuando lo haces, le estás enviando el mensaje de que no sólo estás en desacuerdo con su actitud sino que ha roto ciertos principios básicos. Esta forma de actuar no conduce a nada positivo. Tu opinión no deja de ser subjetiva, así que presta atención al clásico dicho: «A menos de que uno muera y te deje a cargo, tu opinión difícilmente se puede considerar un modelo».

Si piensas en esto, comprenderás que sientes un placer enfermizo en estudiar el inventario de las actitudes negativas del otro. Buscas la forma de criticar y, una vez empiezas, ya no puedes detenerte. De hecho, no importa lo que tu pareja haga o con cuanto empeño lo intente, para ti nunca será ni suficiente ni lo que tú deseas. Si él o ella tiene que hacer diez cosas y ha logrado llevar a cabo ocho de forma casi perfecta, te pasarás el 90 % del tiempo hablando de las dos restantes que aún no ha hecho. Tampoco harás ningún comentario agradable sobre el vestido o traje elegante de tu compañero. Por el contrario, criticarás la forma en que arrastra los zapatos al caminar. Vivir contigo se transformará en una pesadilla. Probablemente eres el tipo de persona que dice al otro: «Habría sido un día maravilloso, si tú no hubieses...». Ni te imaginas lo harta que llega a estar tu pareja de tantas críticas. Te conduces de forma tan implacable en su contra que hasta parece que te hayas perfeccionado en el arte de atacar.

Aunque creas que no te he descrito, intenta bucear honestamente en tu interior. Puede que te sorprendas. Piensa en la última crítica que has hecho a tu compañero y en la última vez que le has hecho un comentario positivo. ¿Qué aseveración estuvo acompañada de más pasión e intensidad? Haz dos listas acerca de sus actitudes y su forma de ser: en la primera, escribe cinco características que te gusten de él y, en la segunda, cinco que te irriten. ¿Qué has descubierto? Si eres como casi todo el mundo, habrás encontrado la parte negativa antes que la positiva.

No estoy aquí para decirte que debes pensar de forma positiva en todo momento. Sin embargo, vale la pena descubrir si eres del tipo en que la crítica y el reproche son esenciales al negociar. Es probable que sientas una falta de satisfacción en tu propia vida y que, por ello, intentes «equipararte» con tu pareja. En lugar de construir una escala ascendente de valores y principios, tratas de reducir los de ella para operar en un nivel más bajo. No olvidemos que estamos hablando de la persona que amas y has de cuidar.

A continuación presento unos indicadores de advertencia que pueden ser de utilidad al determinar si eres proclive a la crítica perfeccionista y a la errónea tendencia de exigir lo que se «tiene que hacer» dentro del ámbito de tu relación de pareja:

• Muy rara vez permites a tu pareja una infracción, aunque sea trivial.
• Sueles comentarle: «Deberías haberlo sabido....», «tendrías que haberme ayudado cuando me encontraba tan estresado», «deberías haber hecho lo que yo quería sin necesidad de que te lo pidiera».
• Tiendes a decir «siempre» y «nunca» cuando criticas a tu pareja. «Siempre haces esto», «nunca me ayudas en la cocina», «siempre me ignoras». Las palabras «siempre» y «nunca» denotan juicio. También deberían ser embarazosas para los que las usan, ya que implican aseveraciones absolutas que son francamente insoportables.
• Acostumbras a protestar por no obtener lo que crees merecer o por tener una vida injusta (actitud que transfieres a tu pareja y la culpabilizas por ello).
• Contraatacas cuando eres criticado. Por ejemplo, cuando tu compañero menciona que te has olvidado de sacar la basura,

en lugar de decodificar el mensaje de forma natural, lo interpretas como competitividad y contestas: «No puedo creer que tengas el valor de decirme esto. Nunca haces lo que tienes que hacer. Soy cincuenta veces más digno de confianza que tú, que ni siquiera cierras la puerta por la noche».

• Estás obsesionado con la idea de que tu pareja admita sus errores en lugar de oír lo que tenga que decirte.

Si estás dominado por este mal hábito y crees que estas críticas perfeccionistas contribuyen a que tu pareja sea una persona mejor, piénsalo otra vez. En verdad estás confundiéndola, excitándola y, probablemente, volviéndola más resistente a las críticas legítimas. Y, lo que todavía es más importante, alejándola. Al perseguirla, atacarla y hacerla resistir, estás promoviendo una batalla en lugar de coexistir en una atmósfera de paz donde se acepta y se cree en uno mismo y en el otro. Al criticar de esta manera, no estás precisamente elogiando a tu pareja. Tampoco estás conectando con ella. Si te permites crear tu propia experiencia y dejas de intentar ser la sombra de tu compañero, descubrirás que está a tu lado y que no se aleja de ti. También comprobarás que tienes mucho que hacer contigo mismo y que las críticas de los otros no te ayudarán a mejorar.

Característica 3: crees que es tu camino o autopista

Tu mal humor va más allá de la competitividad y la crítica. En este punto te crees muy justo y bueno. Eres inflexible, obstinado, y estás obsesionado con el control. Todo tiene que ser y hacerse a tu manera. No hay otro método mejor que el tuyo; por muy correcto que sea el de tu pareja, no es aceptable.

Como buen controlador, eres intolerante respecto a la iniciativa de los demás y esperas que sean muñecos pasivos rendidos a tus ideas y deseos. Te niegas a reconocer o agradecer las contribuciones de tu pareja. No eres feliz a menos que seas tú quien decide qué se debe hacer, cuándo y por qué. Siempre encuentras una justificación a tus actos y eres el único capaz de discernir entre el bien y el mal. No puedes y no podrás nunca admitir que estás equivocado porque eres un adicto a tener razón. El mensaje que das a tu compañero es claro: «Soy mejor que tú».

Tu objetivo no se limita a dominarlo, a tratarlo con condescendencia o a intimidarlo, sino que se dirige directamente a socavar sus códigos morales. Pretendes establecer una jerarquía, un nuevo orden en el cual cada intercambio sirva para poder elevarte a un pedestal repleto de santidad. Una vez más, pretendes creer que raramente actúas de esa forma; pero la cruda realidad es que, como muchos otros, te ocultas detrás de una máscara en un alto grado de confidencia y competencia. Al tiempo, te permite inflar tu ego artificialmente, para creer que eres superior a los demás.

Deja que te diga lo evidente: no puedes seguir dos caminos diferentes, actuar con un grado de rigurosidad y control capaz de dominarte y, a la vez, creer que estás cerca de lograr lo mejor para tu relación.

Corres el riesgo de comprometer y sacrificar tu relación de pareja en lugar de reconocer que eres el causante del problema. No imagino una actitud más desalentadora que ésta, puesto que antepones tu ego al bienestar de la relación, y quizá dejes que se vaya a pique en vez de ser honesto contigo mismo.

A continuación menciono unos indicadores de advertencia que pueden resultar de utilidad al determinar si los principios que sigues se basan en ser bueno y justo:

• Eres intolerante respecto a las iniciativas o ideas de tu pareja.

• Habitualmente interrumpes a tu compañero durante las conversaciones para tomar la palabra en lugar de permitirle que acabe de expresar su idea.

• «Cambias de juego» cuando te das cuenta de que tu pareja está exponiendo algo interesante. Puede que le digas, por ejemplo: «No tienes por qué usar ese tono de voz», «no hay razón para pensar así», «¿por qué te recreas intentado herirme?». De repente, tu compañero acaba siendo el culpable de todo.

• No puedes finalizar una confrontación hasta que tu pareja reconozca que tú tienes razón.

• Si no lo admite, te haces el resentido o actúas como un mártir; de esta forma te aseguras que tu compañero entiende que no te sientes apreciado.

• Sueles actuar como un santo, te muestras piadoso con tus amigos y tu familia y les explicas todo lo que has de aguantar y lo difícil que resulta vivir con tu pareja.

• Tiendes a empezar las frases culpabilizándola, por ejemplo: «Si me quisieras...», «si yo te importara...» o «ya te lo he dicho, tendrías que haberme escuchado».

Durante los momentos de rabia en una discusión resulta muy tentador atacar la moralidad del otro desde nuestra posición de tener siempre la razón. Así que debes estar atento y examinarte con ojo crítico para asegurarte que no estás saboteando tu relación de pareja. Si asumes tener siempre la razón, sólo evitarás tener que ver y reconocer tus errores. Como eres el primero en reconocer el momento en que tu compañero rompe las reglas de la relación —o si arbitrariamente decides que él ha roto las que tú habías impuesto—, evitas enfrentarte a ti mismo.

Característica 4: te conviertes en un perro agresivo

Esta característica se manifiesta fácilmente y cuesta mucho dejarla atrás. ¿Cuántas veces has comenzado a discutir por una cosa en particular y terminado con un ataque personal? Realmente crees que vas a mantener el control durante la discusión, pero de pronto te zambulles en el motivo de la disputa y, sin darte cuenta, estás atacando la dignidad de tu pareja. A medida que avanzas tienes problemas para distanciarte de la confrontación. Tus ataques son del todo desproporcionados en relación con el tema que os preocupa y, en consecuencia, usarás todo tipo de municiones destructivas para debilitar la confianza y autoestima de tu pareja.

Al exacerbar tus críticas, ya ni te acuerdas ni te importa recordar el motivo causante de la discusión. En un abrir y cerrar de ojos, la interacción se vuelve un campo de batalla.

Cuando se llega a este punto, la perversidad se nos va de las manos y se pueden cometer crímenes de pasión: por ejemplo, uno de los miembros de la pareja, que en un principio había sido amado, resulta golpeado e, incluso, asesinado. En el ritmo de la rutina diaria, aun cuando la malicia es meramente verbal, la autoestima de tu pareja y la viabilidad de tu relación disminuyen. El mensaje es claro: «Quiero herirte».

A veces nuestra maldad es evidente y reconocible. Podemos expresar un tipo de sarcasmo capaz de golpear a cualquiera que tengamos al alcance del oído. Aunque, en ocasiones, nuestra crueldad se manifiesta de forma más sutil siendo posible esconderla bajo una vibración de alegría. Un compañero que sabe qué botones apretar, qué acusaciones nos herirán más, puede ser cruel sin necesidad siquiera de levantar la voz. Por ejemplo, imagina a una madre cariñosa y dedicada totalmente a sus hijos, que se sienta a esperar preocupada y culpable en una sala de espera de urgencias en un hospital, mientras a su bebé lo curan de una quemadura dolorosa que se produjo en la cocina mientras ella estaba al teléfono hablando con un amigo. Ocurrió de repente y no se podía prever. Su marido entra en la habitación, se sienta a su lado, pasa las manos por su cabeza y le pregunta: «¿Cómo has podido ser tan egoísta?, ¿alguna vez dejarás de estar tan absorta en ti misma y cuidarás al niño en lugar de hablar incesantemente por teléfono con los estúpidos de tus amigos?». El mensaje es claro, el daño está hecho pero nadie ha elevado el tono de voz. Cuando uno de los miembros de la pareja advierte cierta maldad en las palabras que se supone vienen de su mejor aliado en el mundo, hace que se replantee su relación. No es sólo que está en desacuerdo sino que su comunicación está condenada al fracaso.

Una vez el espíritu se manifiesta, la relación se paraliza y comienza la destrucción. Esta mala interacción puede aparecer en un momento dado o estar presente durante horas. De todas formas, el daño está hecho. Si has estado sometido a este tipo de espíritu, así sea por parte de tus padres, pareja o amigos, sabes lo difícil que resulta volver a confiar en esa persona. Se necesita tiempo y reestructuración, y lo que hayas podido superar puede desaparecer con un simple episodio desagradable.

Aquí tienes algunos indicadores de advertencia que puedes utilizar para determinar si la maldad está o no envenenando tu relación:

• Vuestras interacciones están marcadas, al menos, por un tono duro de voz y a menudo con gritos cara a cara.

ELIMINA TU MAL ESPÍRITU

• La comunicación incluye gestos como fruncir el labio superior, señalar a la cara con el dedo.

• Vuestros comentarios están cargados de condescendencia, como: «Te has convertido en una buena pieza».

• Las confrontaciones están llenas de insultos y agresiones.

• La mayoría de vuestras respuestas están repletas de acusaciones excesivamente directas: «Me pones enfermo», «no te soporto», «no vales nada».

• Atacas a propósito y con acierto las áreas más vulnerables de tu pareja.

• En oposición a un compromiso pactado, te desentiendes y desprecias todo lo que tu compañero necesita y quiere para tener una vida en paz.

• Pretendes manejar e intimidar a tu pareja, tanto a nivel físico como mental y emocional.

Admito que, a corto plazo, estos comportamientos son aceptados por un compañero que prefiere conceder y no pensar en el dolor que representa la muerte de la personalidad. De todas formas, a largo plazo, el objeto del abuso (de quien te has enamorado) se queda repleto de amargura y resentimiento y, al final, acaba huyendo de la relación, si no físicamente, al menos emocionalmente.

Es difícil detener esta conducta una vez se manifiesta, razón por la cual más adelante, en este libro, hablaré detalladamente sobre cómo puedes descansar de estas confrontaciones y volver a recuperar el control. Pero, por ahora, recuerda: tu destructora mentalidad terrenal, que te indica que has de ganar a través de la degradación de la valía y confianza de tu pareja, te llevará a causarle una herida que será muy difícil de reparar y vencer (como casi la mayoría de las cosas que puede ocurrir por la manifestación de ese espíritu negativo).

Característica 5: eres un fomentador de guerra pasivo

Después de leer sobre la agresión abierta que utilizan los que tienen el mal espíritu de la malicia, la violencia pasiva puede llegar a parecer una característica poco destructiva, pero no es verdad: constituye también una agresión. Es un espíritu que se expresa a través de un ataque injusto hacia el otro miembro de la pareja de forma inesperada. Es obstruccionista, furtiva y clandestina. Quienes son presa de este rasgo de personalidad, tienen un espíritu agresivo pasivo, son maestros de lo que llamo «sabotaje con mecanismos de defensa».

Estos individuos intoxicados trabajan duro para obstruir lo que no desean, pero lo hacen de forma disimulada e indirecta a fin de eludir la responsabilidad en caso de confrontación. Siempre tienen una excusa y una justificación; no obstante, obstruyen las resoluciones constructivas de la relación. Intentar mitigar el espíritu agresivo pasivo es como intentar escalar el Everest sin el equipo adecuado. No resulta fácil creer que puedas llegar a controlar esa actitud en tu compañero. Puede que parezca evidente, pero no podrás probar su existencia.

Si te abrazas al recurso de la agresión pasiva, no sólo eres el maestro de la cobardía en el arte de evitar la responsabilidad sino en el de la táctica de socavar todo lo más preciado a lo que tu pareja pueda aspirar. Contrariamente a la crítica perfeccionista, que se dedica a buscar errores en el otro, y al espíritu de la malicia, que utiliza la estrategia de la ira y la degradación de la personalidad, los que adoptan el espíritu de agresividad pasiva intentan bloquear al otro realizando algo que niegan constantemente estar haciendo o manifiestan estar realizando lo contrario de lo que hacen.

Al estar poseído por este espíritu, te olvidas de llevar a cabo todo lo que habías prometido hacer, o bien estropeas conscientemente lo que querías que tu pareja pensara que intentabas realizar con amabilidad. Aparentemente, no rechazas lo que ella ofrece o dice; es más, no te quejas de forma evidente, pero sí sutil. Está claro que no te interesa la resolución positiva en algunos asuntos y parece que te agrada asumir el papel de víctima. Lo prefieres a la paz y tranquilidad que tu compañero trata de generar.

No te equivoques, si eres adicto a este tipo de espíritu es que intentas controlarlo constantemente, más de lo que puedes aceptar. Además, por si fuera poco, de forma insidiosa, cobarde y clandestina.

Digamos que eres una persona pasivamente agresiva y que tu compañero te propone ir de vacaciones. Tú no deseas ir donde él quiere. En vez de ser sincero, le dices: «Es una idea estupenda», entonces enseguida empiezas a levantar barreras: no encuentras un buen momento para realizar el viaje, no consigues un billete de avión a buen precio y, al final, le comentas que el hotel costará cinco veces más de lo esperado, aunque insistes en que todo está bien. «Sigo pensando que es buena idea viajar. Si a ti te parece bien, a mí también», le sugieres.

Últimamente siempre sueles estar supuestamente de acuerdo con todas las iniciativas de tu pareja, aunque de una forma u otra las saboteas y consigues que tu amor sucumba a tus deseos sin necesidad siquiera de manifestarte. Si eres una persona pasivamente agresiva, tu mejor momento en la vida es cuando tu compañero dice: «Olvida lo que he dicho» o «¿Por qué no buscas una alternativa?». Y tú sonríes porque te has salido con la tuya.

Lee unos cuantos indicadores de advertencia más para comprobar si la agresión pasiva está o no determinando tu relación de pareja:

• Después de escuchar una sugerencia de tu compañero, estás de acuerdo y, pasado un rato, empiezas a buscar inconvenientes a la idea en vez de fomentarla.

• Aparentas estar confundido cuando tu pareja te da argumentos racionales al cambiar algo en la relación que tú, contrariamente, crees correcto.

• Simulas cierto grado de inutilidad para no tener que hacer ciertas tareas que te desagradan, como pintar una habitación de la casa o acostar a los niños.

• Eres vago, enfermas de pronto o te surge algún problema, lo que sea con tal de interferir en las iniciativas o los planes propuestos por tu pareja.

• A menudo empiezas las frases con: «Sí, pero...».

En otras palabras, con tu hacer pasivo estás agrediendo activamente tu relación de pareja. Esta actitud es muy frustrante para tu compañero, sobre todo cuando intenta mejorar el estado de la relación. Pocas veces te responsabilizas por lo que ocurre entre vosotros y jamás ofreces una alternativa constructiva a los problemas y pareces estar «a la espera» de que las soluciones vengan solas, cosa que no pasará nunca. Así garantizas más frustración y fracaso porque el modelo que buscas es increíblemente irreal.

Característica 6: recurres al humo y a los espejos

Igual que quienes sabotean sus vidas y relaciones con la agresión pasiva, los que padecen de este espíritu deshonesto también carecen de coraje para hacer real lo que produce el dolor y los problemas en la relación de pareja. Pero, al ser un espíritu opuesto al de la agresión pasiva, das a tu compañero una dirección completamente equivocada de casi todo lo que necesitas, según tus diferentes estados anímicos y lo que consideres importante.

En esta contraproducente colección de humo y espejos, contaminas tu relación escondiendo la realidad cotidiana y, en cambio, introduces tópicos o cuestiones superficiales pero útiles para debatir o hablar. Criticas mucho a tu amante en un momento dado por cualquier motivo cuando en realidad estás enfadado con él por otra razón. Un ejemplo: un miembro de la pareja riñe al otro por ser un excelente anfitrión y demasiado servicial, pero el motivo son los celos, ya que se siente mal socialmente y en realidad envidia el éxito de su compañero. Es posible que discutas apasionadamente y con vehemencia sobre cuestiones triviales que no te importan demasiado. Quizá uno de los dos empiece una pugna sobre el verdadero significado de la película que acabáis de ver en el cine sólo para irritar al otro por motivos del todo distintos a la trama del filme. También puedes simular estar muy excitado en una labor y así evitar la realización de otra tarea. O bien, uno de los miembros se muestra inexplicablemente interesado en dar una vuelta por el vecindario porque, en verdad, prefiere evitar estar con su pareja y mantener relaciones sexuales.

El resultado revela confusión emocional. Lo real nunca es dicho y lo que se dice nunca es real. Cuando controlas de forma engañosa las percepciones de la persona amada, provocas que ésta gaste energías en resolver un problema que no es más que un señuelo, causante de conflictos porque careces de la fuerza necesaria para sacar a relucir lo que realmente te importa.

En uno de mis seminarios, una pareja interpretó de manera natural cómo había vivido esta serie de problemas al encarar la realidad. Ni Jim ni Lisa pudieron jamás decir lo que pasaba por sus cabezas.

Jim: «*¿Cómo te ha ido hoy, querida?*». (Interpretación: «Me pregunto si habrá estado tonteando otra vez».)

Lisa: «*Hoy he tenido un buen día, cariño*». (Interpretación: «Cuándo te cansarás de controlarme».)

Jim: «*Hoy estás muy guapa, mi amor*». (Interpretación: «¿Cuánto me habrá costado esa ropa?».)

Lisa: «*Eres tan dulce...*». (Interpretación: «Seguro que está cachondo».)

Jim: «*¿Has mirado el buzón?*». (Interpretación: «Me pregunto dónde esconderá las facturas».)

Lisa: «*He dejado la correspondencia por aquí, en alguna parte*». (Interpretación: «Espero que esté realmente cachondo».)

Este diálogo puede resultar gracioso, pero expresa cómo no decir lo que se piensa puede estresar y dañar la relación afectiva en una joven pareja que acudía a mis seminarios hace unos años. De recién casados, Jason y Debbie disfrutaron de una etapa de enamoramiento comparable a un torbellino de amor rico en compañerismo y pasión sexual. Poco tiempo después, ella quedó embarazada pero sufrió un aborto a principios del segundo trimestre. A causa de los riesgos del embarazo, durante el primer trimestre la actividad sexual se interrumpió. La abstinencia continuó incluso tras la recuperación física del aborto. Era evidente, aun para el observador más distraído, que Jason se sentía herido por lo que él había interpretado como una negativa de Debbie.

Pero, en vez de enfrentarse a sus sentimientos ante esta negativa, tema de gran peligro para el ego del muchacho, empezó a incordiar a Debbie con cualquier pequeño detalle. Dejó escapar su resentimiento y frustración criticándola tanto por su trabajo mal pagado como por su falta de ambición profesional.

Se metía en su manera de llevar la casa, cocinar..., pero jamás habló de esa palabra que empieza con «s». Si Jason hubiera manifestado sus sentimientos acerca de la privación sexual y sobre sus sentimientos de rechazo, lo habrían podido hablar y solucionar. Pero él se mostró reacio a arriesgarse porque temía que ella le dijera que ya no lo deseaba.

Debbie, por supuesto, no sabía qué le pasaba a su pareja, así que asumió todas las críticas que él hacía como algo personal. Descubrió, de todas formas, que en cuanto ella cambiaba y solucionaba un problema, él ya había tenido tiempo de encontrar otro. De modo que se distanciaron durante mucho tiempo.

Es malo esconder cómo nos sentimos. Para Debbie fue destructivo porque se sentía criticada por cuestiones que ella no podía resolver. Mientras tanto, Jason estaba herido ya que nunca conseguía resolver lo que realmente lo lastimaba.

Los siguientes indicadores de advertencia pueden servirte para determinar si los problemas que acarrea no manifestar los verdaderos sentimientos se han instalado o no en tu relación:

• Tus interacciones están centradas constantemente en tópicos superficiales y triviales.
• Empiezas a relacionarte con el verdadero motivo del problema, pero la rabia, los abruptos cambios de tema y retiradas obstaculizan el entendimiento.
• Sueles hablar apasionadamente sobre los problemas de los demás cuando reflejan lo que realmente te molesta. Pero, si te descubren, le quitas importancia. (Por ejemplo, es posible que Jason haya comentado los problemas sexuales que tiene una amiga en su relación de pareja, sin mostrar abiertamente la similitud con su propia situación.)

• Te pones a la defensiva si tu pareja te pregunta directamente qué te molesta.

• Eres un maestro en el arte de la defensa. En caso de que la pregunta sea demasiado personal, siempre sabes cómo derivar la atención que había caído sobre ti en tu pareja. Eres tan bueno protegiéndote que, si alguien te preguntara: «¿Por qué llegaste tarde ayer?», tú tendrías cinco respuestas preparadas: «No era tarde, además estaba lloviendo».

Esconder la realidad puede envenenar fatalmente una relación. Te intentas convencer de que no haces daño y que tan sólo pospones los hechos por un tiempo y, en vez de hablar sobre la falta de sexo en la relación, discutes por el desorden de la casa. O, en lugar de hablar sobre la ansiedad que sientes porque tu pareja está muy unida a una persona del sexo opuesto en el ámbito laboral, criticas lo mucho que trabaja.

Te equivocas, probablemente lo más devastador que puede ocurrir a las parejas que esconden la realidad es que la verdad salga a flote de la manera más tórrida y violenta. ¿Recuerdas que en el capítulo anterior hablé de «conductas aditivas»? Cada frustración es reprimida y la energía asociada no se libera, simplemente se almacena. Como un globo que se llena de aire, esa frustración tarde o temprano explota.

Si escondes la realidad, explotarás por cualquier tontería. La magnitud de esa respuesta dejará a tu compañero confundido, perplejo, rabioso y alerta ante cualquier futuro desacuerdo. Esconder la realidad puede parecer una forma de protegerte contra una verdad peligrosa, pero en realidad te perjudica. Si no aceptas los hechos, de todas formas sigues teniendo una cita pendiente con el dolor (crece en intensidad cada vez que es reprimido).

Característica 7: no perdonarás

Apenas tengo que elaborar esta característica, ¿verdad? En este preciso momento, seguramente eres capaz de recordar un incidente del pasado con tu pareja que sólo recordarlo te hace llorar. Tu intención consiste en agredir a la persona que te ha herido hace algún tiempo. Crees que tu ira será como una maldición divina contra tu compañero. Y, en consecuencia, esperas que le cause sufrimiento.

Cuando eliges cargar de ira a tu amante, estás construyendo un muro alrededor de ti. Te verás atrapado en un proceso emocional cargado de pena y agonía; la energía negativa empezará a dominar tu vida. Literalmente, tu resentimiento se puede volver tan absorbente para no dejar que tu corazón manifieste ningún otro sentimiento. Es más, tus emociones no se mantienen única y específicamente respecto a tu compañero. La amargura y la rabia son unas fuerzas tan poderosas que, una vez se instalan en tu corazón, todo cambia y, por tanto, redefinen tu personalidad. Por ejemplo, si tu corazón se ha vuelto frío gracias a todos aquellos sentimientos de amargura que te invaden, en ese nuevo corazón florecerán todas tus emociones. Es el que enseñarás a tus hijos, a tus parientes y, por descontado, a tu pareja. En efecto, consigues que te resulte casi imposible amar y ser amado.

Es como si te levantaras todas las mañanas, te pusieras la ropa, te vistieras con rabia y también con dolor y, luego, fueras a trabajar.

En muchos sentidos, tu incapacidad para perdonar a tu pareja, y también para perdonarte a ti mismo por lo destructivo que has sido, alimenta y hace crecer la discordia. Reconozco que éste es un asunto muy punzante. Si has sido traicionado por tu compañero, lo último que quieres es dar amor. No quieres mostrar debilidad ni pedirle que se muestre increíblemente apasionado contigo otra vez. Deseas que pague por lo que ha hecho.

Si se ha producido una traición, debe haber consecuencias: algunas libertades limitadas, una penitencia... Pero, si nadas en tu resentimiento y te niegas a perdonar y a avanzar, estarás haciendo pedazos tu vida. Por el momento perdona a tu pareja. Estoy hablando de ti. En el principio del libro comenté que la única manera de llenar de satisfacción tu existencia era recuperando el control para escoger tus sentimientos y crear tu propia experiencia. Si eliges seguir cargando con tus resentimientos, te garantizas una vida sumida en la miseria.

Aquí tienes más indicadores de advertencia de cómo este espíritu en particular se infiltra en tu vida:

• Estás tan consumido por la rabia que explotas por cualquier tontería o desacuerdo.
• Te sientes tan miserable que adoptas una visión pesimista de la vida en general.
• Tu cuerpo está desequilibrado —el nombre médico de esta condición física es heterostasis—, a menudo sufres trastornos del sueño, pesadillas, bajos niveles de concentración y fatiga. Padeces dolor de cabeza, espasmos en la espalda y ataques cardíacos. Todo porque el estrés ha desequilibrado tu organismo.
• Eres incapaz de leer un libro o mirar un programa en la televisión o una película sin recordar, en algún momento, tu resentimiento.
• Almacenas en tu memoria todas las imperfecciones de tu pareja, recuerdas los errores y fallos que ha cometido y, constantemente, los sacas a relucir.
• Interpretas, basándote en muy poco o sin ningún tipo de evidencia lógica, todas las actitudes de tu pareja.

• Crees que aún es pronto para perdonar, puesto que no ves en tu pareja una actitud de arrepentimiento o de disculpa.

• En vez de inspirar a tu compañero, intentas controlarlo haciendo que se sienta avergonzado.

Tienes el poder de perdonar y decir a tu compañero: «No puedes herirme y luego controlarme. Yo soy el que toma las decisiones. No quiero establecer contigo un vínculo de odio, rabia o resentimiento. No voy a estar contigo sintiendo temor. No quiero ser arrastrado a un mundo oscuro. Perdonándote no hago más que desprenderme de todo esto». Ésta es una de las cosas más importantes que puedes aprender en este libro. Si te cuidas lo suficiente, podrás romper el vínculo de rabia y liberarte de tu propia prisión de desesperanza e ira.

Pero la única ruta de escape es posible a través del perdón, de elevarte moralmente lo necesario para perdonar a la persona que te ha herido. No estás perdonando por ella sino por ti. Si permites que la gente que se ha propasado contigo te mantenga encerrado en ti mismo, habrá ganado. En cambio, si te transformas en el líder emocional de tu vida y, por tanto, en el de tu pareja, obtendrás más de lo que quieres y menos de lo que no quieres. A pesar de todas las actitudes dolorosas y la rabia que habéis experimentado, el perdón es posible. No es demasiado tarde, a menos que tú digas que lo es. Decídete por este camino y verás que puedes crear tu propia experiencia.

Característica 8: eres un pozo sin fondo

Es el momento de referirnos a otro tipo de mal espíritu: la inseguridad. Si estás afectado por él, tienes una carencia. De hecho, estás tan necesitado que constantemente destruyes tus posibilidades de éxito.

Para ti nunca nada es suficiente, no puedes estar satisfecho, jamás te aman tanto como quisieras. Nunca te atienden ni apoyan o aprecian. Ni te gusta del todo tu aspecto ni actúas del todo bien. No te relajas ni te diviertes y de ninguna manera admites tener ningún valor.

Sientes, en algún sentido, que no vales nada y que no mereces ser feliz; que eres incapaz de hacer que tus sueños se cumplan. Te convencerás de que no tienes lo que se necesita para ser feliz, conseguir resultados y progresar. Te dirás que no dispones de tiempo ni de inteligencia suficientes para invertir en esto. Es más, estarás tan preocupado por tu habilidad personal que interpretarás mal el verdadero significado de lo que tu pareja piensa de ti. En consecuencia, tu mala interpretación siempre llevará a asumir una conclusión negativa de ti mismo. Te dices cosas como: «Mi pareja está enfadada conmigo, quizá sea demasiado irracional» o «tal vez lo mejor para mí sea mantenerme callado y tranquilo».

Más que saboteándote, estás saboteando a tu pareja. Porque actúas como un pozo sin fondo, tu compañero está frustrado porque le resulta imposible «llenarte». Nunca va a tener contigo una relación satisfactoria y tranquila. Cuando alcances un buen ambiente en tu relación, dirás algo como: «Esto no puede durar, es demasiado bueno», «debe de ser la calma antes de la tormenta». Quizá tengas la idea fija de que no mereces ser feliz y, por eso, estés asustado al sentirte bien, crees que es un indicio de mala suerte y que todo acabará mal. La observación fatalista: «Lo que temo es lo que creo» es determinante y definitiva con respecto a la vida en pareja.

Me sorprende mucho que casi todas las personas inseguras, sumisas, poco exigentes en sus relaciones y muy caritativas con sus parejas, creen que ser pasivo es lo mejor para evitar los conflictos. ¡Falso! Es una mala interpretación porque si tienes un hambre insaciable de satisfacerte y atacar, no te queda nada para tu compañero. Puede incluso que te consumas a causa de los celos porque estés seguro de que, al descubrir tus errores y equivocaciones, te abandonará. Como resultado, te entretendrás imaginando actitudes amenazadoras que justifiquen tus celos y te verás con el derecho de exigirle que deje de ver y que renuncie a determinada gente por ti. Necesitas saber, una y otra vez, que tu pareja está realmente comprometida contigo.

A veces, de forma inconsciente, intentarás alejar a tu pareja de ti. Tratarás de prepararte para cuando, una vez más, tu compañero intente abordar tus posibles fallos. Al manipular y demandar consigues mantenerlo bailando alrededor de ti, mientras intentas buscar un lugar seguro.

Todos queremos que nuestra pareja nos haga sentir seguros y es un sentimiento sano. Pero hay un punto en el que se convierte en algo tóxico, cuando estás constantemente hambriento de esta seguridad. Tu autoestima está por los suelos si todo el tiempo necesitas que refuercen con cumplidos tu apariencia, tus méritos y tu valía. Un ejemplo clásico de este espíritu de inseguridad lo encontramos en la típica esposa que pregunta sin cesar a su marido sobre su manera de cocinar y de vestirse. Estará sirviendo un estofado y preguntará al marido: «¿Está demasiado hecho, verdad?», aunque sepa que le ha quedado perfecto, necesita que se lo digan. O cuando comenta: «Me veo gorda con este vestido, ¿no es cierto?», sin embargo está pidiendo: «Dime que no estoy gorda».

Los hombres se comportan de la misma manera, aunque lo expresan de otra forma. «¿Crees que tengo el pelo cada vez más fino?», «¿te has quedado satisfecha?» Las preguntas son diferentes, pero el mensaje es el mismo: dime que estoy bien porque no me siento seguro de mí mismo. Siempre que esté presente el espíritu de inseguridad, un 80 % de las preguntas esconden este doble mensaje. Si estás dominado por la inseguridad, no asumes ningún tipo de culpa por el fin de la relación. ¿Cómo es posible que esperaran que fueras un compañero útil y colaborador cuando eres poco inteligente y ni siquiera lo suficientemente bueno?

Los siguientes indicadores de advertencia te ayudarán a saber si el espíritu de inseguridad te domina:

• Procuras alejarte de ciertas amistades o personas porque tu pareja pertenece a otro nivel social y tienes miedo de que te menosprecie.

• Sientes miedo de manifestar tus opiniones porque temes que te desvaloricen. Prefieres no decir nada antes que tolerar un rechazo y, cuando hablas, no puedes dejar de pensar en la opinión que los demás se puedan estar formando sobre ti.

• Dices: «Gracias» o «Lo siento» frecuentemente y en situaciones innecesarias.

• No intentas nada nuevo con tu pareja, sea sobre temas de equitación o meros consejos, porque no quieres parecer estúpido.

• Cuando hacen cumplidos, inmediatamente desvalorizas lo que te ha hecho merecedor de tales alabanzas.

• Al comprar regalos a los demás, te preguntas si estarán «bien» o si serán «suficientemente buenos».

• Manifiestas tus opiniones preguntando a tu pareja qué piensa sobre ciertos temas en vez de declarar abiertamente tus ideas.

• En lugar de manifestar tu rabia, lloras por nada y prefieres ser la víctima.

• Estás tan sensible a cualquier crítica, que tu pareja no puede ni bromear contigo, ni siquiera tomarte el pelo. Tan seguro como que hay un infierno es el hecho de que, aunque necesites que te digan las cosas directamente a la cara, tu pareja jamás se atreverá a hacerlo.

• No importa qué tipo de pregunta te haga tu compañero con respecto a cualquier tipo de planes, tu respuesta siempre será: «No lo sé, no me importa, como tú quieras».

Cuando notas que tu pareja se ha cansando de llenar el pozo sin fondo y hacerse cargo de la situación, te pones en la posición de víctima e intentas que se sienta culpable diciendo que lo único que pretendías era escuchar lo que ella quería porque te importa su opinión. Tu manera de comportarte, haciendo que el otro sienta culpa, no contribuye en nada a mejorar la relación. No funciona como método de castigo. Tienes la esperanza de que pronto podrás cambiar y reparar la situación de pareja y respaldas tu propia actitud. Una vez más dices que lo sientes y ofreces una actuación excelente. Cuanto más afligido te sientas y más culpable te muestres, más poder tendrás para manipular a tu pareja y llevarla de nuevo a tu terreno. Muy pronto regresará a ti y dirá: «Vale, venga. Todo está bien». Y ¡bingo!, tú ganas y te sales con la tuya.

Si el espíritu te ha poseído, sé honesto contigo mismo y deja de alimentar constantemente al monstruo mientras buscas un arreglo más en la relación que te permita salirte con la tuya, pero que esconde el verdadero problema de fondo. Da el primer paso, rompe el esquema mental que te inhibe y libérate del mandato interno de que eres un inadaptado y de las voces acusatorias que salen de ti mismo para decirte que no te exijas demasiado y que no pidas mucho.

Sólo entonces empezarás el viaje hacia el cambio y la transformación. De hecho, a medida que avancemos con el libro, estoy convencido de que vas a aprender otras maneras de abordar tus necesidades de autoestima y valía personal.

Característica 9: eres demasiado cómodo

Esto es una antítesis al criticismo, la competitividad, el autocontrol y la agresividad, pero igualmente es un mal espíritu. Te vuelves tan pasivo que quedas anidado en la «zona de comodidad» donde el objetivo de tu juego es participar de forma segura, no llegar y mantener el *status quo*. Igual que cuando un conocido se transforma en un viejo, aunque no necesariamente buen amigo. Tan cómodo como los pantalones holgados y sudorosos que te pones cuando nadie puede verte. No te desafías a ti mismo, no te esfuerzas por conseguir nada. Te vuelves inerte. Si no tienes cuidado, verás cómo tus días se convierten en semanas, semanas en meses, meses en años y, antes de que te des cuenta, abrirás los ojos y todo habrá terminado.

Seguro que conoces a alguien que deseaba obtener un título universitario, pero primero decidió ponerse a trabajar durante un año. Ese año fueron dos y después tres y luego entró en una dinámica de vida en la que ya le resultó imposible cursar una carrera. Lo mismo ocurre, si no tienes cuidado, con tu relación de pareja. Te habitúas a un estilo de vida, a un patrón de comportamiento en la convivencia que no es como tú querías, que no es muy desafiante ni satisfactorio pero decides, sin embargo, que está bien. Al menos, de momento. No es lo que querías, no es lo que habías soñado, pero en cambio se vuelve familiar y fácil.

Ahora quieres que esta zona de comodidad esté fuera de tu relación. Sabes que rozas la superficie, que llevas una vida con tu pareja donde hay una mala comunicación o una vida sexual insatisfactoria, que vuestros días son lentos y vuestras mentes se aburren. Pero aun así decides que es mejor que aspirar a más. En vez de pensar que «quien no arriesga no gana», dices que «sin riesgo no hay pérdida». Posiblemente enfoques las cosas de una manera materialista, pensando en el éxito, la fama y el poder, sin embargo, por dentro, estás engañando a tu pareja y a ti mismo.

Sé que muchos de vosotros estáis poseídos por este espíritu. Se han hecho encuestas a miles y miles de norteamericanos corrientes, todos ellos propietarios de una casa, con un trabajo, una media de dos hijos y medio, un perro... Típicos ciudadanos de cualquier parte de Estados Unidos.

Cuando se les pregunta si son auténticamente felices con sus vidas, dicen que no. Dicen: «Cielos, no». Luego, si se les sugiere que cambien, sus respuestas son prácticamente las mismas. De hecho, podrían resumirse en la de uno de los encuestados: «Hago esto porque es lo mismo que hacía ayer».

No es que te hayas rendido totalmente y estés colocado en posición fetal; dentro de unos minutos aprenderás sobre este mal espíritu. El problema aquí es que no hay tratos seguros, todo comporta un riesgo. En el fondo piensas que no serás capaz de cambiar tanto como te gustaría. ¿Qué ocurriría si admitieras que quieres y necesitas más, pero luego fueras incapaz de conseguirlo? Ahora tienes el conocimiento de que tu vida no es la que querías. Si eres un verdadero creador y habitante de la zona de comodidad, tienes que ir más allá de la idea de que si consigues alcanzar un nivel superior de existencia tendrás la posibilidad de mantener ese nivel.

Confía en mí, yo entiendo que para muchos de vosotros resulta una amenaza admitir que vuestra relación no es como esperabais. Admitir que lo que tienes no es suficiente, comporta un verdadero riesgo. Es muchísimo más seguro no reconocer que ahí fuera hay algo que queremos.

Tu zona de comodidad puede parecer segura, pero llena de compromisos. Si estás en una zona de comodidad, evitando tener que encarar tus responsabilidades en la relación, no estás contribuyendo, estimulando, ni dando energía: simplemente, no estás cumpliendo tu parte del pacto. Es muy posible que tu pareja te deje estar solo. Te mantienes en calma gracias a la complacencia. Dependes del carácter predictivo de tu vida. Tu rutina es ir todos los días al trabajo, regresar a casa, cenar comida rápida y luego remitirte al mando a distancia o a un libro. Por mucho que lo niegues, tienes una relación más íntima con tu rutina que con tu pareja. Desde luego, cuidas más tu rutina que a tu compañero. Si estás en tu zona de comodidad, puedes estar seguro de que has perdido contacto con tu núcleo de conciencia. Ya no sigues tus mejores instintos, valores, talentos y conocimientos.

Los siguientes indicadores de advertencia reflejan algunos de los típicos sentimientos y comportamientos correspondientes al espíritu inerte:

• Nunca hablas de nada que pueda plantear hacia dónde va la relación, por ejemplo, tus más profundos deseos, lo que sueñas, lo que te apasiona...

• Estás cansado incluso tras haber dormido bien por la noche y te cuesta mantener los ojos abiertos después de cenar.

• Te sientas largos períodos de tiempo a mirar la televisión.

• Tu primera reacción a la mayoría de las sugerencias de tu pareja es «no». No tienes ganas de ir a ningún lugar nuevo o de hacer algo diferente que rompa la rutina.

• Cualquier cosa que comporte un riesgo en tu estilo de vida está definitivamente descartada. Como resultado, tu existencia no implica desafío o estímulo alguno.

• Crees que las conversaciones emocionales son tontas y aburridas. Normalmente giras los ojos cuando alguien dice: «¿Por qué no expresas tus sentimientos?».

• Respondes «no lo sé» a muchas preguntas: «No sé por qué me ha pasado esto a mí», «ojalá supiera por qué he hecho esto». Has cerrado tu mente y decidido que no vale la pena intentar entender qué está ocurriendo.

Supongo que no soy el primero en decirte que la vida no es como el trabajo del repartidor de pizzas: no hace entregas. Tú eres quien tiene que moverse. Y, si no te mueves ahora para desatascarte, tu zona de comodidad se vuelve cada vez más asfixiante. En otras palabras, al seguir creyendo lo que has estado creyendo, sólo conseguirás lo que has estado consiguiendo. Vivir en la zona de comodidad certifica que nunca serás un ganador. La diferencia entre ganadores y perdedores es que los ganadores hacen cosas que los perdedores no están dispuestos a realizar. Los ganadores están abiertos a asumir ciertos riesgos y los perdedores prefieren seguir soñando.

Para romper el espíritu inerte, debes dejar de negar, de justificar tu propia pasividad y dejar de evitar el desafío que implica cambiar. Requiere coraje y compromiso pero, tal y como verás pronto, no resulta tan difícil dar un paso definitivo hacia delante para conseguir salir de tu existencia gris y llena de complacencia.

Característica 10: te has rendido

Al espíritu de rendición los psicólogos prefieren llamarlo «impotencia aprendida». Es el estado de ánimo en el que habita una persona intratable. Crees que las circunstancias en las que te has visto envuelto son imposibles de cambiar y que no puedes hacer nada al respecto. Es lo que ocurre cuando muchos de los malos espíritus de los que he estado hablando entran en tu vida. Te acabas convenciendo de que no puedes ni imaginar una posible solución. Te vuelves tan solitario y desesperanzado, tan emocionalmente desconectado y aislado, tan negativo y cínico, te alejas tanto del núcleo de tu conciencia, que cierras completamente la parte del cerebro que te dice que hay esperanzas y soluciones. Básicamente has decidido que no tienes núcleo de conciencia ni nada por el estilo.

Retomando la definición del concepto, impotencia aprendida es un término creado en la década de los sesenta por un investigador brillante llamado Martin E. P. Seligman, y describe un fenómeno diferente del de la depresión. Mientras que esta última es mayormente un estado emocional, la impotencia aprendida es emocional y mental. Si estás afectado por la impotencia aprendida, has terminado por creer que estás atrapado y, en consecuencia, has perdido la buena voluntad y la habilidad para aprender.

Ha sido ejemplificada de la mejor manera por el doctor Seligman y sus colegas en una serie de experimentos con animales. No te saltes los próximos párrafos sólo porque pienses que un experimento con animales no tiene ninguna relación contigo, ya que guarda mucha relación con la manera en que los humanos interaccionamos.

En los experimentos se colocaba a un perro en una habitación de 20 × 20, donde la mitad del suelo estaba pintado de un blanco puro y la otra mitad con rayas rojas y blancas. Al principio, el animal recibía un estímulo adverso cada vez que se desplazaba a la zona de rayas. Predeciblemente, el perro aprendió que el suelo blanco significaba seguridad y que el de rayas representaba peligro. El sujeto experimental evitaba la zona peligrosa, a pesar de que se lo tentara con comida. Posteriormente, en la fase 2 del experimento, las condiciones se invirtieron. El perro ahora recibía descargas eléctricas en la zona blanca de la habitación y la zona de rayas era el nuevo espacio seguro. El animal demostró su inhabilidad para olvidarse de lo que había aprendido y aprender a quedarse en la zona de rayas.

En la tercera fase del experimento, no había zona de seguridad. El perro podía desplazarse a la zona blanca y recibir descargas eléctricas o a la zona de rayas y recibirlos igualmente. Durante un tiempo, el sujeto experimental hizo numerosos y frenéticos intentos para encontrar solución a su situación, pero pronto se dio cuenta de que no era capaz de escapar al dolor. Entonces se rindió, encogió la espalda y asumió las descargas eléctricas sin resistencias ni intención de escapar.

Finalmente llegamos a la fase cuatro. La zona blanca volvió a ser el espacio seguro y la zona de rayas el peligroso. Una vez más, el perro podía controlar su propio destino. Fue una lástima porque el animal demostró su incapacidad para reaprender que volvía a haber una zona segura. Incluso arrastrándolo físicamente a la zona segura, éste no pudo procesar la información y comprender que ahora había un lugar seguro al que ir.

El animal se había rendido. Estaba en un estado de impotencia aprendida, completamente convencido de que no había nada que él pudiera hacer para librarse del dolor, así que cerró sus puertas. Dejó de procesar nueva información a pesar de tenerla a su alcance. Estaba en manos del destino. Su buena voluntad para aprender se extinguió del todo.

Ese perro no estaba en un estado depresivo, había dejado de procesar por completo cualquier tipo de información nueva. No reconoció que hubiera sido posible mejorar su calidad de existencia con una alternativa: el cambio de conducta.

Así es como os encontráis muchos de vosotros: os habéis cerrado. Al menos, cuando tú estabas «inerte» o «inseguro», pensabas acerca de tu relación e intuías que tenía que haber una alternativa. Pero, ahora, has dejado de pensar que existen soluciones, sea lo que sea lo que haya ocurrido entre tu compañero y tú. Has dejado de aprender o de acumular nueva información. Como has cerrado tu procesador de información, eres incapaz de ver hasta las oportunidades más evidentes que puedes llegar a obtener para rejuvenecer tu relación. Rechazas cualquier cambio en el espíritu de tu pareja y rechazas, igualmente, percibir ninguna modificación en las condiciones o circunstancias de tu vida. Estás como un pájaro enjaulado que ha dejado de cantar, incapaz de darse cuenta de que la puerta de la jaula se ha vuelto a abrir.

Aquí tienes unos cuantos indicadores de advertencia que puedes utilizar para determinar si la impotencia aprendida te ha consumido:

• Has aceptado conscientemente un dolor tedioso en tu forma de vida.
• Sientes con regularidad un malestar o falta de energía.
• Te has rendido a la realidad de «dejar que la marea te lleve» en una relación estática.
• A menudo piensas o dices: «¿Qué sentido tiene? Nunca cambiará nada».
• Ya ni protestas ni te molestas en lo más mínimo cuando tu pareja te ataca o abusa de ti.
• Crees que no tiene sentido intentar cambiar porque hará que tu pareja se moleste.
• Te sientes solo.
• Recurres a otra gente o a otras actividades para llenar el vacío.

• Expresas tus desacuerdos en la relación secretamente, por ejemplo, enfermando y teniendo que pasar días en cama o incluso recurres a pastillas que se venden con receta, al alcohol o a sesiones de terapia dos veces por semana.

Es un terrible problema epidémico, un factor que se da a menudo en relaciones abusivas, donde uno de los cónyuges cree que no hay nada que pueda hacer excepto seguir tolerando el abuso del otro. Debes estar leyendo esto y pensando: «Yo no soy una de esas personas». Pero, si estás consumido por actitudes derrotistas, como: «He dado demasiado y ahora estoy muy cansado para cambiar», «mi pareja nunca cambiará» o «nada puede mejorar nuestra relación», estás dejando que tu malestar te lleve al pesimismo y a la desesperanza. Vives en el equivalente emocional de posición fetal, aceptando el dolor porque estás convencido de que no eres capaz de cambiar tu situación.

Quiero que prestes atención: estás matando tu espíritu. La gente cambia y también tu pareja y tú podéis cambiar. A diferencia de los animales, a los que no se les puede decir que ha empezado un nuevo día y que pueden controlar su destino, tú sí puedes entenderlo y reconsiderar tu vida. En este libro encontrarás las herramientas para restablecer la comunicación con tu pareja, comprometerte con algunas medidas productivas, confiar en ideas efectivas y reconstruir tu mejor tipo de espíritu, que te deje creer en ti mismo y en tu pareja.

He visto a muchas relaciones regresar de la tumba simplemente porque uno o los dos miembros tomaron la decisión inicial de esperanza y cambio de actitudes. Tal y como he dicho en la introducción, todo lo que tienes que hacer es querer que tu relación funcione. De lo contrario, el espíritu inerte y la impotencia aprendida que la definen devastarán tu vida.

Reconozco que leer este capítulo ha sido duro y que he estado buceando en el lado oscuro de la vida y en cómo podemos romper nuestras relaciones. Pero el mayor peligro es cuando no queremos reconocer el lado oscuro porque nunca estaremos alerta de su llegada, no estaremos preparados para luchar.

Llegados a este punto, ya estás listo para avanzar y proclamar: «No, no voy a hacerlo nunca más. No permitiré que mi competitividad me lleve a crear obstáculos entre mi pareja y yo. No voy a dejar que mi actitud rígida y terca me controle, ni voy a ser deshonesto y esconder lo que realmente pienso y siento. No voy a caer en los vicios ni voy a alienar a mi pareja. No perderé mi autoestima ni la esperanza».

El mejor rasgo de tu personalidad y de tu vida emocional se ha atrofiado por alguna razón, pero puede ser reparado. Es como utilizar las pesas para desarrollar músculos: tienes el poder de cambiar. A pesar de que no siempre debes pensar en ti como en un líder y menos aún en lo que a esta relación se refiere, ahora sí lo eres. Posees un conocimiento especial y tienes la posibilidad de dirigir de manera decisiva tu relación. No te atrevas a engañarte y evites intentarlo. Has llegado hasta aquí, ahora hagámoslo.

Recupera a tu pareja:
valores personales de la relación

Lee este capítulo con mucha atención y concentración. Intenta no pasar por alto nada del texto. Ya es hora de que dejes de contaminar tu relación y empieces a colaborar. No existe el término medio. Si no eres positivo respecto a tu pareja me gustaría ayudarte a activar el proceso de recuperación positivo. Sé que es posible, ha llegado el momento de que tu actitud y tu mente trabajen juntas. No es suficiente con deshacerte de los pensamientos equivocados y los malos espíritus. Debes ahondar en tu corazón y alma para tratar de sacar información, ya que tú, y sólo tú, puedes determinar la calidad de tu vida. Tienes la fuerza y la profundidad de carácter para guiar tu existencia y relación hacia un nivel del todo diferente. Sin embargo, no basta con eliminar los aspectos negativos. Es el momento de poner en marcha la persona que eres realmente.

No pienses que hablo de un estado místico del ser interior que te llevará a los confines de la tierra. No soy tan cósmico ni tan vanguardista para creer en ello. Me refiero a un conjunto de actitudes bien arraigadas, basadas en una concepción sana de quién eres tú. Podría decirse que se trata de un estilo de compromiso que llegará a ser el telón de todo lo que ocurra con tu vínculo amoroso a partir de ese instante. Insisto en que extraigas la información que puedas de tu núcleo de conciencia, lo que facilitará que tu propia vida y relación alcancen el cuidado que siempre habías soñado. Puedes y debes creer en ti.

Lo digo de forma literal y sin excepciones: en la vida conyugal, igual que en cualquier otro aspecto de la vida, el espíritu y la actitud con los que realizas las cosas son tan importantes como los hechos reales. Podría resultar interesante incorporar en tu vida de pareja una larga lista con contenidos creativos obtenidos, por ejemplo, de un libro de cocina o ideas románticas y audaces. Pero si llevas a cabo estas actividades con el espíritu inadecuado, producirás en ti un daño irreparable. Para comenzar a restablecer la comunicación con tu compañero, has de adoptar con fervor el espíritu correcto. Los mitos y los esquemas de pensamientos destructivos, de los cuales he hablado tanto anteriormente, desgarran tu relación con la misma fuerza demoledora que un huracán destruye una ciudad. Pero la alternativa también es verdadera. Si adoptas nuevas maneras de pensar y sentir acerca de ti mismo, tu relación y tu pareja, obtendrás beneficios sustanciosos. Nada más funcionará.

Sería estupendo que los dos leyerais este libro juntos. También cabe mencionar que la tendencia humana es ocuparnos de nuestros compañeros más que de nosotros mismos. No te preocupes, volveremos a ella. Recuerda lo que te he dicho en las primeras páginas: voy a por ti. Este capítulo está dedicado a la búsqueda de tu verdadero ser. Es lo mismo que decir: «Puedo volver a mí, donde todo debe comenzar. Sacar de mí lo mejor de lo que soy, de lo que pienso y de lo que llevo en mi corazón. Sobre todo, tengo la pasión y el poder para crecer con ello».

Los valores personales de la relación, que a continuación mencionaré, representan un punto fundamental en tu vida de pareja y, por tanto, permitirán un cambio positivo inmediato. Llegar al núcleo de tu conciencia te abrirá el camino hacia una vida íntegra, honesta y compasiva, al tiempo que experimentarás un entusiasmo auténtico. En definitiva, los 10 valores personales de la relación te reprogramarán para conseguir el éxito. Estarás satisfecho contigo mismo como jamás habías imaginado. Y, lo que es más, tu pareja notará también el cambio operado en ti y sentirá la misma satisfacción.

Todos estos valores están a tu alcance y bajo tu control, puesto que siempre han formado parte de ti. Tu compañero no puede dártelos ni quitártelos. Simplemente, con un cambio de posiciones, un viento nuevo y renovador comenzará a soplar. Al evitar permanecer sentado a la espera de quién da el primer paso y tomar la decisión de no ser más la víctima pasiva en tu relación, crearás energía, misterio, novedad e inspiración. Tu pensamiento sano y constructivo será contagioso para todos los que te rodean, especialmente para tu pareja.

Con el cambio, como mínimo disfrutarás de la paz que proviene de hacer todo lo posible para que la pareja se mantenga con vida. Acepta e incorpora los siguientes valores personales de la relación. Están íntimamente ligados a la ideología de los ganadores y los beneficios.

Valor 1: sé dueño de tu historia de amor

Eres del todo responsable de tu relación. Puede que esta noción sea contraria a lo que siempre has pensado acerca de las historias de amor, pero es verdad. Te preguntarás cómo puede ser así cuando tu pareja actúa de forma tan poco constructiva. Probablemente estarás pensando que este valor es absurdo.

No puedo explicar lo dicho muchas veces ni de maneras muy diferentes. En definitiva, ser el dueño de tu relación de pareja significa que aceptas la responsabilidad de crear tus propias experiencias. Eres el arquitecto de tus pensamientos, escoges las actitudes que aportas a la vida en común así como las emociones y los sentimientos. También eliges la forma de reaccionar y actuar frente a tu compañero sentimental. Posees tu relación y, por lo tanto, eres del todo responsable.

Ya no puedes creer que eres un mártir por culpa de tu pareja. Sé honesto, tal vez hayas adoptado el papel de víctima, por lo que te haré la siguiente «advertencia»: despídete de esa parte oscura de tu personalidad y, tanto sea para bien como para mal, construye las bases de un nuevo espíritu.

Sé que estos rodeos en mi explicación pueden parecer un mecanismo evasivo por mi parte, pero me interesa que entiendas que tu actitud es la que determina la calidad de tu relación. Si dejas de jugar el papel de víctima desafortunada y lo reemplazas por los sentimientos constructivos y positivos de un pionero, notarás un cambio. Puedes crear un diálogo interior sano, imaginativo y alegre.

No se trata de que adoptes una posición fatalista y te lamentes: «Vale, me he unido a esta persona y ha salido mal, de modo que acepto que he cometido un error». Así sólo consigues quejarte y vivir en el pasado. Has de encontrar una nueva manera de ver las cosas para poder crear un estilo de vida diferente que recree tu relación de pareja. Puedes levantarte temprano por la mañana con la agradable sensación de que estás conduciendo tu propia canoa hacia la meta. De ningún modo debes culparte por lo que ha sucedido; al contrario, tienes que evitar perder el rumbo hacia el que te diriges. Este valor personal de la relación representa la construcción más sólida de una nueva existencia. Al dejar de considerarte una víctima, comenzarás a surgir como una fuerza potente y competente en la relación. Tu mundo afectivo no será más un motivo de frustración porque serás capaz de utilizar tu fuerza. Los problemas te dan la posibilidad de encontrarte contigo mismo. Es hora de que te enfrentes con todo esto.

Te daré un ejemplo de este valor: al existir algún punto de insatisfacción en tu relación, lo primero que debes hacer es no juzgar o criticar, piensa que de ser necesario ya habrá suficiente tiempo para hacerlo. El primer paso hacia la evaluación de los hechos tiene que plantearse como una búsqueda introspectiva personal para dilucidar tu responsabilidad en esta falta de satisfacción.

Si te afecta este valor personal de la relación, no enloquezcas cuando tu pareja no acude puntual a las citas o cenas. Sencillamente, evalúa tu actitud al respecto e intenta relacionar en qué contribuyes para que ocurra así. ¿Qué castigos de cuentas haces pagar a tu compañero? ¿Acaso te has comportado de forma confusa para que él sienta que te beneficias con todo eso? ¿Qué has hecho para evitar sacar estos temas? ¿En qué has contribuido negativamente, al punto de incapacitar a tu pareja para tratar los problemas? Y ¿qué puedes hacer para que ella cambie de forma genuina? Si buscas la causa en ti, en lugar de en tu pareja, te estarás concentrando en lo que de verdad conoces.

Al ser el dueño de tu relación, debes llevar siempre un espejo en el que poder mirarte. Llegarás a darte cuenta de que tú estás provocando, manteniendo o permitiendo las actitudes que adopta tu pareja. Ella no sólo actúa sino que reacciona en contra tuya —ya sea por lo que haces, o bien por lo que no haces—. Se defiende de tu tono y de tu espíritu. No intento convencerte de que siempre estarás satisfecho con lo que descubras en el espejo. Sin embargo, al ser responsable de tu relación y reconocerlo, y al haber llegado a descubrir cuándo se produjo la ruptura, empezarás a enfrentarte a cosas de las que no podrás sentirte orgulloso. Tendrás que ser honesto analizando lo qué has podido hacer para contaminar tu relación y resolver detenerte y cambiar todos esos hechos, decisiones y comportamientos. En un principio asumir la responsabilidad puede resultar doloroso, pero prometo que con el tiempo descubrirás que se produce un gran esclarecimiento.

Hazte cargo y alcanza un nivel óptimo de poder personal. Cuando lo hagas, habrás madurado y comprenderás mejor la «advertencia» que te doy, diferenciándote de quienes la ignoran y van de víctimas por la vida. Deja que esas almas desafortunadas se lamenten por lo que no controlan, mientras tú te dedicas a mejorar todo lo que puedas. De eso se trata cuando me refiero a «poseer tu relación» y, cuando lo logres, no te esconderás detrás de la ira y la frustración destinadas a tu pareja. Decidirás suscitar en tu compañero un comportamiento positivo y constructivo. Modificarás las recompensas, las consecuencias, el mensaje y aclararás que no eres una víctima sino un ser competente con una gran iniciativa personal que te lleva a trabajar duro en pos de una mejor intimidad con tu pareja.

Al ser responsable, te conviertes en un agente de cambio. Me arriesgo a decir que es esto lo que tu relación necesita. Como corolario de los valores personales de la relación, todo lo que vas a hacer, de ahora en adelante, será diseñado para maximizar tu poder en vuestra vida en común y para que comiences a ser honesto. Verás que se produce un cambio sano y permanente en tu personalidad, no sólo en tu relación sino en tu interior.

Valor 2: acepto el riesgo de la vulnerabilidad

Tal como he explicado en el capítulo anterior, ser resistente al riesgo y a los cambios que éste conlleva, no resulta ni novedoso ni ilógico. Es normal que surjan miedos y ansiedades cuando debes adoptar pensamientos y comportamientos nuevos, especialmente aquellos que incluyen abrirte a tu compañero después de que él te haya causado dolor reiteradas veces.

La tendencia es natural, pero en esta situación no funciona. Has de correr algún riesgo y recordar que no estás solo: tienes una pareja.

Imagino que, al leer estas líneas, habrás comenzado el juego: «¿Qué pasa si...?», «¿qué pasa si me traicionan nuevamente?, ¿si resulto herido?, ¿si mi optimismo recién descubierto se usa en mi contra para manipularme?».

No está nada mal formularse esas preguntas. Cualquiera que haya resultado herido o desilusionado querrá preservarse y evitar que le vuelva a suceder. Lo mismo ocurre cuando evitas acercarte a una estufa tras haberte quemado una vez, puesto que te proteges de volver a experimentar ese dolor. Retiras tu mano del artefacto, alejas tu corazón de una relación conflictiva.

Pero, si vas a formularte preguntas del tipo «¿qué pasa si...?», tendrás que responderlas. ¿Qué pasa si tu pareja te daña y hiere tus sentimientos? La respuesta realista sobre lo que ocurriría probablemente no sea tan mala o devastadora como cuando conjuras en la oscuridad de tu imaginación. Los monstruos viven en la oscuridad. Si «enciendes la luz» y piensas tus respuestas, el monstruo a quien temes se convierte en un simple ratón. Al enfrentarte a tus miedos, descubrirás que eres mucho más fuerte de lo que te imaginas y que, si las cosas no están del todo bien, puedes llegar a sobrevivir. También aprenderás que el dolor que sientes cuando te anticipas a un trágico acontecimiento es siempre peor que el asociado con el evento mencionado (si llega a ocurrir alguna vez).

Acéptalo, la verdadera respuesta a la pregunta es la siguiente: «Si mi pareja hace algo negativo o dañino cuando yo me abro y dejo que nuevamente cuide de mí, no me gustará pero, aun así, sobreviviré. Recogeré mis pedazos, los esparciré y jugaré con ellos hasta que funcione».

No hay duda, regresar a una posición que implique emoción, cuidado y participación te hace vulnerable. Permitirte soñar y tener esperanzas también. Sin embargo, tú y yo sabemos que en el lugar en el que te encuentras ahora es peligroso. Al menos, al colocarte en la línea de lucha, tienes la posibilidad de obtener lo que buscas; mientras que, si sufres igualmente sin tener la oportunidad de lograr lo que quieres, no parece sensato. Si no te arriesgas, ganas negatividad y, además, pierdes tu relación de pareja. Esto no puede suceder.

No te pido que te des un golpe contra la pared y que no tomes tus precauciones antes de exponerte a un compañero capaz de hacerte sufrir y que, a su vez, no se ha ganado tu confianza. Sé que a veces puede resultar extremadamente difícil. Supongo que en alguna ocasión te han herido mucho, te has sentido desilusionado y se te ha partido el corazón. Pero has de confiar en ti mismo y ser capaz de resolver cualquier cosa que venga del lado de tu pareja. Tienes que estar deseoso de volver a sentir y creer que tu relación puede ser mejor.

Considera por un momento lo bien que funcionan tus recursos protectores. Al colocarte detrás de un muro y condenar la vida a la soledad y la vacuidad, sin duda también sentirás dolor. Puede que creas que este tipo de padecimiento es más seguro puesto que ya te es familiar y, además, porque aparentemente tienes el control. Sin embargo, sabes que tu sufrimiento no será mucho más soportable. Puedes permanecer detrás de la pared, sin ninguna esperanza de resolver o mejorar algo en tu relación de pareja, o bien salir de tu mundo de encierro. Quizá resultes herido pero, al menos, tendrás la oportunidad de luchar para construir el tipo de relación que deseas.

Por favor, no dejes que el miedo paralice tu vida. Si te sientes demasiado vulnerable, tal vez en este momento te estés diciendo que estos nuevos valores personales y este programa para restablecer la comunicación con la persona amada constituyen un mero experimento que intentarás seguir durante un par de semanas. Estoy convencido de que al final de tu «experimento» tendrás revelaciones e ideas tan esclarecedoras que no permitirán que los miedos vuelvan a ser un obstáculo en tu vida. Piénsalo de la siguiente manera: tus miedos han sido enormes catalizadores en el pasado —tal vez la única fuerza motivadora con la que contabas— y te han impedido hacer muchas cosas; si el miedo ha podido llevarte tan lejos en una dirección, imagina a qué distancia podrás llegar en otras direcciones si eliminas tus temores.

Valor 3: acepta a tu pareja

La necesidad número uno de la gente, tu pareja y tú incluidos, es la aceptación del otro. En la escala de los miedos es el rechazo. La primera es tan profunda que me aventuraría a decir que la mayoría, sino todos los temas que causan conflicto en una relación, tiene conexión con que uno de los miembros de la pareja pueda sentirse rechazado y, a su vez, intente ser aceptado.

El mensaje es obvio: no deberías pensar en otra cosa más que en la manera de demostrar a tu compañero que lo aceptas. Si buscas paz y tranquilidad, ten en mente la tarea de encarar a tu pareja con un sentimiento legítimo de aceptación. ¿Verdad que parece muy sencillo?

Pero el problema es que, cuando la relación está viviendo momentos difíciles, lo primero que abandona en el campo de batalla es ese sentimiento de aceptación tan apreciado. Te deprimes, te enfadas, te frustras y, en consecuencia, muy pronto te comportas de tal modo que tu pareja no se siente amada. Y, una vez esto sucede, el mensaje que envías se traduce en un rechazo más que en una aceptación. Comienza a sentirse acomplejada, así que se produce una renuncia o revancha y la guerra estalla.

El espíritu de aceptación es el requerimiento básico para nutrir una reconciliación. Cuando esgrimes un espíritu que indica que aceptas a tu pareja, estás diciendo que, aunque puede que no te guste todo lo que ella hace, las cosas funcionan y propones llevarte bien y, lo más importante, quieres que la relación se encuentre a salvo. Piensas que, a pesar de vuestras diferencias en la personalidad y el temperamento, de todas las cosas que a veces desearías que tu pareja fuera o no, en realidad llegas a aceptar quién es y sabes que siempre estará allí para ti. Tienes mucho poder para influir en tu relación y decir: «He de hacerle sentir que no la estoy rechazando porque tengamos puntos de vista diferentes. Quiero evitar los impactos de los desacuerdos, no le envío un mensaje de rechazo. Soy capaz de mitigar mis viejas actitudes de juicio y crítica y elegir, por el contrario, el espíritu de aceptación».

El cambio genuino en tu compañero nunca se va a producir, a menos que primero tú le hagas saber que estás dispuesto a encogerte de hombros, dejar de lado tus frustraciones, tu ira y desilusión, igual que tu perfeccionismo crítico y desplegar un espíritu benévolo. Le tienes que transmitir que a tu lado estará a salvo y que, si se cae, lo hará en tus brazos. Cuando tu pareja perciba el espíritu de aceptación, posiblemente intentará acercarse más. Las probabilidades de reconciliación habrán incrementado al ser los dos miembros quienes se mueven uno hacia el otro, en lugar de que cada integrante de la pareja individualmente busque un lugar seguro.

A menudo me pregunto cómo serían las relaciones si las personas dedicaran un tiempo considerable y la suficiente energía emocional a encontrar y analizar lo que admiran en el compañero, en vez de intentar remarcar lo que les disgusta. Cuando eliges acercarte con el espíritu de aceptación, descubres los valores y las cualidades de la persona amada antes que sus defectos. Te agradará concentrarte en lo que aprecias y no en lo que desearías que fuese diferente.

La pena es el precio que pagas al resistirte al orden natural de las cosas, que implica apoyar y aceptar a tu compañero. El dolor que sientes cuando rechazas a tu pareja es mucho peor que el que sientes cuando ella hace algo que no te gusta.

Lo que quiero decirte es que te permitas ir más ligero, deja de ser siempre su sombra. Tu compañero nunca será perfecto, de la misma manera que tampoco tú lo serás. Aproxímate a él con el corazón y con benevolencia. Lo que obtengas a cambio te sorprenderá.

Valor 4: concéntrate en la amistad

Además de la aceptación de tu pareja, la amistad es otro valor fundamental que desaparece muy deprisa en una relación conflictiva. Para resumir, te olvidas de actuar como amigo de tu pareja.

Quizá haya ocurrido hace mucho tiempo pero, sin duda, alguna vez habéis sido grandes amigos. Muy pocas parejas caen enseguida en un tipo de relación agresiva. Por alguna razón os sentisteis atraídos y pensasteis que teníais mucho potencial, sin embargo, al principio erais sólo amigos.

Hicisteis las cosas cotidianas juntos, lo mismo que harían dos buenos amigos. Como tales os apoyasteis el uno al otro y os interesasteis en lo que la otra persona hacía. Durante las conversaciones gozabais del beneficio de la duda. No interpretabais las afirmaciones del otro, ni siquiera cuando pensabais que no eran buenas. Os reíais juntos y os hacíais bromas. Hablabais de temas interesantes más que de problemas. No os acercabais al otro con la pregunta: «¿Qué puedes hacer hoy por mí?».

Más tarde pasasteis de una relación de amistad a la de pareja: una camaradería que contiene muy poco bagaje emocional a una situación íntima que tiene muchas más complicaciones. En el complejo mundo de tu relación íntima, incluso los conflictos más triviales adquieren un significado exagerado. Cuanto más ames y hayas invertido en tu vida afectiva, más duele si ésta no funciona. Muchas veces, el concepto de hacer tiempo para estar con tu pareja como amigos suena disparatado, especialmente para los que tienen trabajos difíciles y han de hacer malabarismos para cuidar a los niños. Son demasiadas actividades y, a medida que pasa el tiempo, disminuye tu atención hacia tu pareja: antes os llamabais en los horarios de trabajo y os deleitábais con las opiniones del otro. Probablemente, esas pequeñas cosas que hicieron que vosotros fuerais amigos ya no tengan importancia.

Si tu relación comenzó a tener problemas que provocaron tensiones, la amistad no ha sido valorada suficientemente. Te has tomado demasiado en serio el hecho de tratar de solucionar necesidades más vitales y, de pronto, te has encontrado sentado en una mesa de póquer donde las apuestas se han elevado de forma desproporcionada. Todo puede llegar a tener un sentido negativo.

Si tienes una relación problemática, y ya sabes a lo que me refiero, seguramente tratas a los extraños, en quienes no has invertido nada, de manera más cuidadosa y con más energía que a tu propio compañero. Puede que no encuentres en él demasiada dignidad y bondad, cualidades inherentes a toda relación de amistad. Después de haber pasado por muchas discusiones y conflictos, tiendes a olvidar aquellos atributos que alguna vez admirabas y valorabas en tu «amigo» y, en cambio, te has vuelto demasiado consciente de sus defectos. Escoges todo aquello que te hacía admirar a la persona amada y lo transformas en rasgos negativos durante la etapa de convivencia.

Sospecho que, si analizas los temas de conversación que tenéis y lo que sentís, descubrirás que tu relación va hacia el fracaso. Aun en relaciones sólidas, muchas veces la gente acentúa los rasgos negativos en el intento de mejorar. Pero, si te dedicas a resaltar lo negativo, te olvidas de la amistad y resulta muy fácil dejar de apreciar lo realmente importante.

Si tan solo pudieses recuperar la energía que originalmente invertiste en la amistad, no te verías agobiado por ese estrés que provoca en ti actitudes destructivas.

Para llegar a adecuar tu mente y vivir una relación satisfactoria, tienes que alejarte de la profundidad de los problemas y de la pena de tus interacciones y concentrarte en la amistad. Tu pareja cuenta con los valores potenciales inherentes a cualquier relación humana, por más frustrada o enfadada que esté contigo. Has de pensar en esas cualidades positivas, por ejemplo, recordando los primeros momentos de vuestra relación. Atrae nuevamente esas características de tu compañero sentimental que tanto te agradaban y hacían admirarlo. Tal vez se trataba de algo físico, de su personalidad o comportamiento; la verdad es que te hizo aproximar a esa persona y, a su vez, ella se sintió atraída por ti. Es fundamental que retrocedas y revivas los momentos en que comenzó vuestra amistad.

De ser necesario, mira un álbum de fotos, vídeos de hace años y lee nuevamente las viejas cartas de amor. Intenta por este medio descubrir la génesis de vuestra amistad y dedícate a ello en detrimento de cualquier otra cosa.

Si necesitas más ayuda para conseguirlo, piensa en lo que haces con tus amigos actualmente. Coge trozos de conversaciones, selecciona actividades que compartes con tus colegas e intenta relacionarlas con lo que hacías antes con tu compañero. ¿Solíais hablar del trabajo, las películas favoritas o los programas de televisión? ¿Hablabais sobre otra gente y lo que ocurría en sus vidas? ¿Os encontrabais a la hora de la comida, caminabais por las mañanas o hacíais ejercicio durante la noche? ¿Cuáles eran los pensamientos, los sentimientos, las conversaciones y las acciones que definían vuestra amistad?

Los elementos fundamentales de la amistad son muy simples. Los amigos se tratan entre ellos de manera positiva y provechosa, pueden decir cosas como: «Vaya, me lo he pasado muy bien, podríamos volver a quedar pronto». Al fin y al cabo, si la gente se siente mejor consigo misma después de haber estado contigo, tú, a su vez, experimentas un gran placer al descubrir que tu compañía es valorada. Los amigos suelen ser muy leales y capaces de sacrificarse por los otros. Siempre están cuando los necesitas, aunque no ayudarte sería mucho más fácil. Un verdadero amigo es el que viene cuando todos los demás se van, te defiende delante de otros y nunca te critica en público. Se acerca a una relación con el espíritu de dar más que recibir.

¿Recuerdas cuando tu pareja y tú no teníais tantos lazos afectivos en común? ¿Te has olvidado de esa época en que los riesgos entre vosotros eran mínimos? No te equivoques: la amistad puede prevalecer por encima del amor, la intimidad y las relaciones comprometidas.

Al comenzar una relación partiendo de la amistad, estarás fijando las bases para que vuestro vínculo pueda contar con raíces mejor constituidas.

Valor 5: fomentar la autoestima de tu pareja

Seguramente te has decidido a correr el riesgo, aceptar a tu compañero tal cual es y ser su amigo. ¡No hay problema! Puedes hacerte cargo de esas obligaciones y colaborar en lo que haga falta. Pero, «ahora doctor Phil, ¿ya no debo hacer nada más?».

Casi has acabado, pero todavía hay otro valor personal de la relación que tienes que adoptar: cambiar de forma radical la manera en que interaccionas con tu compañero. Resulta fantástico que frente a él tengas asumidos los sentimientos interiores de responsabilidad, aceptación y amistad. Sin embargo, esos espíritus constituyen sólo el primer marco de referencia hacia el objetivo de ser un colaborador más que un contaminador de la relación. Como solía decir mi profesor de álgebra: «Estas condiciones son necesarias pero no suficientes».

Decídete a interaccionar con tu pareja de forma que proteja o enriquezca su autoestima, que el espíritu de aceptación se manifieste en acciones interactivas afirmativas. Debes trabajar en la promoción y protección de la autoestima de la persona amada.

Este último concepto es fácil de considerar desde el punto de vista teórico, pero difícil de entender profundamente. Asimismo, resulta bastante complicado pensar en la forma en que deberías actuar para que tu pareja se sintiera mejor consigo misma, teniendo en cuenta que vuestra relación está marcada por la amargura, el enfado, la frustración y la acusación. Como ya has leído acerca de los otros valores personales de la relación, quizá pienses: «Bien, puedo aceptar al otro y también ser su amigo». No obstante, ¿puedes decir que evitarás hacer críticas, aun justificadas y, en cambio, buscarás la forma de incrementar la autoestima de tu compañero, sin importar lo que él pueda haber dicho para herirte?

Lo que digo va mucho más allá de entrar en una relación con el espíritu de aceptación. La interacción con tu pareja, poniendo énfasis en el incremento de su autoestima, resulta muy fácil si ésta se comporta de manera ejemplar. Intento transmitir la forma de encontrar el coraje y la creatividad para hacerlo cuando en verdad quieres criticarla por sus errores. Si interaccionas con tu compañero de esta manera, encuentras un camino positivo para afirmarte tú mismo y tu derecho a ser bien tratado, al tiempo que su ego y sentido de bienestar queden intactos.

No hay duda de que se trata de una gran exigencia. Y, aún así, insisto en que lo debes hacer. Este valor será, literalmente, el credo de tu relación. Tienes que esforzarte en que tu pareja mantenga ese sentimiento de valía y justificación de sus actos y el deseo de optimizar su conducta, superando el comportamiento destructivo y diseñar una vida plena de felicidad y realización. No importa la manera en que veas a tu compañero en este momento, simplemente ten presente que has de actuar de forma tal que pueda saber que vale y puede valer más.

Es posible que a algunos de los lectores se les ocurra: «Escuche, doctor McGraw, usted no tiene ni idea de las cosas horribles que mi pareja me ha hecho últimamente». Te aseguro que sí sé, pero de ahora en adelante pretendo que nunca más vuelva a sentirse despreciada, poco merecedora de tu consideración y, en consecuencia, piense que la única posibilidad es la discusión y la falta de límites en la venganza. Lo que comento a continuación te puede parecer de épocas pasadas, pero la verdad es que tu amante debe sentirse «honrado» y tú tienes que promoverlo.

Si piensas que te aconsejo ignorar las flaquezas y debilidades de tu compañero o asumir parte de las responsabilidades por sus malos comportamientos, no me has prestado la suficiente atención. Nunca te pediré que excuses lo que la otra persona hace si puede resultar perjudicial. Jamás te diré que ignores sus fallos ni te haré responsable de sus emociones. Es verdad que tú no puedes sentirte responsable de cómo se siente tu pareja: ésa es su tarea. Pero intenta ayudarle a descubrirlo.

En las relaciones sólidas, todos nos sentimos responsables de nuestros actos. Con todo, las confrontaciones resultan siempre muy beneficiosas y, hasta algunas veces, es fundamental vernos presionados para poder cambiar de posición y desterrar conductas perjudiciales. Aunque trates a tu pareja de forma que se sienta protegida y estimulada en su autoestima, experimentará el conflicto entre vosotros de manera muy diferente a ti e interpretará tus críticas según sus propios códigos. En lugar de intentar evitarte o tomar represalias, puede que tu compañero te busque para sentirse tranquilo y seguro más que irritado y ser colaborador en vez de combativo. Cuando haya un conflicto, posiblemente prefieras que tu pareja se aleje por miedo a que se produzcan intimidaciones. Quieres que esté de acuerdo contigo en que juntos podéis superar el problema sin que ninguno de los dos se sienta machacado. Apenas logréis descubrir todo esto, la confianza entre vosotros crecerá aceleradamente.

Aun si existe una situación donde tu pareja se está comportando de forma agresiva –chilla, bebe, es irresponsable con el dinero, desatiende a los niños o rompe ciertos compromisos–, puedes enfrentarte a ella para que quede claro que está actuando egoístamente, pues resulta evidente que sólo busca promover su autoestima. Por ejemplo, le puedes decir: «No puedo ni quiero tolerar tu comportamiento, porque sé que eres mejor persona de lo que demuestras. No permaneceré callado puesto que eres realmente mucho más positiva. Sé que puedes responder de forma más sana y no permitiré que seas menos de lo que eres. Voy a exigir que saques lo mejor de ti». Tienes que relacionarte con la persona amada de forma que te sientas orgulloso y que, a pesar de lo negativo del tópico, encares las situaciones como ciudadano de primera clase. Al usar el valor de la autoestima, creas una atmósfera más civilizada que no tendrá deseos de abandonar.

Valor 6: elimina tus frustraciones

Una vez, un hombre sabio y cínico dijo que las únicas cosas seguras en la vida eran la muerte y los impuestos. Me temo que su lista era muy corta, como mínimo también debería haber incluido las frustraciones. No importa lo mucho que trabajes ni lo bien que te vaya en la vida, siempre tendrás frustraciones personales que saldrán a tu encuentro. Tal vez te fastidien en tu trabajo y no seas apreciado, por lo cual alberges sentimientos negativos. Puede que pases por casa de tu madre, de camino a la iglesia un sábado por la mañana, y que ella aproveche la visita para reprocharte cosas. O incluso que te peses en la balanza, después de una ducha, y te sientas culpable por haber engordado un poco.

Quizá pases el día o la semana acumulando insatisfacciones de diferentes fuentes. Las frustraciones se construyen una encima de la otra y adivina con quién te cruzas: con tu pareja. El problema, hasta cierto punto, es que cuando encuentras una vía para abrirte y contarle tus problemas, tu compañero está demasiado cerca, aunque en verdad no tenga nada que ver con lo que te está ocurriendo. No me refiero a que vas a por él de manera consciente pero, a pesar de que no quieras cargarlo con la responsabilidad y culparlo injustamente por lo que te sucede, lo acabas haciendo. Sin embargo, tu pena no disminuye en absoluto.

Puedes irritarte y atacar, sin hacer mención del origen o, si eres muy creativo, tal vez justifiques de cualquier manera tu ira proveniente del trabajo, tu madre o el sobrepeso. De cualquier modo, te desquitas con tu pareja y eso significa que estás actuando en contra del próximo valor personal de la relación.

Aceptar este valor representa tomar una decisión muy consciente. Tienes que dedicarte a averiguar las causas de tus frustraciones y resistir a las tentaciones impulsivas de culpar a tu compañero por ellas. Los investigadores están de acuerdo en que el mayor estrés que se puede estimular está asociado con algo que una persona siente como responsabilidad suya pero no controla. Piensa en lo frustrante que sería si, de pronto, te sintieras responsable del tiempo. Quizá cambie, pero tú no podrías propiciar ese cambio. ¿No crees que es injusto que hagas de tu pareja un chivo expiatorio por las irritaciones que te causa la vida?

Estoy seguro de que ya tenéis bastantes problemas como para pedir prestados los de otros y trasladarlos a tu relación. Sin embargo, como he dicho muchas veces, no puedes cambiar lo que no conoces —y una de las herramientas más poderosas con las que cuentas para que tu relación de pareja sea mejor es sencillamente reconocer que estás transfiriendo tu ira y frustración a ella—. Al dirigir tus insatisfacciones hacia blancos relevantes más que irrelevantes, te aseguras de que no gire la rueda y te engañas diciéndote que estás solucionando el problema. Si hay algo en el trabajo que te preocupa, apuesto a que lo resolverás allí mismo. Si estás decepcionado con tu madre, seguro que lo solucionarás con ella en persona o internamente.

Sobre todo sé muy cuidadoso en lo que respecta a sentimientos vagos de frustración contigo mismo. Hay un viejo dicho en psicología que dice: «Hay algo en esa persona que hace que no pueda tolerarlo en mí». Cuando estás preocupado por

ti y careces del coraje para descubrir de qué se trata, puede resultar terrible criticar a tu pareja por aquello que tanto rechazas en ti. En efecto, condenas a una persona inocente porque
buscas los errores en ella en lugar de en ti mismo.

Pero, una vez has comenzado a ver que los aspectos negativos que percibes en tu pareja –incompetencia, depresión, etcétera– son a menudo características inherentes a ti, literalmente
alterarás la naturaleza de los encuentros con ella.

Empezarás a eliminar todo el ruido que se ha inmiscuido
entre vosotros. No sólo serás más eficiente en la resolución de
los problemas sino que vivirás asociaciones de causa-efecto más
reales y, lo más importante, no alienarás el apoyo verdadero
con el que cuentas: tu pareja. Ve hacia atrás y asegúrate de que
el tema fundamental que te causa preocupación no tiene por
qué convertirse en una fijación. Es una forma sutil de asumir
responsabilidades como miembro de la pareja.

Como ahora comenzarás a actuar con honestidad emocional, no usarás más a tu pareja como vertedero. Dejarás de negar
las verdaderas causas de tu dolor y frustración mediante el rechazo de tus aspectos negativos.

Este cambio de actitud modificará fundamentalmente el espíritu con el que te aproximas a la persona amada, así como también la eficiencia con la que resuelves los problemas porque
estarás concentrado en el objetivo correcto.

Valor 7: sé sincero y directo

Si diriges tu frustración e ira hacia tu pareja, la herirás, de igual
manera que si no compartes con ella tus cosas más importantes
y tus sentimientos honestos. En verdad, estás mintiendo abiertamente. Al no comunicarte de una forma emocional sincera,
causas muchos más problemas de los que te imaginas.

RECUPERA A TU PAREJA: VALORES PERSONALES DE LA RELACIÓN

Nada puede ser más frustrante que una «comunicación incongruente»: un individuo dice una cosa pero indica algo completamente diferente mediante su conducta no verbal. Hace unos años viví esta misma situación en casa. Un poco después de habernos casado, cuando todavía estaba en la universidad, regresé a mi piso y encontré a mi mujer, Robin, sentada en un rincón con las piernas y los brazos cruzados, con el ceño fruncido y sin ningunas ganas de dirigirme la palabra. Como era muy joven y no tenía experiencia, cargué la artillería y pregunté exaltado: «¿Qué es lo que va mal?». En un tono enfadado, ella contestó: «¡Nada!».

En ese momento, yo estudiaba psicología; sin embargo, a pesar de ser novato supuse que su respuesta no era sincera. De hecho, mi interpretación a su respuesta de una sola palabra fue la siguiente: «Casi todo va mal, sobre todo tú». Durante 45 minutos nos embarcamos en una conversación de negatividad emocional en la que insistíamos en que no había ningún problema. Fueron tres cuartos de hora eternos. Yo le preguntaba qué fallaba y ella contestaba: «¡Nada!». Estábamos en la misma habitación, pero parecían separarnos kilómetros. El punto es que su respuesta y persistencia en que no pasaba nada, cuando ambos sabíamos que sí, era una muestra de deshonestidad emocional e insatisfacción para los dos.

Si analizas mi incidente con Robin, quizá pienses: «Phil, ella no tenía ganas de hablar, deberías haberla dejado sola». Está bien, tal vez hubiese sido lo mejor que podría haber hecho, aunque creo que lo correcto hubiera sido que ella me diese una respuesta más honesta: «Phil, no tengo ganas de hablar, lo siento. Estoy angustiada y cuando se me pase te lo explicaré, de momento quiero que te vayas y me dejes sola». En esa situación hubiese sido mi obligación respetar sus deseos y darle el espacio

— 147 —

que necesitaba. Esa actitud hubiera sido directa y tal vez hubiésemos podido llegar a una solución más rápida.

Cada uno de nosotros tiene derecho a sentimientos y emociones particulares y, por ello, debemos ser responsables de la manera en que los administramos. Hemos de esforzarnos en expresar nuestro sentir de forma madura y, puesto que estamos hablando de nuestra primera relación íntima en la vida, los sentimientos y las emociones constituyen el pilar de la relación. Poseer tu relación es también poseer los sentimientos. Al ser honesto con lo que sientes, das a tu compañero la oportunidad de aceptar la verdad y la realidad.

Por supuesto tenemos la posibilidad de decidir cuándo queremos pensar algún tema a solas, aunque no debe resultar abusivo. Hay una diferencia entre un período de cierta frialdad en el cual alguien se permite mantener en secreto sus pensamientos y una situación en que alguno de los miembros de la pareja actúa de forma evasiva.

Si estás preocupado por algo pero no eres honesto con ella, jamás puedes pretender que tu pareja te ayude. En cambio, al ser sincero con tus emociones, basas tu relación en la integridad y no en las mentiras y decepciones.

Sé que es más fácil decirlo que hacerlo. Todos tenemos tendencia a ponernos nerviosos y a la defensiva ante los temas emocionalmente significativos. A veces nos controlamos para evitar demostrar una emoción verdadera. El mejor ejemplo que puedo señalar es la ira –la emoción más segura y accesible que poseemos–. Como he dicho anteriormente, nuestro miedo por excelencia es el rechazo. Pero, en lugar de ser directo y sincero con nuestro compañero y decirle que tememos que nos rechace, nos enfadamos con él. Lo controlamos antes de que él nos controle a nosotros, lo rechazamos antes de que nos evite.

Estoy convencido de que, en la mayoría de los casos, la ira es un simulacro, una cobertura superficial. Se manifiesta cuando tenemos miedo de expresar nuestros sentimientos reales, que casi siempre son el daño, el miedo y la frustración. Si te relacionas con tu pareja por medio de la ira, ocultas tus verdaderos sentimientos y, en consecuencia, vas en contra de este valor personal. Eres honesto e íntegro sólo cuando tienes el coraje de mirar a través de la ira e identificar y expresar por fin tus emociones reales.

Para que tu esquema de pensamiento se rija por una actitud emocional de sinceridad, tendrás que realizar muchos ejercicios de introspección. Has de ponerte en contacto con tus sentimientos y saber por qué los estás viviendo. Si no te apetece investigar cuáles son tus sentimientos verdaderos y expresarlos, estarás contaminando tu relación con emociones mal dirigidas y mal formadas. Hazte las preguntas difíciles y no tengas miedo de responderlas. Sé auténtico contigo para serlo con tu pareja. No estés a la defensiva y admite lo que te pasa.

Punto fundamental: permítete sentir de la manera en que sientes y expresa tus sentimientos. Trata de eliminar la deshonestidad emocional y las conductas indirectas como hacer morros, abandonos, críticas y buscar defectos. No debes dar a tu pareja información errónea, ocultando tus emociones, ni tampoco dejar que te lleve por un camino equivocado –intencional o no– por tratar lo superficial a expensas de lo significativo.

Valor 8: intenta ser feliz antes que justo

Una vez más, este valor personal te invita a reconsiderar el punto de vista con el cual te has acercado a la vida en general y a las relaciones en particular. Quiero que te decidas a ser feliz más que justo. Ser equitativo y tener éxito, especialmente en el comienzo de las relaciones, no son conceptos que estén próximos. Algo justo no mide necesariamente la calidad de tu comportamiento, sino el funcionamiento.

Tal vez creas que tu actitud es la correcta. Quizá tengas razón, pero aun así no te sientes bien. Comienza a evaluar las cosas que haces en la relación, basadas en si aquellos pensamientos, sentimientos y acciones funcionan o no. ¿Acaso tu posición te está dando lo que deseas? Si no es así, cámbiala. Haz lo que te sirva, no siempre lo correcto.

Hace unos años vinieron a mi consulta un padre y su hijo, y me enseñaron mucho sobre los fallos y las falacias de hacer lo correcto. J. B. era un sargento mayor en la base local de las fuerzas armadas y era tan flexible como el contrafuerte de un puente. Su hijo de 16 años, Darren, era la antítesis. Llevaba el pelo largo, ropa holgada y adoptaba una actitud relajada y pasota ante la vida.

J. B. quería que Darren se cortase el pelo, llevase ropa convencional e «hiciera lo correcto». Pensaba que su hijo debía hacer cuanto él decía, simplemente porque era su padre: «Soy su padre y, por Dios, mientras viva bajo mi techo, coma mi comida y utilice mi dinero, tengo el derecho de decirle qué y cómo hacerlo». J. B. estaba en lo cierto, teniendo en cuenta las leyes y los patrones de nuestra sociedad. Podía exigir lo que él quería pero, lo que creía «correcto», no funcionaba. No tenía mucho éxito como padre y, en consecuencia, no era feliz. Tampoco lo era Darren. Lo que ambos estaban haciendo era destruir la relación a través de la lucha de poder.

Me gustaría contarte que hice una excelente labor terapéutica con ellos y que hubo un final feliz en esta historia, pero no fue así. Dos semanas y media después de la primera sesión con J. B., su hijo jugaba al baloncesto en el instituto, deporte que se le daba muy bien. De pronto, en el momento álgido del juego, Darren corrió de manera poco prudente por la pista, mientras llevaba la pelota. De repente tropezó y cayó de cara contra el suelo. Fue algo inusual. Horas más tarde, una autopsia reveló que Darren tenía un problema congénito de corazón jamás diagnosticado. En el funeral, su padre no dejó que le cortaran el pelo ni que le pusieran un traje. Lo enterraron con el pelo largo y su ropa holgada.

J. B. no se culpa por la muerte de su hijo, pero me ha hablado muchas veces del tiempo y la felicidad que desperdiciaron por su obsesiva necesidad de buscar lo correcto. Pudo haber sido feliz durante un tiempo pero, en cambio, tenía que buscar esa perfección. Me pregunto si le importaría mucho lo que está bien y lo que está mal, si Darren volviera tan sólo por un día.

Piensa en todas las veces, circunstancias y situaciones en que te importaba más lo correcto que ser feliz. Independientemente de quién dice qué a quién, cuál es la mejor estrategia para educar a los niños, cómo gastar el dinero o tratar a un pariente político, intenta incorporar este valor personal de la relación y haz lo que funciona y genera buenos sentimientos más que ganar en la «batalla por lo correcto». No adoptar este principio puede representar lograr muchas batallas para acabar perdiendo. No contribuyes a la relación cuando sometes a tu pareja a la sumisión. Piensa cuando alguna vez en el pasado eras el que se sentía humillado. Quizá se te cruzaba por la mente lo siguiente: «Voy a aprender una buena lección», «no, tú eras todo probabilidad, resentimiento y amargura —incluso, todavía peor—». No creas que hay alguna diferencia cuando estás en el «extremo del que gana» o en el del que «pierde» en ese tipo de intercambio. Cuanto más duro luches, más grande será la pérdida.

Ahora mismo creo oírte decir: «Pero ¿qué está diciendo, doctor Phil? ¿que permita a mi compañero que me maltrate o que me enseñe cómo se tiene que hacer algo cuando ambos sabemos que no soy el único equivocado?».

Por supuesto que no quiero que te conviertas en un corderito, que se dirige con cierta dificultad y dócilmente hacia su pareja. Tampoco sugiero que evites las discusiones cuando consideres que son necesarias o que renuncies a opinar sobre lo que crees importante y a señalar las actitudes y acciones que dañan la relación.

A lo que me refiero es que no debes, bajo ningún concepto, olvidar que lo importante es que hagas feliz a tu pareja (y a ti también) antes que esforzarte en mostrarle todo lo que hace mal. Por ejemplo, no debes perder los estribos aunque tengas motivos para estar molesto ni has de sentar cátedra o regañarla cada vez que te otorgue ese derecho.

No tienes que demostrarle una y otra vez que sabes de lo que estás hablando más que ella. Puedes escoger otro tipo de emoción, como la tolerancia, el entendimiento, la compasión o cualquier otro sentimiento que no te lleve hacia la hostilidad.

Tienes la certeza de que tu pareja crea problemas en todas sus relaciones, puesto que es muy controladora o demasiado irracional. ¿Qué tal si, en lugar de señalarle que tienes la razón al analizar su comportamiento, trataras de cambiar radicalmente tu actitud? ¿Si te decidieras a mostrar tu lado más tierno y de aceptación en vez de intentar estimularle su conducta autodestructiva? ¿Si promovieras un acercamiento más equitativo al mostrarle tu entusiasmo y felicidad por compartir tu vida con ella para que valore sus propias actitudes? No es que tu postura sea la correcta o tengas que endosar una conducta ofensiva. Tal vez cambies simplemente por inspiración y no por confrontación.

Te aseguro que, cuando la pugna por tener la razón implica confrontación, indirectamente estás llevando la relación a un escenario donde lleváis las de perder.

Recuerdo una vez que discutía con mi mujer y, a medida que avanzaba el intercambio de palabras, sentía que mi actuación era brillante. Estaba satisfecho con los puntos que planteaba y resistía muy bien sus insinuaciones; dentro de mí sabía que ganaría y que iba a salir victorioso. ¡Hurra por mí!, me decía cuando, de repente, ella paró, la emoción abandonó su voz y dijo: «Tienes razón, tú siempre la tienes. ¿Cómo no me he dado cuenta antes?».

Reconozco que mi actuación no tuvo para nada un buen desarrollo. Enseguida dije: «Quiero que me expliques qué te pasa». A lo que respondió: «No, ya está bien, no tengo ni idea en qué estaba pensando». Mientras ella salía de la habitación, agregó: «Ya sé que pagaré por ello».

Si no adoptas este valor personal de la relación, puede que acabes viviendo la tiranía de lo que se entiende por lo justo. Para ti, ser correcto representa la posibilidad de mantenerte a salvo, evita arriesgarte con algunos cambios.

Eres una persona un poco tramposa, segura de que tus acciones son correctas, de firmes convicciones, capaz de golpear y quemar sin mirar antes a tu alrededor para descubrir que había otras alternativas con que abordar el problema.

Quien vive bajo esta tiranía de lo justo, se vuelve cada vez más obsesivo e intolerante con su pareja si ésta no adopta esa posición. Me refiero a esos momentos en que tú actúas de forma justa, mientras que tu pareja quizá haya transgredido y busque la manera de remediarlo.

Muy a menudo, uno de los dos crea un problema y luego es descubierto con las manos en la masa. Si eres el que ha resultado herido, tal vez tu compañero, al sentirse culpable, elija acercarse de manera reverente, te pida disculpas y espere tu perdón. Aunque esto parece lógico y justificado, puede que no sea su estilo. A veces he oído decir por parte del culpable comentarios irónicos como por ejemplo: «Bueno, espero que la casa del perro sea lo suficientemente grande para él y para mí». Y respuestas de su pareja: «Para ti no es más que una broma, ¿no te interesan mis sentimientos? Sólo pretendes reírte». El culpable se siente rechazado, desairado e imperfecto. Sólo una vez me gustaría que el culpable mirara a su amante a los ojos y le dijera: «No creo que sea gracioso, me siento incómodo por haber hecho algo tan tonto. Intento poner un poco de humor para poder aclarar el lío, aquietar el dolor y la pena que he causado y ésta es la única manera que conozco, siento no saber hacerlo mejor».

Tal como he explicado anteriormente, no es lo que sucede entre los miembros de la pareja lo que determina el resultado de la relación, sino la manera en que se conducen. Si los dos tenéis espíritu de perdonar y otorgáis al otro esa gracia para reducir las hostilidades, vuestro futuro será brillante. Si, por el contrario, cada uno busca el reconocimiento personal y poder erigirse en el ganador, el futuro será negro.

Al tomar la decisión de ser feliz más que correcto, serás receptivo de los intentos de tu compañero por eliminar las hostilidades y, poco a poco, os rodeará un clima civilizado.

Valor 9: haz que tu relación trascienda el conflicto

Algunos terapeutas y autores te dirán que una buena relación es aquella que carece de conflictos. Por favor, no creo que haya existido una relación sin conflictos, en la que uno de los miembros, de tanto en tanto, no haya herido a su compañero. Jamás ha habido una fusión de dos vidas donde no hayan existido los problemas significativos de la convivencia.

En cuanto a las relaciones afectivas, no es cuestión de si los puntos turbios afloran o no. Se sabe que las discusiones siempre existirán y causarán un impacto en la pareja. Lo importante es cómo sucede.

Estoy hablando de todos en general, no sólo de la gente cuya vida ya está impregnada de amargura y desprecio. Quien se levanta cada mañana con la idea de sacar el mejor provecho de su relación, muy rara vez perderá el control. En alguna ocasión estará ligeramente alterado a medida que su mal genio crece, pensando de forma negativa, incluso un poco apocalíptica. Obedece a un impulso humano natural, por lo que no debes permitir que ningún terapeuta te diga lo contrario. ¿Tienes idea de la frecuencia con que estás en la intimidad de tu coche y te gustaría quitar de la carretera a otro conductor que pasa por delante? Bien, si eres honesto contigo mismo, haces exactamente lo mismo con tu pareja cuando te irrita. En tu psique, te dices: «Quiero alejarla de mi vida».

Sin duda has visto como las personas, cada vez que tienen un problema, llevan la relación al borde de un precipicio. En esa situación, los ultimatos suelen proliferar con frecuencia y la pareja vive en estado de riesgo. Tal vez hayas oído decir o tú mismo hayas dicho: «Odio cuando haces esto, no te soporto», «o paras o me voy», «si piensas que soy tan mala persona, ¿por qué no te marchas de una vez?» o «esto no funciona, ¿no deberíamos acudir a un abogado?».

Por supuesto, dices tales cosas porque tienes miedo, te sientes inseguro y estás enfadado al creer que no te escuchan. Pero, no es eso lo que expresas. Te invade la desesperación rápidamente, te dejas llevar por la idea de que estás luchando por tu vida, tu sentido de juicio y dignidad desaparecen y lo que sale de tu boca son amenazas. Te diriges a la puerta de entrada y gritas: «¡Ya está, me voy de aquí!».

Cada vez que algo va mal, presionas el botón del pánico y, en consecuencia, te adentras por resquicios irreparables de la relación. Si no tienes cuidado, si dejas que los problemas, los desafíos y las confusiones trasciendan la relación, la llevarás poco a poco al límite.

Posiblemente, al día siguiente, cuando volváis a estar juntos y os disculpéis, pienses: «Bueno, ya ha pasado todo». Sin embargo, no es así, has dejado un residuo. Cuando surja una nueva discusión, ambos volveréis a recordar ese episodio. Tu pareja intentará lanzarte un misil asegurándose que dé justo en el blanco.

Adoptar este valor personal de la relación significa que te comprometas solemnemente a no utilizar más ese tipo de amenazas para manipular y controlar a tu compañero. No pongas en peligro tu relación cada vez que tengas una disputa, aunque el tema sea de importancia. Puedes no estar de acuerdo y manifestarlo de forma apasionada, pero no hagas que tu relación corra ningún riesgo. Imagina que se encuentra situada en la rama de un árbol, por encima de un río. De hecho, está suficientemente alta, aunque el agua salpique, no podrá alcanzarla: el agua no llegará hasta ella.

El compromiso de tratar a la pareja de manera sagrada, produce un gran sentimiento de liberación. No constituye una responsabilidad extra, lo que haces es desprenderte de un falso sentido de urgencia. Encontraréis menos presión en vuestras vidas cuando asumáis que ninguno de los dos jugará con las amenazas cada vez que exista un conflicto. Si llegas a darte cuenta de que tu compañero en ese momento está furioso y, sin embargo, no es el fin del mundo, intervendrás de una manera calmada y también desde una posición mucho más segura.

No te estoy indicando las pautas de cómo discutir. Sé que a través de los años, las parejas desarrollan su propio estilo de confrontación. Reconozco que existe mucha gente que siente un inmenso placer con las discusiones porque le brindan la oportunidad de descargarse o estimular la pasión. No es malo, pero quiero destacar que siempre existe un momento en el que se debe decir: «Basta, hasta aquí he llegado». No me importa si para ello tienes que morderte la lengua. Has de saber cuándo detenerte para que una discusión no vaya demasiado lejos, por ejemplo, a un campo de batalla repleto de amenazas. Debes fijarte los límites hasta donde podéis llegar en caso de una discusión. Tu relación ha de perpetuarse por encima e independientemente de los conflictos, sin residuos. Si controlas un poco las actitudes, teniendo en cuenta que las amenazas no constituyen una buena opción en vuestras vidas, habrás dado un agigantado paso hacia el proceso de mejorar la comunicación con tu pareja.

Valor 10: intensifica tus emociones

Espero que mi exposición sea clara y que, a medida que infundas estos valores personales a tu vida, trates tu relación como un bien preciado que requiere sumo cuidado y dedicación constante. Debes tomar la iniciativa y comprometerte a inculcarle siempre los estímulos más positivos posibles. Este valor personal hace hincapié en sacar lo mejor de ti para que la unión pueda funcionar.

Al salir del lodo, puedes crear una atmósfera en la cual no exista nada de tu pareja que no encaje. Si comienzas con el pie derecho, estarás inspirando a tu compañero para que haga lo mismo. Tienes que reaccionar con actitudes constructivas, evitando la mediocridad y asegurando la calidad de la relación. No puedes seguir llevando una vida de segunda categoría. La palabra «ambivalencia» ha de ser erradicada de tu vocabulario. La pasividad no debe continuar siendo parte de tu repertorio de comportamiento y el odio no puede figurar en la lista de tus emociones. Diseña un mundo excelente y, luego, con una determinación tenaz, instálate en él.

Este valor exige mucho de tu parte. No basta con tener buenos sentimientos, has de trabajar con tus emociones, ponerte en marcha. Debes preguntarte todos los días y a cada paso: «¿Lo que hago o digo contribuye a acercarnos o, por el contrario, nos aleja aún más?», «¿acaso ayuda a superarnos como pareja o en realidad nos hunde en los viejos modelos de comportamiento negativo?».

Al haber trabajado con miles de divorciados, he observado un fenómeno interesante que siempre me ha llamado poderosamente la atención: tanto los hombres como las mujeres, entre los seis meses a un año después de la ruptura, comienzan a sentirse distintos, más ilusionados y con más energía para encarar la vida.

Probablemente tú lo hayas visto tantas veces como yo y pensaste que el motivo de su nueva actitud era que se habían alejado de una relación miserable. Sin embargo, a lo largo de los años, llegué a considerar esta teoría de distinta manera. Descubrí que, tras haber perdido en el amor, estos refugiados se ocuparon de sí mismos y decidieron que sería mejor reparar sus acciones. Se habían estancado en sus relaciones, no intentaban dar los pasos con el pie correcto y llegaron a sentir el fracaso. Entonces admitieron que necesitaban hacer cambios importantes. Estos individuos frustrados intentaron adelgazar, ir a un gimnasio, desarrollar nuevos intereses y actividades que los hicieran mejorar. Pero lo siguiente me produce cierta tristeza: si esa gente hubiese logrado progresar mientras todavía tenía pareja, aún seguiría con ella. Todo lo que tenía que hacer era intensificar sus emociones.

Es precisamente lo que tienes que hacer. Has de sustituir la definición de amor por comportamiento dinámico y activo. En lugar de hacer como muchos otros, que se consumen con mensajes negativos sobre su relación y no tienen grandes expectativas, debes exigirte y permitir que tu relación crezca.

No estoy hablando de ser perfecto, sino de estar orgulloso de la forma de tratar a tu pareja. La confianza puede comportar desprecio, nos volvemos descuidados e indisciplinados, pero no debemos permitir que suceda. Cuando cortejabas a tu pareja, hacías lo posible para impresionarla —no de manera superficial sino como ser humano—. No sólo ibas acicalado y elegante sino que tenías una sonrisa en el rostro y te presentabas de forma positiva. Hablabas intentando mostrar tu mejor parte.

Al haber crecido entre tres hermanas, observé este ritual de apareamiento durante toda mi vida adolescente. Por ejemplo, ellas ni siquiera comían antes de una cita, aunque tuvieran mucha hambre. Porque era impropio, según su manera de ver. Las tres, ya casadas y obviamente menos preocupadas por su apariencia, hoy pelearían con sus maridos con uñas y dientes por el último trozo de pollo.

Intenta contrastar tu sensibilidad al comienzo de tu relación con la manera en que te comportas actualmente. Te aseguro que haces y dices cosas que jamás hubieras hecho. También permites que tu compañero te vea de una forma que hace unos años hubieras muerto antes de que eso ocurriera. Por supuesto, se trata de una tendencia humana natural. Uno intenta relajarse cuando se encuentra cómodo en una situación y, hasta cierto punto, es sano. No es bueno sentir que debes actuar en tu propia casa pero, si esta sensación de comodidad nos domina, comenzamos a exigir menos de nosotros mismos. Como no intentamos impresionar a alguien, no actuamos de la mejor manera posible. Después de todo, el noviazgo ya ha acabado y hace tiempo que se asumió el compromiso de la relación.

Eres capaz de poner una cara feliz y mostrarte cálido y tierno cuando el comité de la iglesia os ve pasar o ante la visita de un vecino. Sin embargo, la verdadera actitud con la cual te aproximas a tu pareja de puertas adentro es el reflejo de la calidad y la profundidad de tu carácter. Te garantizo que esta forma de relajarse en la intimidad en un principio puede parecer beneficiosa. Sin embargo, el resultado quizá sea el contrario, ya que no se trata sólo de un cambio en el comportamiento sino que tiene implicaciones mentales y emocionales. Lo triste del caso es que nos volvemos complacientes y nos permitimos ser indiscriminadamente cómodos en nuestras emociones. En lugar de responder con nuestra mejor actitud y con emociones disciplinadas, puede que ahora te digas: «Qué diablos, estoy enfadado y no me importa quién se dé cuenta».

He aquí la sorprendente ironía: es posible que te exijas altos estándares en las relaciones más insignificantes y superficiales que mantienes, donde realmente no importen mucho pero que, en tu relación íntima, no lo hagas aunque tengan relevancia. Te resulta difícil pensar que un día puedas entrar en tu oficina y no saludar a la gente con quien trabajas, sin embargo, puede que llegues a tu casa y gruñas a tu pareja. No asistirías a una fiesta o comida de trabajo y contestarías bruscamente; no obstante, eres capaz de agredir a tu pareja porque te crees con el derecho de hacerlo.

La persona que supuestamente amas más que a nadie en el mundo no se merece la cordialidad diaria que tus más lejanos conocidos tienen la suerte de disfrutar. Ya no dices ni «por favor» ni «gracias». Ni siquiera le preguntas: «¿Cómo te va?» o «¿cómo te sientes?». Cuando te enfrascas en una discusión, no es muy difícil que te pierdas en medio del calor de tu enfado y, de pronto, seas muy hostil.

Bien, ahora intenta pensar en el final. Toma la siguiente decisión: no volveréis a caer tan bajo en una discusión. En conclusión, aun cuando estéis solos en casa, debes comportarte como si el mundo te estuviera observando, como si todo lo que dijeras o hicieras se volviera a transmitir por la noche en las noticias. Si tienes esto en mente, habrás escogido transitar por la carretera preferencial.

En cuanto a tu pareja, por supuesto que se beneficiará con la mejora de tus valores personales. También contribuirás a que tu relación se eleve por encima del lodazal en que se encuentra y serás el mayor beneficiario de esta nueva actitud. Constatarás que has actuado siempre con la más profunda dignidad y con el espíritu excelso de dar más.

Es mi deseo que estos valores personales se intensifiquen hasta lo que llamo «las decisiones de la vida»: definen fehacientemente quién eres. Con ellas, el debate se termina. Se trata de decisiones que no están abiertas a las discusiones ni están sujetas a la reconsideración. Ocurren en tu corazón y comportan un nivel de convicción más profundo que las decisiones que puedes tomar a diario.

Para poner una serie de ejemplos, algunas de las decisiones de vida que considero más sabias incluyen lo siguiente: «No mentiré o engañaré para tener más éxito», «no cogeré lo que no me pertenece o lo que no he ganado», «jamás seré desagradable con mis hijos o agrediré a los animales indefensos» y «seré respetuoso con las personas mayores».

Ahora es el momento de incorporar estos valores a tus decisiones de la vida. Tienen que quedar totalmente arraigadas a tu esencia, de forma tal que no tengas que volver a pensar conscientemente en ellas.

Cuando incorpores estos valores personales a tus decisiones, experimentarás cambios en la manera en que interaccionas con la gente; pero, fundamentalmente, en cómo lo haces contigo mismo.

Estudia cada uno de los valores personales sabiendo que son tu nueva estructura de pensamiento y emociones. El núcleo de tu conciencia pasará a ser un faro en tu vida y te guiará en todo lo que hagas.

Te excitarás con todo lo que suceda. Hasta ahora probablemente hayas vivido dirigiendo tu relación como si estuvieras atrapado en uno de esos edificios donde las ventanas se hicieron con vidrios oscuros opacos. Esos vidrios tintados han distorsionado gravemente tu percepción del mundo exterior. A través de ese filtro, la vida tenía siempre una apariencia triste llena de nubes de oscuros presagios. Sal de ese lugar, abandona tu mal espíritu de una vez por todas y comienza una nueva manera de vivir.

En verdad estás a punto de crear una relación que va a ser rica en experiencias emocionales y que se convertirá en una zona segura donde puedas caerte. Estás en el advenimiento de una existencia plena en la que se honra al espíritu del amor que vive dentro de todos nosotros. Tómate el tiempo que necesites para volver a leer cada uno de estos valores personales. Escríbelos, pega las notas en la puerta de la nevera o en el espejo del lavabo y, luego, transcríbelos al tablón de tu corazón.

La fórmula del éxito

No soy ese tipo de persona que cree que la vida pueda ser resumida en una frase bonita ni tampoco que lo que necesites saber sobre tu existencia pueda expresarse en un imán de nevera o una pegatina. No hay soluciones rápidas para una relación; ése es otro de los mitos erróneos que ha arrastrado a mucha gente por el mal camino. No te equivoques: si quieres conseguir resultados diferentes, tendrás que dedicar esfuerzo y tiempo para lograrlo.

De todas maneras, existe una fórmula clara y sencilla que rejuvenece las relaciones y es realmente poderosa en sus resultados. No digo que llevarla a la práctica sea sencillo, pero sí resulta fácil de entender.

Sin embargo, quiero ser del todo honesto. Si no has leído bien los capítulos anteriores o los has leído sin haber realizado los correspondientes trabajos asignados, no te encuentras preparado para la fórmula del éxito. Es muy importante tu actitud, debes de estar ansioso por mejorar tu relación pero, para ir del punto A al B lo más rápido posible, hace falta algo más que un paso veloz. Si no has comprendido este libro y no has empezado a sentir su mensaje en tus huesos, entonces es seguro que fallarás con la fórmula. ¿Estás completamente convencido de que te has preparado para lo que sigue? Pruébate a ti mismo. Si alguna de las siguientes afirmaciones es falsa, quiere decir que aún no estás preparado:

- Me doy cuenta de que no es muy tarde.
- Es razonable que quiera una relación gratificante y plena.
- Merezco y estoy capacitado para tener un vínculo amoroso de calidad.
- He identificado los espíritus malignos que contaminaron mi relación.
- He abrazado los valores personales que serán mi éxito.
- He diagnosticado y asumido los problemas reales y el dolor.
- Acepto y reconozco mi contribución para que la relación esté donde está.
- Me comprometo a encontrar mi núcleo de conciencia.

Si crees verdaderas cada una de estas afirmaciones, estarás listo para la fórmula del éxito: la calidad de una relación se establece en función de hasta qué punto se basa en una amistad de calidad y propicia el encuentro de las necesidades de tu pareja y tú mismo.

Ahora debes de estar pensando: «Esto es todo, ¿ya me ha dado la gran fórmula que esperaba?». Sí, es ésta y, créeme, es elegante dentro de su simplicidad. Recuerda que para recurrir a esta fórmula necesitas garantizar tu mayor grado de compromiso e integridad.

Empezaremos estableciendo ciertas definiciones. Por favor, observa los tres términos claves de la fórmula: amistad, calidad y necesidad.

La amistad de la que hablo es aquella que surge al empezar a intimar en una relación corriente. Se trata del vínculo que tenías con tu pareja antes de que las complicaciones del amor y el romance enturbiaran las aguas.

Fue entonces cuando decidiste aceptar, desear y aprobar a tu compañero íntimo actual. Tras compartir experiencias quisisteis ser buenos amigos. Durante esa época reíais, compartíais cosas, os apoyabais mutuamente, y no porque tuvierais que hacerlo sino porque queríais estar bien juntos.

Tus necesidades y las de tu pareja abarcan diferentes categorías. Manifestar que tienes una carencia en un área concreta significa que no estás satisfecho con algunas cuestiones de tu vida. Pronto examinaremos tus necesidades pero, de momento, reconoce que tienes carencias que sólo pueden ser solventadas por otros seres humanos. La palabra «necesidad» no es sinónimo de «debilidad». Convéncete de que satisfacerlas es sano y bueno.

El siguiente concepto es el de calidad. Si en tu relación abunda la alegría y la excitación, puedes darle a ésta una calificación de alta calidad. En cambio, si sientes soledad, miedo, rabia y alienación, seguramente calificarías tu vínculo amoroso con una nota de baja calidad.

A través de la definición de estos dos conceptos claves de la fórmula del éxito debería ser posible apreciar que, en una misma relación, las dos personas implicadas podrían tener experiencias completamente diferentes respecto a la misma. Quizá la clasificarías de alta calidad porque satisface tus necesidades personales. Por el contrario, tu pareja, basándose en los mismos hechos que tú, le daría una nota de baja calidad debido a que no se siente del todo contenta.

Esta fórmula para el éxito no sólo se aplica a tu vínculo amoroso en un momento determinado, ha de ser constante. Si estás satisfecho con tu relación pero tu pareja no, ésta no tiene sus necesidades resueltas. Cuando tu compañero es feliz y tú no, son las tuyas las que falta colmar. También es posible que ambos califiquéis la relación de baja calidad porque ninguno de los dos tiene sus necesidades resueltas.

Para poder utilizar esta fórmula en tu vida, debes completar dos tareas complejas, peligrosas y, además, sumamente importantes.

La primera tarea es dar a conocer tus necesidades sin hacer distinción entre las «superficiales» y las «importantes».

La segunda tarea consiste en trabajar para descubrir las carencias de tu pareja. Puede no resultar sencilla, pero es tan importante como la primera. No tiene ningún sentido juzgar si lo que le hace falta es apropiado para ti o no, ésa no es tu misión por ahora, simplemente debes **reconocer** sus necesidades.

Quizá pienses: «Espera un minuto, estoy furioso con mi compañero. ¿Qué pasa con la rabia, la amargura, el resentimiento y el conflicto que tenemos ahora mismo?». Bueno, yo intento proporcionarte una ayuda a través de unas directrices que paso a paso te guiarán para encarar y trabajar tus emociones (por el momento, deja todas esas emociones a un lado).

Recuerda tu compromiso y verás que tu finalidad ha cambiado: ya no se trata de ganar la batalla. La única manera de triunfar consiste en reforzar los vínculos con la persona amada de forma amistosa y cariñosa; por eso has de apartar el resentimiento. Focaliza tus energías e ideas para restablecer una relación positiva con una base de amor sólida y olvídate del resto. Recuerda que no debes enfadarte cada vez que tengas derecho a hacerlo. Enojarse no es una de tus necesidades, se trata de una opción de la que puedes prescindir.

Tarea 1: hazle saber tus necesidades

Dar a conocer tus carencias es mucho más duro de lo que piensas. No hablo de ser impulsivo, ten cuidado con las respuestas superficiales y, por lo tanto, en muchas ocasiones pobres. Hace unos años di esta misma indicación a una paciente que me contestó: «Puedo decirte ahora mismo lo que necesito, y es que se calle de una vez y me deje de fastidiar». Yo no estaba hablando precisamente de esto (seguramente tampoco es el tipo de respuesta que tú quieres dar).

Mucha gente puede expresar sus necesidades. Sabe que las tiene y de igual modo conoce lo bien que se siente cuando aquéllas son contenidas y lo mal que se siente cuando no lo son. Sin embargo, manifestar con palabras nuestras carencias puede ser muy difícil.

Es más, algunas personas conocen sus necesidades y, sin embargo, pueden pasar años hasta que las transmiten a sus parejas. Quizá eres de los que tienen miedo a decir lo que quieren por temor a un posible conflicto. En ese caso, dirías: «De todas maneras, nunca consigo lo que quiero. Mi compañero pensará que soy tonto o irrealista y terminaremos enfadándonos aún más. Así que, ¿tiene sentido?», «mi pareja sentirá que la estoy criticando por no satisfacer mis necesidades», «se lo comenté anteriormente y no ha servido, ¿por qué iba a salir bien ahora?», o bien la típica y famosa excusa por excelencia, «¿por qué tendría que pedirle que atendiera mis necesidades? Mi compañero debería saber qué necesito sin que yo tuviera que decírselo».

Si tu pareja no está pendiente de una de tus necesidades, es tu responsabilidad. Es muy injusto que la critiques por no reconocer y satisfacer tus carencias cuando ni siquiera tú sabes identificarlas. Ella no puede leer tu mente, no sabe adivinar. La única posibilidad que tendrá para acercarse a ti y a tus necesidades depende únicamente de que sepas indicarle qué es lo que te preocupa. Debes aprender a conocerte muy bien para enseñar a tu amante a conocerte. Si hay cosas de ti que aún no has descubierto, ahora es el momento de hacerlo.

Antes de que iniciemos este proceso de identificación de tus necesidades, deja que te informe sobre el riesgo sustancial al que te enfrentarás: la intimidad. Una vez aceptes el desafío de identificar y destapar tus necesidades más profundas y, en consecuencia, transmitas esa información a tu pareja, te estarás colocando automáticamente en una situación de alta vulnerabilidad, ya que facilitarás a tu compañero información con un alto contenido de sensibilidad. Permitir que alguien posea un conocimiento tan profundo de ti mismo es bajar la guardia y compartir con esa persona cosas que antes te daba miedo reconocer. Intimidad significa compartir todo por lo que habías luchado y soñado, y también implica enseñar tus puntos débiles. Con esta información darás mucho poder a tu pareja.

No quiero minimizar el paso que te estoy pidiendo que hagas. La divulgación de tu intimidad es una tarea temida y difícil. Conócete bien antes de compartirla con otra persona que podría, potencialmente, utilizar toda esa información en tu contra. Mi deseo es que decidas que vale la pena asumir el riesgo, que eres fuerte y que puedes hacerte cargo del peligro. Tu compañero será un espectador de este acto de vulnerabilidad y hará que confíe en ti, en que puedes lograrlo.

Invertiré la situación: si tu pareja te detallara sus necesidades, al recibir tanta información, estarías asumiendo una enorme responsabilidad. Te estaría confiando la parte más frágil de su alma. Por tanto, debes tratarla con reverencia, dignidad y respeto.

Si fuera hacia ti y te dijera: «Necesito explicarte mi realidad más íntima», apaga la televisión y escucha lo que tenga que decirte. No contestes el teléfono ni dejes que los niños interrumpan. Busca un momento y un espacio que posibilite este intercambio sin límites, plazos ni nada que interfiera tu atención.

Debes tratar la información que te dé como si se tratara de la mejor cerámica china, tan frágil y quebradiza que sólo el más delicado de los tactos sería apropiado para ella.

Y jamás, bajo ningún pretexto, puedes utilizar la información íntima de tu pareja durante una confrontación. No es una ventaja que posees, se trata de algo con lo que no se debe bromear. Escuchar sus intimidades implica una gran responsabilidad y te arriesgas a hacer mucho daño si no las sabes manejar. No te equivoques: compartir esta información comporta un riesgo, recibirla, una carga.

Resiste la tentación de juzgar lo que tu compañero cuenta o de explicarlo a otros. Si te explica sus miedos o dudas en algún área concreta de su vida, podría resultarte muy tentador decir: «¡Vaya tontería! No deberías sentirte así», ya que estarías subestimando la inteligencia de tu amante. Para él no es una tontería y, si lo consideras de ese modo, no apaciguarás su temor. Entra de puntillas dentro del mundo íntimo de tu pareja. Éste no es momento de «comportarse como un elefante en una tienda de porcelana china». Sé merecedor de esa confianza.

La reverencia con la que te pido que trates esta información fue descrita una vez por uno de los participantes de un seminario. Habíamos discutido durante un rato acerca del deber que comporta administrar bien las necesidades. Muchas parejas dieron sus primeros pasos para expresar a su amante su intimidad. En la siguiente reunión, Bob, un hombre de pocas palabras, nos pidió unos minutos para explicarnos su viaje a las Montañas Rocosas. Él visita cada año, sin excepciones, ese lugar que está a tres horas a pie de la carretera más próxima.

A unos 6.000 metros por encima del nivel del mar, escondida entre dos cordilleras agrestes, se encuentra una zona de bosques claros y puros que nadie conoce excepto Bob, quien describe el lugar como «un bolsillo de paz». Tiene un diámetro no superior a 60 metros y está rodeado de álamos con troncos blancos. Las pocas piedras grandes esparcidas por allí están cubiertas de musgo; la hierba, aunque hay en abundancia, recibe tan poca luz del sol que tan sólo crece 1/4 de pulgada al año. Nos dijo que el suelo es tan virgen que encontró las huellas de sus botas tres años después de haber visitado aquel paraíso por última vez.

Cuando nos lo describía, hablaba con tanta pasión que enterneció a todos los presentes, como si cada uno de los oyentes hubiera estado sentado en una de esas grandes piedras verdes e hiciera todo lo posible por no romper la calma. Obviamente, a Bob el «viaje» lo dejó lleno de tranquilidad y alegría. Todos entendimos lo frágil y bonito que puede llegar a ser un lugar.

Posteriormente anunció que había otro sitio en el mundo, muy distinto pero igual de frágil y precioso. El segundo, comentó, era el mundo íntimo y privado de la mujer que amaba. Dijo que éste nació en el momento en que ella le reveló ciertos detalles sobre su personalidad. Él tenía que cuidar el mundo privado de su amor con el mismo cuidado y respeto con el que entraba en el bosque oculto cada año. Decidió tratarlo con la misma reverencia y cuidado con que protegía su paraíso escondido en las Montañas Rocosas. Bob iba por su quinto matrimonio cuando participaba en aquel seminario. Su incremento de sensibilidad cambió para siempre su perspectiva sobre la relación de pareja. Ya hace 12 años que está casado con la misma mujer y son más felices que nunca. Me pregunto por qué.

Es importante señalar que Bob era un millonario hecho a sí mismo y tuvo que trabajar duro. Al ser tan terco, oportunista y con una personalidad dominante, le resultó muy difícil admitir que necesitaba algo o a alguien. Pero, durante ese seminario, Bob descubrió importantes verdades sobre sí mismo y, posteriormente, las transmitió a su mujer. Fue capaz de reconocerle que necesitaba su apoyo y aprobación. Le hacía falta saber que ella estaba orgullosa de él. Bob nos comentó que a sus padres los mataron cuando él era muy joven y, a raíz de eso, jamás sintió que hubiera alguien que creyera o se preocupara por él en el mundo. Fue duro para Bob admitir que necesitaba la aprobación de su esposa y jamás hubiera sido capaz de reconocerlo de no haber aprendido que hay personas capaces de compartir el lado más íntimo de sí mismos. Este hombre, que tenía terror de su propia vulnerabilidad, corrió un gran riesgo.

Por su parte, la mujer de Bob jamás creyó en la posibilidad de que su marido necesitara en absoluto algo de ella, menos aún su aprobación y apoyo. Empezó a verlo tal y como él se definía: como las rocas inconfundibles de ese bosque oculto. Cuando él fue capaz de confiar en ella para decirle lo mucho que la necesitaba y fue lo suficientemente vulnerable para admitir cuánto la valoraba y que incluso se sentía herido cuando no conseguía su apoyo, sus vidas cambiaron para siempre. Su esposa supo que era importante para él y se sintió extremadamente valorada. Así es como entre este hombre que confió y esta mujer que se sentía querida nació una relación basada en la confianza y en compartir.

Construir tu perfil personal

Inicia este ejercicio de descubrimiento personal con un espíritu abierto. Es natural tener necesidades generales y específicas. No sientas que debes explicar y justificar cada uno de tus deseos. Si sientes la falta de algo, es suficiente. Además, no están bien ni mal, no son buenas ni malas, simplemente son y han de ser atendidas.

Para estructurar tu descubrimiento personal, definiré cinco categorías de necesidades: emocionales, físicas, espirituales, sociales y de seguridad. Puedes incluir otras categorías que sean válidas para ti, tantas como quieras, o bien divide estas cinco en subcategorías según tu criterio. En cada caso recuerda que no puedes compartir o enseñar a tu pareja lo que no sabes de ti mismo. Sé sincero y real contigo mismo y da una oportunidad a la fórmula del éxito de las parejas.

Para cada una de estas cinco categorías he incluido una lista de las necesidades más comunes que han sido identificadas por las diferentes parejas con las que he trabajado. Estas listas pretenden estimular tus pensamientos acerca de tus necesidades particulares. Como son generales deberías considerarlas un punto de partida. Tienes que ser muy concreto al hablar sobre tus necesidades, hasta el extremo de mencionar detalles como tiempo, lugar, frecuencia, maneras de expresarse... Cuando consigas reflejar mediante tu relato una necesidad interna, márcala con un círculo.

Una nota acerca de las necesidades emocionales: ésta es una categoría amplia que se ocupa de cómo te hace falta sentirte (es cosa tuya y no de tu pareja). Tu compañero no puede saber cómo quieres sentirte, pero sí ayudarte a que sepas quién eres y ella tenga claro que es una persona importante para ti. A partir de entonces, no te preocupes por cómo esperas que tu pareja responda a estas necesidades. Simplemente identifícalas para poder, posteriormente, comunicarlas.

Necesidades emocionales
• Sentir y escuchar que eres amado.
• Sentir y escuchar que eres una parte valiosa y vital en la vida de tu compañero.

• Pertenecer a tu pareja y ella a ti.

• Sentirte respetado como ser humano.

• Creerte necesitado por razones que no tengan nada que ver con tus obligaciones: ganar dinero, cocinar, etcétera.

• Sentir que eres una prioridad en la vida de tu compañero.

• Saber que eres la persona más especial en la vida de tu pareja.

• La necesidad de sentir que tu pareja está orgullosa al decir que eres suyo.

• Que confíen en ti por ser un compañero responsable.

• Saber que tu pareja te escogería otra vez.

• Tener la noción de que has perdonado y puedes ser perdonado por transgresiones y defectos.

• Sentirte aceptado con tus defectos y errores.

• Compartir una amistad fidedigna con tu pareja.

• Sentirte deseado por tu compañero sentimental.

• Saber que te aprecian por quién eres y por lo que eres.

• Mantener viva la llama de la pasión.

Necesidades físicas

• Que te toquen y acaricien.

• Saber que quieren besarte.

• Que te abracen y protejan.

• Sentir que eres bienvenido en el espacio personal de tu pareja.

• Ser físicamente bien recibido cuando te encuentras con tu compañero.

• Sentir que eres parte de una relación cuando interaccionas con el mundo.

• Que te traten suficientemente bien, incluso a través de la comunicación no verbal.

• La necesidad de ternura.

• Tener una vida sexual satisfactoria y compensatoria.

Necesidades espirituales

• Sentir que tus valores personales son aceptados sin ningún tipo de juicio.

• Que tu compañero respete tus necesidades espirituales.

• Compartir una vida espiritual, aunque cada uno la experimente de manera distinta.

• Saber y sentir que tus creencias individuales y diferencias son respetadas, si no compartidas.

Necesidades sociales

• Sentirte recordado en la distancia con llamadas y agradecimientos.

• Tener la noción de que tu compañero planificará y estructurará sus actividades para incluirte a ti.

• Compartir las actividades sociales con tu pareja.

• Sentir ternura y apoyo en público.

• Que te alienten y apoyen públicamente a través de la comunicación no verbal.

• Escuchar palabras dulces en un ambiente social.

• Que te traten de forma educada en un contexto social.

• Sentir alegría y diversión.

• Conocer y ser receptivo a la sensibilidad de tu pareja.

• Compartir la dicha y las risas.

• Sentir que eres la persona más importante en la vida de tu compañero y reconocido entre una multitud o un contexto social.

Necesidades de seguridad

• Saber que tu pareja estará a tu lado en momentos dolorosos o conflictivos.

• Tener la noción de que tu pareja acudirá en tu auxilio en caso de necesidad.

• Sentir una aportación y control independientemente de los aspectos emocionales de la relación.

• Que tu pareja te apoye.

• Saber que tu compañero es fiel y se compromete en la relación.

• Tener la seguridad de que tu relación de pareja no correrá ningún peligro ni estará al límite a causa de desacuerdos o confrontaciones.

• Saber que tu pareja te defenderá siempre que hayan problemas con terceras personas.

• Sentir que tu compañero es el suave soporte en el que apoyarte si vas a caer.

Nuevamente, los aspectos aquí señalados están destinados a estimular tus pensamientos y son aceptados en sentido amplio y general. Es un punto de partida para que te vincules contigo y con las necesidades de tu corazón de la forma más sincera y concreta posible. Siente y expresa tus necesidades sin importante en absoluto si son o no razonables, racionales o sensatas. Ya tendrás tiempo de revalorizar tu trabajo. Ahora peca de «necesitado» en vez de arriesgarte a dejar fuera información crítica que pueda definir la calidad con que vives esta relación.

Asignación: escoge cuál será tu primera categoría y, a continuación, abre tu diario por una página en blanco y escríbela. Procura hacer el título lo más grande y completo posible y describe debajo tus necesidades incluidas en tal categoría. Si tu prioridad son las necesidades emocionales, anota bajo ese título el listado de lo que sientes o necesitas para estar satisfecho en la relación con tu pareja. Describe cada una de las necesidades que has escrito con un lenguaje «del corazón»: no puedes compartir o enseñar lo que no sabes, así que procura ser lo más honesto y descriptivo posible.

No pretendo que nadie lea jamás lo que estás escribiendo. Este material es exclusivo para tus ojos y te servirá como guía en lo fundamental que compartas con tu pareja, escrito u oralmente. Da los pasos que creas relevantes para evitar tu propio rechazo y para que puedas escribir sin miedo y sin juicios.

¿Qué necesidades estás descubriendo que han estado frustradas o ahogadas durante tanto tiempo? Es posible que hayas identificado algunas que habías alejado tanto que incluso habías olvidado que formaban parte de tus sueños. Recupera aquellas necesidades olvidadas que alguna vez habían formado parte de tu vida íntima y tu relación de pareja. Puede que quieras volver a ver el trabajo que hiciste en el segundo capítulo, donde te pedí que escribieras acerca de tus primeros sueños.

Recuerda que es bueno querer y esperar, no es momento para jugar seguro y sin peligro. No seas conservador al expresar tus necesidades. Déjalas salir, han estado enterradas, adormecidas y frustradas demasiado tiempo.

No dejes que todos aquellos miedos que puedas tener te controlen mientras haces este ejercicio. Demasiadas veces vivimos silenciosamente bajo el peso de nuestros temores para no tener que sentirnos tontos admitiendo nuestra vulnerabilidad. Pero si realmente quieres llegar hasta el fondo de tu corazón y reivindicar tu experiencia en la relación y en la vida, identifica tus miedos:

• El gran miedo al rechazo.
• El temor a la incapacidad física, mental, emocional, sexual, social o de cualquier otra índole que te haga sentir que no estás a la altura.
• El miedo al abandono.
• El temor a decepcionar o defraudar a tu pareja.

Éstas son necesidades generales, definidas por algunas parejas que he tratado, que debes considerar estímulos. Encuentro razonable que te haga falta tu compañero para manejar y superar estos miedos. No te cohíbas pensando que son tontos o irracionales.

Asignación: crea diferentes categorías de miedos en tu diario. Establécelas lo más detalladamente posible e incluye todos aquellos temores que no están comprendidos en las cinco categorías de necesidades que se han establecido anteriormente. Busca en tu interior para identificar tus miedos. También pueden ser una serie de sensaciones tanto racionales o como totalmente irracionales. Si forman parte de ti, quiere decir que son válidas. Sé honesto al identificarlas.

El proceso que acabas de completar, de identificar tus necesidades y temores, te afectará de varias maneras. Si realmente has expresado de forma clara todas las necesidades y los miedos, si has admitido que necesitas ayuda para poder superarlos, quizá te sientas mucho más cerca de ti que antes. Deberías sentir que has restablecido la comunicación con quién eres realmente y con tu valía.

De igual modo, es posible que experimentes una sensación de tristeza, rabia y frustración. Al reconocer tus necesidades vitales, no puedes evitar subrayar en tu mente y tu corazón todo lo que querías y tenías que se ha perdido en el camino, se ha quedado a un lado o ha sido ignorado en tu vida. ¿Resulta sorprendente que tu experiencia en esta relación haya resultado tan pobre?

Si tu emoción principal es la alegría, la tristeza o la excitación, está bien, no te reprimas ya que vamos por buen camino. Pronto podrás cambiar esta experiencia. Mientras tanto pasemos a la siguiente tarea.

Tarea 2: trabaja para descubrir las necesidades de tu pareja

Bien hecho, este ejercicio resulta divertido y excitante, además de desafiante.

Es sumamente importante que encares la creación del perfil de tu pareja con una actitud libre de prejuicios. Asume esta tarea con el mismo espíritu y la misma pasión que la de un periodista que va tras una noticia o un biógrafo que busca y escribe datos de la vida de una misteriosa figura pública. No debes pensar en tu compañero como en una persona misteriosa y compleja, aunque te aseguro que así es.

Alerta roja: el desafío de descubrir a tu pareja puede resultar peligroso y difícil. Es posible que esté participando en este proceso, en tal caso, él también ha hecho su perfil personal. Entonces, tu tarea es mucho más sencilla. En cambio, si tu compañero no participa activamente, deberás completar el proceso de descubrimiento desde «fuera hacia dentro» y sin la cooperación de la persona amada. No es malo, aunque sea más complicado.

Tu mayor área de peligro está centrada en tus creencias y opiniones firmes. Debe quedarte claro que tu opinión sobre tu pareja es la consecuencia de las experiencias e interacciones que se han producido en vuestra relación. Algunas de estas creencias serán precisas y correctas mientras que, otras, el resultado de la distorsión producida por el conflicto emocional y el dolor. Si permites que las creencias firmes alteren la opinión que tienes de tu pareja y sus necesidades, dejas que la historia, sea correcta o no, controle tus percepciones en el presente. Es muy importante que controles esta tendencia natural. Mira a tu compañero con «ojos actuales» en oposición al pasado y a su carga de ideas fijas y reproches históricos.

El segundo problema peligroso con el que te encontrarás será hacer demasiadas presunciones sobre lo que tu pareja piensa, siente y quiere. De hecho, ella no está participando en este proceso, por tanto te resulta imposible evitar formularte ciertas suposiciones. No obstante, debes esforzarte al máximo para evitar conjeturas. Utiliza tus habilidades para investigar y asegúrate de tener los datos necesarios a fin de apoyar tus conclusiones acerca de lo que tu pareja desea y necesita, sobre sus temores y sus cualidades.

Si estás alerta ante estos dos peligros, conseguirás ser un buen investigador y ése es nuestro objetivo.

Por último, antes de que describas a tu compañero, te recomiendo que consideres dar a este reto la máxima importancia y prioridad absoluta. No te limites a «estar dispuesto» a aprender y a saber más acerca de él, tus acciones serán consistentes e irán orientadas a esforzarte mucho. Dar prioridad a tu relación de pareja es fundamental para restablecer la comunicación con la persona amada.

Aunque tu compañero no participe en este programa, no es necesario que seas sutil o discreto. Al contrario, es más que posible que tu compañero se sienta halagado por las atenciones y los esfuerzos que inviertes en conocerlo.

Construir el perfil de la pareja

Los profesionales en ventas saben que estudiar al cliente es el primer paso para efectuar una venta con éxito. Obviamente, el dependiente de la tienda de la esquina no necesita analizarnos para vendernos un cepillo de dientes o unos cordones para los zapatos. Pero, cuanto más compleja sea la transacción, más probabilidades hay de que el vendedor deba estudiar al cliente; sabe que cuanto más investigue, mejor será la relación que establezca con él y esto aumentará las posibilidades de negociar favorablemente.

Tomemos como ejemplo a un comercial de inmobiliaria. Mucho antes siquiera de que hayas entrado en la casa o el apartamento, intentará sonsacarte tanta información como le sea posible. Le dirás cuántos hijos tienes, dónde trabajas y desde hace cuánto tiempo buscas una casa. Querrá saber cuántas habitaciones te hacen falta y si quieres tener más de un lavabo. En menos de dos horas, tu agente inmobiliario poseerá mucha información personal: tus prioridades, qué es lo que no te gusta de tu casa actual, cuáles son tus hobbies...

Todas las transacciones implican el desarrollo de relaciones y todas las relaciones implican transacciones. La mejor relación está dotada de una comprensión y un entendimiento verdaderos de la otra persona para que la transacción sea significativa. En los negocios, la moneda es el dinero. En las relaciones íntimas, la moneda se establece en función de los sentimientos y las experiencias. En el curso y comercio de las relaciones, recompensas a tu pareja con sentimientos de amor, aceptación, pertenencia y seguridad. A su vez, eres recompensado de la misma manera. No puedes darle lo que necesita si desconoces qué es. Tu pareja tampoco puede darte lo que necesitas si no sabe de qué se trata. Si buscaras una casa o un apartamento, apreciarías el esfuerzo extra que realiza el agente inmobiliario para intentar entenderte. Reconocerías que procura ofrecerte alternativas válidas. A largo plazo, el perfil de ti que ha construido el comercial, servirá a sus intereses pero también a los tuyos.

Supón que debes determinar un perfil similar, pero no de tu pareja comercial sino sentimental. Como resulta imposible que luches o reacciones contra lo que desconoces, será sumamente importante identificar y completar esta falta de información. ¿Conoces bien a tu pareja? Debes de pensar que sí. Con todo, sospecho que te han sorprendido algunos de los descubrimientos sobre ti mismo. Tal vez hayas identificado ciertas necesidades que no sabías que tenías o que nunca habías verbalizado.

De la misma manera, creo que no deja de ser sorprendente el descubrimiento de tu pareja. Probablemente te llame la atención lo que no sabías acerca de ella.

Para poder establecer una primera valoración del conocimiento de tu compañero, realiza el siguiente test de verdadero/falso. No lo completes en compañía de tu pareja porque estarías haciendo trampa. En cambio, deja que sea una estimación sincera sobre lo bien que conoces a tu amante actualmente.

• Puedo nombrar a los tres mejores amigos de mi compañero.
• Sé cuáles son las habilidades por las que se siente más orgulloso.
• Soy capaz de identificar el momento más feliz de su vida.
• Tengo la noción de cuál ha sido la pérdida más importante en su pasado.
• Puedo describir qué es lo más conflictivo para él al relacionarse con sus padres.
• Sé qué emisora de radio escucha mientras conduce.
• Puedo decir qué parientes intentará evitar en una reunión familiar.
• Soy capaz de describir el suceso más traumático experimentado por mi pareja en su infancia.
• Me ha manifestado claramente qué es lo que quiere en la vida.
• Puedo identificar cuáles son los obstáculos que cree tener en el camino hacia sus metas.
• Sé qué rasgos físicos lo acomplejan más.
• Recuerdo cuáles fueron las primeras impresiones que tuve de él.

• Sé cuál es la primera sección que lee en el periódico del domingo.

• Puedo describir, con algunos detalles, el contexto familiar en el que creció.

• Sé qué lo hace reír.

• Tengo claro qué dirían mis suegros si se les preguntara qué los hace sentir más orgullosos de mi pareja.

• Sé cuáles han sido las decisiones que tomó antes de conocernos de las que ahora se arrepiente; ella puede decir lo mismo respecto a mí.

• Puedo decir qué es lo primero que mira del menú de un restaurante.

• Soy capaz de citar tres cosas que mi compañero me dice sólo a mí.

• Estoy muy familiarizado con sus creencias religiosas.

Puntuación: has de darte 1 punto por cada respuesta verdadera. Si tu puntuación es superior a 10, has desarrollado un conocimiento realmente completo sobre tu pareja. Pero aún no ha llegado el momento de festejar y descorchar el champán, todavía queda un largo camino por recorrer, mucho por descubrir y explorar.

En cambio, si tu puntuación es menor o igual a 10, sugiere que esta oportunidad de establecer e investigar profundamente el perfil de tu pareja se produce en un momento crítico en tu relación.

De todas formas, independientemente de los resultados, no existe un sentimiento más especial para ninguno de nosotros que saber que nuestra pareja está interesada en nuestra vida. Que nos entienda y aprecie nuestras necesidades individuales, nutre la relación con fuerza y energía.

El perfil de tu pareja, que estás a punto de establecer, se basa en estas verdades fundamentales acerca de las relaciones:

• No puedes satisfacer las necesidades de tu compañero si no sabes cuáles son.
• Es imposible identificar las necesidades de tu pareja si no la conoces bien.

Tu pareja tiene su historia igual que tú. Hubo un tiempo en el que tu compañero estaba rodeado por los brazos de su madre, otro en el que empezaba a jugar y experimentaba una sensación de bienestar con cada uno de los descubrimientos que la vida le ofrecía. Alguna vez se ha sentido asustado, herido, decepcionado y también ganador. Debes de estar pensando, «yo ya sé todo esto». Pero, ¿hace cuánto tiempo no piensas en ello?, ¿en tu pareja como ser humano con sentimientos e inteligencia, un pasado, esperanzas y sueños? Una persona real con necesidades y orgullo, con intereses, que intenta salir adelante en este mundo de la mejor manera posible, como tú. Ahora es el momento de abordar así a la persona amada. Para vincularte a ella o reforzar la relación debes conocerla y mirarla desde dentro hacia fuera. El perfil de tu pareja es un proceso de descubrimiento o redescubrimiento que os beneficiará a los dos enormemente.

Una vez hayas empezado el perfil de tu pareja, puedes pensar que algunos datos son innecesarios puesto que tú ya los conoces demasiado bien. No te preocupes: una de las funciones de diseñar el perfil de tu pareja consiste en ayudarte a identificar cuáles son los aspectos que genuinamente conoces de ella, en oposición a las preconcepciones rígidas que fabricaste sobre tu compañero a lo largo de la relación, que ya son pasado o que ni siquiera son reales. El perfil contribuirá a rechazar estas ideas firmes y erróneas y te brindará una gran oportunidad de concentrarte en lo que hace que tu pareja sea única en todo el mundo.

Modificar la manera de pensar respecto a otra persona implica necesariamente un cambio profundo en tus reacciones hacia ella. Cuando desafías tus opiniones y creencias fijas acerca de tu compañero y las reemplazas por un conocimiento nuevo y reciente, puedes acercar las distancias entre los dos. Para mí, esta idea es similar a las diferencias que se establecen entre los pilotos de aviones que tiran bombas y los soldados que están luchando en tierra. Muchas veces, los soldados deben mirar al enemigo a los ojos y apretar el gatillo, siendo perfectamente conscientes de que están a punto de segar la vida de una persona. En cambio, los pilotos de aviones que sobrevuelan la zona de guerra a una altura y velocidad considerables no tienen contacto con las personas a las que eliminarán. Para el piloto no hay sangre, llantos ni terror, no ve el horror reflejado en los ojos de la víctima. Sencillamente está bombardeando el blanco, unas coordenadas en un mapa.

Las guerras de lejos, detrás de unas paredes frías e impersonales, prolongan y deshumanizan el conflicto. Reflexiona sobre qué pasaría si los combatientes, antes de empezar la guerra, se vieran forzados a convivir con sus enemigos durante un período de tiempo. Supón que deben contemplar a sus enemigos arropando a sus hijos por la noche, leyéndoles historias, frotándoles la espalda y deseándoles buenas noches. ¿Podrían quitarles la vida brutalmente?

Las ideas fijas y los estereotipos arrastrados del pasado son como las lentes manipuladoras. Artificialmente reflejan la distancia que te separa de tu compañero. Por supuesto, si tu meta es prolongar los conflictos y mantener esa relación fría con tu pareja, es conveniente que sigas aferrándote a esos conceptos rígidos que han despersonalizado a tu amante. Mantén tales supuestos que lo han convertido en un «blanco» en vez de en un ser humano.

Pero, si estás listo para una revisión de tu relación, piensa en el siguiente perfil de la pareja como en una oportunidad de contemplar a la persona amada con una mirada entrañable. Haz que, en este momento, entenderla sea tu objetivo. Si estás de acuerdo conmigo en que al vender una vivienda es necesario hacer ciertos deberes, ¿cuánto más importante es para ti entender las necesidades de la persona con la que compartes tu vida? ¿Cuánto esfuerzo y penetración psicológica necesita y merece la «venta» de toda una vida, de una relación satisfactoria y plena?

He realizado el perfil para estimularte a hacer un poco de trabajo de detective. Utiliza tu diario para contestar tan bien como puedas a las siguientes preguntas acerca de tu compañero. Piensa que cada pregunta sin responder te servirá como meta para indagar e investigar; esto incluye todas las respuestas falsas que hayas contestado en el test de conocimiento de la pareja de la página 187. En la primera parte, indica si crees o no que ésta haya sido una relación de alta o baja calidad. Explica por qué piensas que ha sido una cosa u otra tomando como referente que la relación satisfaga las necesidades de ambos en las cinco categorías que hemos identificado: emocionales, físicas, espirituales, sociales, de seguridad.

En otras palabras, en las preguntas que hagan referencia a las relaciones maternas de tu pareja, si crees que la relación ha sido de baja calidad para la madre de tu compañero, ¿qué categorías no han sido satisfechas?

No vale la ayuda de tu pareja para responder a las preguntas. Por ahora, inténtalo solo.

A medida que trabajes en su perfil, verás que algunas de las preguntas pueden responderse con un sí o un no. Otras necesitan un par de frases, mientras que el resto requiere un párrafo para poder contestarse correctamente. Cuando decidas la cantidad de detalles que quieres incluir en cada respuesta, recuerda lo siguiente: las estrategias de las relaciones que intentaré desarrollar en los últimos capítulos dependerán de tu habilidad para definir claramente tanto tus propias necesidades como las de tu pareja.

Quieres construir estrategias basadas en decisiones establecidas por la costumbre y el hábito en tu situación particular, que corresponden a medias verdades y suposiciones. Así que ten el coraje de ser más preciso y más honesto en tus respuestas.

Asume este perfil como la posibilidad de volver a examinar lo qué crees saber sobre tu pareja. Utiliza este perfil para arrancar de raíz y descartar las suposiciones fijas que tienes sobre tu compañero y reemplazarlas por una genuina y correcta penetración psicológica. Una vez más, cuanto más completo sea, más efectivo serás al buscar nuevos vínculos con tu compañero.

Una nota final antes de comenzar: algunas preguntas están relacionadas con personas que, a pesar de ser extremadamente importantes en la vida de tu pareja, puede que estén muertas. Por favor, haz todo lo posible para contestar correcta y completamente a estas preguntas, con la misma dedicación que si hicieran referencia a una persona viva. Igual que con el resto del perfil, rechaza la tentación de pedir ayuda a tu compañero para rellenar lo que desconoces.

Historia familiar
Respuestas cortas: cada una de estas preguntas debe contestarse con una o dos frases en tu diario.

Nombre completo de tu pareja
• ¿Por qué se llama así tu compañero?
• ¿Es un nombre heredado de alguien llamado igual en su familia? ¿Quién? ¿Por qué ése y no otro? ¿Qué importancia y significado tiene esa persona en la vida de tu pareja o en la de sus padres?
• ¿Sabes algo más de su nombre? Explícalo.
• ¿Le gusta su nombre? ¿Por qué?

Edad
• ¿Tiene dificultades para aceptar su edad? ¿En qué sentido?
• ¿Se siente demasiado mayor? ¿Muy joven?
• ¿Desearía tener otra edad? Explícalo.
• ¿Tiene la misma edad que tú? ¿Influye en la relación?

Relación maternal
• ¿Está viva la madre de tu compañero?
• ¿En caso de que estuviera muerta? ¿Implica algún problema?
• ¿Tu pareja considera la relación con su madre una ventaja o un inconveniente?
• ¿Crees que mantienen una relación sana?
• ¿Siente tu compañero que su madre está orgullosa de él?
• ¿Tu pareja la trata constantemente con dignidad y suficiente respeto?
• Por contraste, ¿crees que tu compañero se aprovecha o explota a ese miembro de la familia?
• ¿Es esta relación abiertamente afectuosa y cálida?
• ¿Siente culpa por algo?

Ejercicio escrito: describe la relación de tu compañero con su madre. Utiliza tu diario para registrar tus respuestas a las siguientes preguntas. Por favor, recuerda que están diseñadas para incentivar tu reflexión acerca de este vínculo. Debes sentirte libre para escribir cualquier tipo de información que consideres oportuna. Si la madre de tu pareja ha muerto, has de interpretar estas preguntas con verbos en pasado.

• ¿Cómo manejan los problemas tanto la madre como el hijo/a (tu pareja)? ¿Cómo se enfrentan los dos a las frustraciones? ¿Expresan sus opiniones o tu pareja simplemente la complace? ¿Puedes describir las estrategias que cada uno de ellos utiliza cuando entran en conflicto? ¿Qué conductas manifiestan cada uno de ellos?
• ¿Cuál es la mejor característica de esta relación? Por contraste, ¿cuál es el mayor problema?
• ¿Ha habido momentos en que tu compañero haya sentido que su madre invadía su espacio íntimo? En caso de que así sea, ¿cómo reaccionó tu pareja ante esa intromisión? ¿Comunicó claramente que no aceptaba esa conducta?
• ¿Dirías que en general la relación de tu pareja con su madre es negativa o positiva? ¿Por qué?

Relación paternal
• ¿Está vivo el padre de tu pareja?
• En caso de que estuviera muerto, ¿implica algún inconveniente o problema en la relación?
• ¿Tu pareja considera la relación con su padre una ventaja o un inconveniente?
• ¿Crees que mantienen una relación sana?
• ¿Siente tu pareja que su padre está orgulloso de ella?

• ¿Tu amante lo trata permanente y constantemente con dignidad y respeto?

• Por contraste, ¿crees que se aprovecha o explota a este miembro de la familia?

• ¿Es esta relación abiertamente afectuosa y cálida?

• ¿Siente culpa por algo?

Ejercicio escrito: igual que con la madre de tu pareja, define la relación de tu compañero con su padre. Vuelve a utilizar tu diario para registrar tus respuestas a las siguientes preguntas. Por favor, recuerda que todas ellas están diseñadas para incentivar tu reflexión acerca de este vínculo. Es importante que te sientes suficientemente libre para escribir cualquier tipo de información que consideres oportuna. Si el padre de tu pareja ha muerto, interpreta estas preguntas con verbos en pasado.

• ¿Cómo manejan los problemas tanto el padre como el hijo/a (tu pareja)? ¿Cómo se enfrentan los dos a las frustraciones? ¿Expresan sus opiniones o tu compañero simplemente lo complace? ¿Puedes describir las estrategias que cada uno de ellos utiliza cuando surge un conflicto entre ellos? ¿Qué conductas manifiestan?

• ¿Cuál es la mejor característica de esta relación? Por contraste, ¿cuál es el mayor problema?

• ¿Ha habido momentos en que tu compañero haya sentido que su padre invadía su espacio? En caso de que así sea, ¿cómo reaccionó tu pareja ante esa intromisión? ¿Comunicó claramente que no aceptaba esa conducta o, en cambio, respondió de otra manera?

• ¿Dirías que en general la relación de tu pareja con su padre es negativa o positiva? ¿Por qué?

Relaciones con los hermanos/as (responde por cada hermano/a)

• ¿Está vivo el hermano/a de tu compañero?

• En caso de que estuviera muerto/a, ¿esto implica algún problema?

• ¿Tu pareja considera la relación con su hermano/a una ventaja o un inconveniente?

• ¿Crees que mantienen una relación sana?

• ¿Siente tu pareja que este hermano/a está orgulloso de ella?

• ¿Tu amante lo trata constantemente con dignidad y respeto?

• Por contraste, ¿crees que se aprovecha o explota a este miembro de la familia?

• ¿Es esta relación abiertamente afectuosa y cálida?

• ¿Siente culpa por algo en esta relación?

Ejercicio escrito: tal y como hiciste en los otros ejercicios de tu pareja, utiliza tu diario para registrar tus respuestas a las siguientes estimulantes preguntas acerca de los hermanos y hermanas de tu pareja. Debes sentirte libre para registrar otro tipo de información que consideres oportuna.

• ¿Cómo manejan los problemas tanto tu pareja como su hermano/a? ¿Cómo se enfrentan los dos a las frustraciones? ¿Expresan sus opiniones o tu compañero simplemente lo complace? ¿Puedes describir las estrategias que cada uno de ellos utiliza cuando surge un conflicto entre ellos? ¿Qué conductas manifiestan?

• ¿Cuál es la mejor característica de esta relación? Por contraste, ¿cuál es el mayor problema?

• ¿Ha habido momentos en que tu compañero haya sentido que su hermano/a invadía su espacio psicológico íntimo? En caso de que así sea, ¿cómo reaccionó tu pareja ante esa intromisión?

¿Comunicó claramente que no aceptaba esa conducta o, en cambio, respondió de otra manera?
• ¿Dirías que en general la relación de tu pareja con su hermano/a es negativa o positiva? ¿Por qué?

Tiempo libre: antes de avanzar hasta la siguiente sección del perfil déjame sugerirte que dejes tu diario de lado por el momento. Tómate un tiempo para relajarte, sentirte cómodo y despejar las dudas; así estarás del todo perceptivo para el siguiente ejercicio.

Esbozo de la relación
Acabas de responder a unas cuantas preguntas muy precisas sobre cada uno de los miembros de la familia de tu pareja. Ahora realiza una especie de miniperfil o estudio sobre la relación que tienen entre ellos los padres de tu pareja. Para poder llevar esto a cabo, será muy útil que evoques una imagen mental de los dos, utilizando una serie de preguntas que te ayude a desarrollar esa imagen (lo más detallada posible).

De nuevo, si uno de los padres ha fallecido, intenta visualizar esta relación tal y como la recuerdas. Las preguntas están formuladas en un tiempo verbal presente, pero es obvio que recordarás cosas del pasado.

Si hubieran padrastros o madrastras implicados, focaliza las preguntas en la relación de los padres que creas que más ha influido a tu compañero. Esfuérzate en responder sin la ayuda de la persona amada.

Se dice que lo mejor es leer la receta de principio a fin antes de ponerse a cocinar. Utiliza la misma idea aquí, estudia cuidadosamente las siguientes preguntas, una a una, con todo detalle antes de responder.

• Imagina juntos a los padres de tu pareja: en tu imaginación, ¿dónde están? Si los ves dentro de casa, ¿en qué habitación están?, ¿qué hacen?

• ¿La relación entre los dos se puede clasificar de afectuosa o distante? ¿Cómo expresan afecto el uno por el otro? ¿Utilizan gestos físicos, expresiones preferidas o frases favoritas para demostrarse cariño?

• Imagina un conflicto. ¿Sus desacuerdos aumentan hasta hacer de la discusión un campo de batalla o, en cambio, por muy embarazoso que sea el problema, es rápidamente suprimido? ¿Cómo caracterizarías su estilo de discusión? ¿Qué estrategias utiliza cada uno para resolver el conflicto? A lo mejor, cada uno se siente libre para poder expresar lo que realmente piensa o quizá uno de ellos abandona rápidamente la habitación negándose a negociar.

• ¿Crees que han sido fieles y leales entre ellos?

• ¿Ríen juntos? ¿Cómo?

• ¿Son amigos? ¿Consideran cada uno de ellos al otro como su mejor amigo? En caso contrario, ¿qué necesidades se están pasando por alto para que uno de los dos busque fuera de la relación aquello que le falta? Por contraste, ¿cada uno de ellos tiene por separado un grupo de amigos muy íntimos con el que les guste pasar el tiempo?

• ¿Qué tipo de ambiente familiar crearon? ¿Hay tensión en el aire? Cuando vienen visitas, ¿se sienten inmediatamente cómodas y bien recibidas o se clavan en una silla esperando la oportunidad de escapar?

• ¿Qué conductas negativas o ataques repentinos ves en la relación de los padres de tu pareja? A lo mejor hay estrés o crisis de algún tipo, que uno de ellos no puede manejar bien. Piensa en estas situaciones y en la posible influencia en sus hijos.

Ahora regresa a tu diario. Utilizando estas últimas preguntas como guía, haz una descripción escrita de la relación entre los padres de tu compañero. Escribe lo que sabes de ellos como miembros de la pareja.

Otras relaciones de tu pareja
Es momento de prestar atención a sus otras relaciones. Contesta en tu diario con respuestas cortas, de una o dos frases, a las siguientes preguntas. Otra vez, no acudas a tu pareja para que te ayude.

- ¿Quiénes son los mejores amigos de tu pareja? ¿Por qué son sus mejores amigos? ¿Qué tienen ellos para que tu compañero quiera pasar el tiempo en su compañía? ¿Cómo trata tu pareja a estos amigos?
- En general, ¿cuál es su actitud con el sexo opuesto?
- Durante la infancia, ¿tuvo mejores amigos? ¿Quiénes eran?
- ¿Qué tipo de personas son las que no gustan a tu amante?
- ¿Qué relación establece con los mayores? ¿De qué modo los trata?
- ¿Cómo se siente respecto a los animales? ¿De qué modo los trata?
- Exceptuándote a ti, ¿a quién más acude en busca de compañía y calor?
- ¿Ha sido engañada alguna vez? ¿Le han roto el corazón? ¿Quién? ¿Cuáles fueron las circunstancias? ¿Cómo respondió tu pareja?
- ¿Cuál ha sido la historia sentimental de tu compañero antes que tú?
- ¿Qué sabes de las relaciones anteriores?
- ¿Qué tipo de modelo y de relaciones sociales prefiere? Los fines de semana, ¿debe llenarlos de actividades y caras nuevas

o le gusta quedarse en casa? ¿Cuál es la mejor situación social para tu pareja?

• ¿Tiene amigos en el trabajo? ¿Qué piensa de ellos?

• ¿Es aceptada por sus compañeros? ¿Por qué?

• ¿Le importa lo que los demás piensen de ella?

• ¿Consideras que es una persona leal?

• ¿Crees que es fiel?

• ¿Cómo se siente respecto a su familia: padres, hermanos, familiares...?

• ¿Qué clase de personas son capaces de intimidarlo?

• ¿Qué opinión tiene sobre su vida? ¿Se siente mal respecto a lo que es o está orgulloso de lo que ha conseguido?

• ¿Cómo responde tu amante a la autoridad?

«Aproximación» a tu pareja

La palabra «aproximación» es muy útil, en este caso, porque hace referencia al modo en que las personas se comprometen con el mundo.

Por ejemplo, cuando entran en una habitación llena de caras desconocidas, algunos individuos se mezclan con la multitud porque no pueden estar cómodos, necesitan formar parte de la acción. Otros prefieren filtrarse en la habitación como si fueran una fragancia; pronto estarán cómodos, pero ésta es su manera previa de situarse.

Unos y otros se aproximan de manera diferente. Todo el mundo, incluida tu pareja, tiene un modo de acercarse o un estilo de ser propio.

Elige la respuesta correcta: piensa en la forma de ser de tu compañero y luego escoge la respuesta *a* o *b* en cada una de las siguiente preguntas:

- Cuando llegamos juntos a una fiesta en la que hay muchos desconocidos, mi compañero:
  - a- su primera reacción es apartarse y esperar a que alguien inicie una conversación
  - b- busca acción y se mezcla con la gente que parece estar pasándoselo mejor
- Creo que mi pareja es:
  - a- participativa
  - b- pasiva
- Describiría a mi amante como:
  - a- un líder
  - b- uno más
- Mi pareja:
  - a- es valiente
  - b- se deja arrastrar
- En términos generales, podría ser descrita como:
  - a- perezosa
  - b- trabajadora
- Mi compañero está:
  - a- mayoritariamente satisfecho y contento con su vida
  - b- descontento y frustrado
- Mi pareja:
  - a- vive en un área cómoda evitando conflictos externos a la familia
  - b- tiene un espíritu aventurero y busca desafíos nuevos
- Tiende a ser:
  - a- flexible
  - b- rígida

Respuestas cortas: ahora responde a las preguntas sobre la «aproximación» con una o dos frases en tu diario.

- ¿Qué es lo que tu pareja considera gracioso y divertido?
- ¿Qué encuentra ofensivo?
- ¿Recuerda mucho el pasado? ¿Qué tipo de sucesos?
- ¿Cómo se siente al pensar en su infancia?
- ¿Dirías que le resulta fácil expresarse emocionalmente?
- ¿Cómo responde cuando el ambiente está cargado de tensión emocional?

Los «puntos de frustración» de tu pareja

Será muy útil confeccionar una imagen y verbalizar los puntos de frustración de tu pareja. Me refiero a los factores que a tu pareja le provocan estrés y dificultades y su reacción ante ellos.

Antes de escribir nada tómate un tiempo para reflexionar sobre las siguientes cuestiones. Para cada pregunta, comprueba si realmente puedes visualizar en tu mente toda la situación con rapidez.

¿Cuáles son las grandes frustraciones de tu pareja? Al considerar esta pregunta, intenta identificar dos o tres factores de frustración que estén presentes en diferentes áreas de su vida:

- En el trabajo.
- En casa.
- Al tratar con algunos parientes.
- Respecto a cuestiones concretas.
- ¿Puedes predecir cómo manifestará tu compañero sus frustraciones? ¿Qué hace cuando se siente frustrado?
- ¿Mantiene una actitud positiva a pesar de que las cosas no marchen especialmente bien?
- ¿Qué hace si está enfadado?
- Menciona dos o tres factores que siempre lo hacen enfadar.
- ¿Cuán importante es la paz y la armonía para él?

• ¿Dirías que es de los que perdonan o más bien es vengativo?
• ¿Cuán competitiva es tu pareja?
• ¿Cómo se siente respecto a la confrontación?
• ¿Es buena en los deportes? ¿Sabe ganar y perder?
• ¿Suele echarle la culpa a los demás y se queja con frecuencia o acepta los hechos y sigue adelante?
• ¿Es insegura? ¿En qué sentido?
• ¿Qué hace cuando se siente herido?
• ¿Se siente apreciada y querida?

Ahora ya tienes la suficiente capacidad para escribir en tu diario acerca de las frustraciones de tu pareja. Recuerda incluir sus posibles reacciones.

Éxito, fracaso y pérdida

Respuestas cortas: debes responder, en tu diario, a cada una de estas preguntas con una o dos frases como máximo.

• ¿En qué consiste el éxito para tu pareja? Por ejemplo, ¿el dinero es el elemento que define el éxito? O ¿este último significa la ausencia de muchos conflictos? ¿Se siente «con éxito» cuando la familia puede mantener relaciones armoniosas o en la casa se respira cierta paz?
• ¿Cuál ha sido el mayor éxito en su vida? ¿Cuáles han sido sus victorias más relevantes?
• ¿Cuáles han sido los grandes fracasos de tu compañero? ¿Cuáles han sido sus más grandes derrotas?
• ¿Cuáles son sus limitaciones? ¿Las reconoce?
• ¿Ha experimentado una o más tragedias importantes? ¿Cuáles son?
• ¿Es capaz de pedir perdón cuando se equivoca?

Asuntos profesionales y financieros
Respuestas cortas: responde en tu diario cada una de estas preguntas con una o dos frases como máximo.

• ¿Está tu pareja satisfecha con su trabajo?
• Si pudiera escoger un empleo diferente, ¿cuál sería? ¿Qué satisfacciones nuevas le brindaría esta nueva situación laboral respecto de la actual?
• ¿Considera que gana suficiente dinero?
• ¿Es tu compañero responsable en temas económicos?

Cuestiones relativas al cuerpo y la mente
Respuestas cortas: responde en tu diario cada una de estas preguntas con una o dos frases como máximo.

• Escoge, reflexionándolo bien, el rasgo paterno que crees que tu pareja ha podido heredar:
  - Médico
  - Psicológico
  - Relacional (por ejemplo, su capacidad o incapacidad de mantener relaciones sociales)
• ¿Cuán inteligente es tu pareja?
• ¿Cuán inteligente cree ser?
• ¿Está a gusto con su apariencia física?
• ¿Cuál es su deporte preferido?
• ¿Cuál es su nivel deseado de actividad sexual?
• ¿Cuáles son las comidas favoritas de tu compañero?
• ¿Qué tipo de música le gusta más?
• ¿Cuáles son sus gustos artísticos?
• ¿Qué intereses tiene?
• ¿Qué le gusta hacer en su tiempo libre?

Principios y prioridades

- ¿Tu pareja está comprometida con ciertos principios? ¿Cuáles son? ¿Qué creencias manifiesta?
- ¿Cuándo refleja su ideología?
- ¿Cuáles son las tendencias políticas de tu pareja?
- ¿Sabes cuáles son las cinco prioridades fundamentales para tu compañero? Haz una lista.
- ¿Es optimista respecto al futuro?
- ¿Con qué se muestra más apasionado?
- ¿De qué se siente más orgulloso en su vida?
- ¿Cuáles son sus grandes miedos?
- ¿Qué hace cuando tiene miedo?
- ¿En qué consiste su vida espiritual?
- ¿Qué cree sobre la vida y la muerte?

Tiempo libre: las siguientes preguntas requieren tu máxima concentración. Tómate un rato de descanso y, a continuación, cuando te sientas preparado, lee atentamente cada una de las preguntas antes de responderlas.

Espero que, llegados a este punto del perfil, reconozcas la delicada naturaleza de tu tarea. Eres el guardián de importantes datos, de información muy valiosa y frágil. Esta parte del perfil es la más delicada porque las siguientes preguntas están dirigidas a revelar información sensible y fundamental para tu trabajo. En consecuencia, dedícales tu máxima atención y energía y ten en cuenta que todo esto es privado, sólo para ti.

Pregunta 1
Si tu pareja pudiera escoger un lugar para encontrarse con una persona con la que quisiera estar y realizar lo que más le gusta hacer, ¿qué sitio sería, con quién estaría y que haría?

Pregunta 2

¿Cuál fue el momento más feliz en la vida de tu pareja? Si sucedió en el pasado, ¿por qué se acabó? ¿Qué es lo que ha cambiado: tu pareja o el mundo?

Pregunta 3

¿Qué quiere tu compañero? A continuación responde a la siguiente pregunta: ¿Qué obstáculos le impiden conseguirlo?

Pregunta 4

¿Por qué tu pareja te ha elegido para establecer una relación íntima? Utilizando la información que posees acerca de la historia familiar de tu compañero, sus diferentes relaciones y otras cuestiones vitales, ¿cuáles fueron las causas por las que tu pareja se sintió atraído por ti y que provocaron que te arrastrara hasta un mundo íntimo y privado?

Pregunta 5

¿Cuáles son los mayores defectos de tu pareja?

Juntar toda la información

Al construir el «perfil de tu pareja», confío en que hayas dedicado mucha atención y cuidado a cada una de las preguntas formuladas en el proceso y que hayas podido expresarte de la forma más honesta y sincera. Seguramente has descubierto unos cuantos agujeros de información que te hayan impedido responder a algunas de las preguntas. No te preocupes, lo más importante es tener muy claro lo que sabes y entiendes acerca de tu pareja.

Aún nos queda un paso crítico en este perfil. Echa un vistazo a la información que has recogido y verás que hemos

LA FÓRMULA DEL ÉXITO

establecido cinco categorías de necesidades: emocionales, físicas, espirituales, sociales y de seguridad. Antes de poder dar por completado el perfil de tu pareja, debes redactar la misma lista de necesidades desde el punto de vista de la persona amada.

Para hacer esto de la forma correcta, seguramente querrás releer tus respuestas a las preguntas antes formuladas. Mientras lees lo que has escrito, asume el rol de detective para saber cómo es tu pareja. Recuerda que estas categorías de necesidades han de reflejar, tanto como sea posible, su punto de vista.

• Necesidades emocionales
• Necesidades físicas
• Necesidades espirituales
• Necesidades sociales
• Necesidades de seguridad

Ahora tómate un tiempo para escribir tus percepciones sobre las diferentes necesidades de tu pareja en cada una de estas categorías. Por ejemplo, si al leer el perfil dices: «Cuando pienso retrospectivamente, no encuentro a nadie que le haya dicho que es especial alguna vez. Nunca ha tenido esa satisfacción», en la categoría de necesidades emocionales escribirás: «Le hace falta saber que es especial».

Surgirán tres o cuatro necesidades emocionales más a medida que leas lo que has escrito. De todas maneras, considera que este perfil es un microscopio que te ayudará a ver las necesidades de tu compañero. Esta lista estará acabada cuando hayas identificado las carencias inmediatas de tu pareja para cada una de estas categorías. A continuación, vuelve a leer la primera categoría; supongamos que se trata de la de las emociones. Lee la primera necesidad que has apuntado y formúlate la siguiente pregunta:

¿Qué tres cosas puedo hacer ahora para satisfacer esa necesidad de mi pareja?

No te limites a meditar y responde a la pregunta. Haz una lista con tres pasos inmediatos de acción dirigidos a solucionar el tema. Si ésta es: «Le hace falta saber que alguien en este mundo piensa que es especial», tendrás que responder con los siguientes tres pasos de acción (éstos son, por supuesto, meros ejemplos):

• «Puedo decirle que es único y comentarle la suerte que tienen nuestros hijos de tenerlo como padre.»
• «Cuando miremos la televisión y en la pantalla aparezca alguna pareja con problemas, debería decirle que soy afortunado de estar casado con alguien tan fuerte y estable.»
• «Si estamos comiendo puedo decirle que siempre lo querré, independientemente del trabajo que tenga.»

No continúes leyendo hasta que seas capaz de aportar tres pasos de acción para las necesidades específicas de tu pareja en cada una de las cinco categorías. No pases a la acción, ya que cómo actuar ante cada una de estas necesidades y cómo elaborar buenas estrategias es materia del próximo capítulo.

Ahora mismo tu meta es conocer y meditar profundamente. No debes avanzar si no puedes afirmar con claridad: «Mi pareja tiene esa necesidad y yo conozco tres pasos para satisfacerla».

Al completar esta información sustancial, has dado un paso de gigante en el camino de restablecer la comunicación con tu pareja. Continúa «mimando» esta información. Estás descubriendo o redescubriendo a la persona amada, así que ten coraje y fuerza porque vas por el buen camino.

Restablece la comunicación con tu pareja

Hasta ahora todo lo que has hecho ha sido intrapersonal o completamente individual. Es momento de incluir a tu pareja. Debes convertirte en líder.

Como he dicho antes, el conocimiento es poder. Gracias al conocimiento que ya tienes, tanto si te consideras un líder como si no, estás en una posición de liderazgo en la relación. Te encuentras en una situación preferencial para establecer una comunicación significativa con la persona amada. Nunca has estado mejor preparado y, a menos que tu pareja te haya frustrado cada paso que dabas mientras leías este libro, tienes que respetarla a fin de mejorar la relación. Has reconocido la verdad, has podido alejarte del conflicto, desarrollado el buen espíritu y un pensamiento correcto, identificado tus necesidades y las de tu pareja y, posteriormente, has actuado de manera correcta con acciones concretas y pasos específicos que ambos podéis realizar para satisfacer las necesidades del otro.

Permíteme ser muy claro acerca del objetivo que perseguimos al incluir a tu compañero. Estás listo para lograr lo que quieres y lo que necesitas y lo que tu pareja quiere y necesita. No termines este libro pensando: «Bien, al menos he adquirido otra manera de percibir lo que nos sucede». Una mayor comprensión del asunto tampoco te servirá de nada a menos que actúes. No deberías conformarte hasta cambiar vuestra convivencia. Te has conformado con muy poco, aceptando cuestiones que no querías durante casi una eternidad. De aquí en adelante, el éxito se medirá por los resultados, estará determinado exclusivamente por el lugar donde se encuentre vuestra relación de aquí un mes, seis meses o cinco años. Éste será el único criterio determinante. Si en ese período de tiempo tu relación sigue igual que hasta ahora o aún peor, no habrás hecho tu trabajo y yo tampoco habré hecho el mío.

Debes tener una idea clara de lo que significa la palabra éxito en este contexto. Generalmente lo asociamos con el dinero, la belleza, las conquistas y los bienes materiales, pero esa definición no es buena en nuestro caso. Me refiero a la paz y la armonía, a una realidad para la pareja que sea tal y como la habíais soñado de jóvenes. Pues depende de ti, no existe un terreno neutral ni ninguna excusa. En el pasado, cuando traías malas actitudes a la relación, contribuías activamente a su contaminación. Eso no era bueno, pero no sabías hacerlo de otro modo. En cambio, ahora tienes el poder para controlar e inspirar tu relación. Todo lo que tienes que hacer es ponerte en situación, actuar en consecuencia y, luego, exigir los resultados.

Repetiré lo que se entiende por exigir los resultados. No se trata en absoluto de que tú controles la relación para tus propios fines, tu éxito consistirá en que los dos seáis ganadores. Recuerda la siguiente frase: «Satisface las necesidades de las dos personas involucradas». Cada uno percibe en función de cómo le afecta personalmente. Quieres que todo salga bien pero, en la pareja, es imposible que puedas ganar si tu compañero no lo hace también. Si tu objetivo es alcanzar tus metas para ser el único feliz, fracasarás. Serás terriblemente egoísta y no estarás bien.

Así que reanuda las negociaciones y redefine la relación. Recopila la suficiente información y déjate llevar por un espíritu positivo que nunca antes habías tenido. Al abrir este libro, has iniciado el rescate de la relación y continúas en esa línea, trabajando en principio contigo mismo. Cuando comienza la etapa de la interacción, tu pareja tiene la oportunidad de contribuir en el proceso. Es posible que colabore o no. Aunque, de todas maneras, es momento de que aumentes la intensidad de tu proyecto de estatus porque, a partir de ahora, te levantarás todos los días con la pregunta: «¿Qué puedo hacer para que mi relación mejore?».

Responder no es sencillo como tampoco lo es llevar a cabo tu plan.

Si aún tienes ciertos sentimientos de miedo y ambivalencia, no te dejes manipular por ellos ni permitas que te asistan las dudas. No has de preocuparte pensando si el proceso será difícil, ya que, te lo estoy advirtiendo, lo será. Sin embargo, cuentas con las herramientas necesarias y, además, tu relación lo vale. Niégate a vivir en tu propio infierno privado, cargado de amargura y resentimiento, probablemente sentado en la mesa del salón frente a tu pareja. Separados por una mesa que prácticamente se convierte en un cañón que ninguno de los dos se atreverá a franquear.

Exígete y ten el coraje para acercarte a la persona amada, cogerle la mano y decir: «Quiero que nos volvamos a enamorar». No tiene importancia si ella se lo merece o si piensas que debería ser quien lo propusiera en tu lugar. Ahora eres el líder, has acumulado el conocimiento, hecho el trabajo y preparado el espíritu y el alma. Usa esta energía para dejar atrás el pasado, acercarte a tu compañero y destruir el estado de paralización que bloquea la comunicación entre los dos.

Este libro pretende colaborar a que no te encuentres, en algún momento de tu vida, sentado solo en el salón de tu casa, diciéndote –después de haber fracasado en la relación–: «No ha sido culpa mía». Deseo que encuentres la felicidad en el seno de tu hogar, aunque una gran parte de ti quiera marcharse a toda costa.

Antes de comenzar el programa diario, quiero ofrecerte una pequeña ayuda mientras te aproximas a tu pareja y planteas un nuevo diálogo.

Es posible que te enfrentes a uno de los tres posibles escenarios. El primero, sin duda el más deseado, consiste en que tu pareja ya está comprometida con la situación. Ha estado leyendo el libro contigo y participado en las actividades. En tal caso, es una bendición.

El segundo escenario hace referencia a un miembro de la pareja que no ha progresado gracias a la lectura del libro, no lo ha leído paso a paso con su compañero sentimental pero, sin embargo, siente el deseo de cooperar. Él está a punto de cruzar el camino hacia la superación, muy pronto se excitará con la idea. Debes estimularlo para continuar juntos el trabajo en el que tú ya has invertido tiempo y energía. Si es éste el escenario, tienes mucha suerte porque estarás situado en el umbral del cambio.

El tercero hace referencia a un miembro de la pareja que no se siente muy dispuesto de espíritu. Honestamente, el que se encuentra en esta situación deberá enfrentarse a muchas dificultades. Tu amante —debido a múltiples razones con las que aquí no vamos a especular— no ha leído este libro, no siente el deseo de trabajar para mejorar la relación y puede que te diga lo siguiente: «Bien, mira lo que ha sucedido. Has leído unas cuantas páginas y ¡ahora te crees un experto!». O quizá vaya aún más lejos con sus palabras: «¿Qué va a saber un psicoanalista calvo sobre mi vida? No es más que otro pesado vendiendo su libro de puerta en puerta».

Tu pareja puede decirte que toda esta charla sobre la «relación» contribuirá a la destrucción. Tal vez tenga miedo de saber que tienes necesidades profundas porque duda de poder satisfacerlas. O posiblemente no quiera participar en este programa, ya que no está dispuesta a desenterrar recuerdos dolorosos o episodios del pasado. Puede que piense que no tiene sentido trabajar en esas cuestiones, debido a lo que le sucedió a uno de sus amigos que asistía a terapia por problemas maritales: acabó hecho polvo y muy furioso. Por último, pero no por ello menos importante, quizá piense que todos los problemas sean por tu culpa o su ira aumente porque siente que tratas de hacerla participar en algo que no desea. Si últimamente la relación no ha sido buena y, desde el punto de vista de tu compañero, «la emoción se ha perdido», tal vez no sienta ninguna motivación, esté deprimido, vencido y a la defensiva. Con toda seguridad, esto no es lo que tú deseas.

Sé paciente y continúa intentándolo. Aún actuando solo, puedes lograr un cambio importante en la relación. Al enfrentarte a la rabia o frustración de tu pareja, eres capaz de infundir una energía curativa. Recuerda que estás expresándote de una manera en la que jamás lo habías hecho. En el pasado no habías sido capaz de exponer tus necesidades o escuchar con atención cuáles eran las de tu compañero. No sabías cómo hacer para librarte de tu mal espíritu mientras te comunicabas con él. No podías abrirte ante la clase de valores personales de la relación que ahora has aprendido. En lugar de machacar a tu pareja con tus problemas o ignorarla y alejarte, estás en condiciones de comunicarte de forma clara y efectiva.

No quiero persuadirte de que el camino a recorrer será fácil si tu compañero no se involucra, pero no es imposible. Sabes, a partir de tus propias experiencias, que resulta muy difícil ir permanentemente en contra de la corriente. Si te niegas absolutamente a abandonar, a obtener un «no» como respuesta y sigues pensando, sintiendo y comportándote de manera constructiva, obtendrás resultados positivos. Vuelve a leer esta página las veces que sea necesario. Sé que puedes sentirte solo y todo esto parezca una montaña abrupta que debes inexorablemente escalar. Con todo, sigue el camino. Confía en tu habilidad para lograr pequeños cambios y nunca olvides que depende de éstos que tu relación se mueva en la dirección correcta.

Aunque seas el único en la relación que intenta salvarla, experimentarás una mejora y, con ella, surgirá un espíritu de cooperación más benévolo en tu pareja.

Es evidente que comenzará a apreciar tus esfuerzos. Tendrás que pulsar el botón durante bastante tiempo hasta que tu pareja lo note. Le tendrás que otorgar un tiempo para que acepte que ella también está herida, aterrada, perdida y completamente frustrada. Hazle ver que tratas de entender y satisfacer sus necesidades. Al comenzar a actuar en este sentido, experimentarás un poder liberador.

No tiene ninguna importancia la situación en la que os encontréis, en general puedes utilizar la misma estrategia para establecer la comunicación con la persona amada, que te llevará a un resultado positivo. Por ello, a continuación presento las indicaciones específicas, paso a paso, con el propósito de salvar tu relación. Si observas el diagrama de flujo de la página siguiente para volver a dialogar con tu pareja, encontrarás los pasos específicos a seguir. Obsérvalo con detenimiento, más adelante explicaré los puntos clave a tener en cuenta en cada paso. Después de estudiar el cuadro y leer las 10 secciones, al mismo tiempo de realizar las consignas, hay una lista con los pros y los contras de las cosas que se deben hacer y las que no al interactuar con la persona amada para minimizar las reacciones violentas y la resistencia.

Paso 1: abre el diálogo para restablecer la comunicación
Tienes que ser un poco manipulador cuando decidas abrir el diálogo con tu pareja. No considero que sea una característica

DIAGRAMA DE FLUJO PARA RESTABLECER
LA COMUNICACIÓN

Paso 1:
abre el diálogo para
restablecer la comunicación

Paso 2:
describe
tu trabajo

Paso 3:
aprende a trabajar
en tu núcleo de conciencia

Paso 4:
habla sobre
los 10 mitos

Paso 5:
explica
el mal espíritu

Paso 6:
introduce los valores
personales de la relación

Paso 7:
comparte la fórmula
del éxito

Paso 8:
comparte el perfil
de tu pareja

Paso 9:
clarifica las necesidades
de tu compañero

Paso 10:
comparte tu
perfil personal

negativa, a menos que el objetivo sea de persuasión —para que uno de los miembros sirva al otro— o de destrucción. Por el contrario, puede resultar extremadamente positivo usar el conocimiento y los poderes para guiar a la persona amada en la dirección adecuada. En este sentido, me gustaría que tu compañero estuviera motivado desde el principio, así podría percibir todo lo que puede ganar al participar en este proceso.

Sería bueno para ti contar con una afirmación para abrir el diálogo. Esas palabras tienen que estar dirigidas a los miedos y puntos de resistencia de tu pareja, así como dejar bien claro que existen beneficios inmediatos y significativos para ella. Si tu compañero puede captar sin demasiada dificultad el contenido de tus palabras, su resistencia aminorará. Trata de seleccionar el material que más sirva para tus propósitos. Quizá puedas inspirarte y sacar buenas ideas de los siguientes ejemplos de afirmaciones de apertura.

Toma lo que más te interese, si hay algo relevante para ti, o bien elabora un plan propio. Lo incluyo para que comiences a pensar acerca de lo que quieres decir.

«Tengo una oferta que hacerte y creo que te va a gustar mucho: es sobre nuestra relación. Deja de mirar el reloj y pensar que es la hora de bañar al perro o ir a casa de tu madre. Por favor, siéntate y escúchame durante un minuto. Estamos paralizados, lo sabes tan bien como yo. Esto no funciona para ninguno de los dos. No somos felices, no satisface mis expectativas ni creo que tampoco las tuyas y nos sentimos frustrados. Me cuesta aceptarlo porque alguna vez fuimos felices y creo que podríamos volver a serlo.

»Estoy aquí para decirte que intento cambiar la situación. Quiero que nos demos otra oportunidad. Te seduje porque quería estar contigo. Muchas cualidades tuyas me atraían, y aún hoy las quiero. Nuestro problema, mi problema, es que dejamos de interesarnos por aquellas cosas que nos acercaban. Confieso, por mi parte, que cometí el error de olvidarme de lo que me hacía querer cuidarte con tanto fervor y, en cambio, comencé a prestar atención a todo lo que no me importa en absoluto. Empecé a fijar mi atención en los aspectos negativos, en los problemas y en las cosas que más me irritan. No he sido un buen amigo porque dejé de ser divertido y, en consecuencia, ambos dejamos de divertirnos. Y, lo peor de todo, ya no nos apoyamos mutuamente.

»Quiero compartir contigo el compromiso que voy a asumir: intentar mejorar la relación. Me comprometo a concentrarme en mi amor por ti y no en las críticas. Prometo aceptarte tal como eres y apoyarte en lo que desees. Haré lo que esté a mi alcance para que nuestra decisión sea correcta. Intentaré que tengas lo que quieras y necesites en la relación y, respecto a mí, trataré de tener lo que quiero y necesito.

»Deseo comenzar una nueva vida. Me perdono por las tonterías que he hecho y a ti por las que has hecho. Antes no me daba cuenta, pero ahora sí. Sé que, si nos lo proponemos, no será tan duro. No recuerdo lo importante: las cosas por las que te criticaba o por las que me frustraba han quedado atrás. Tal vez hagas lo correcto o no, pero creo que intentas escapar. No te culpo por no sentirme feliz, yo soy el responsable de esta situación.

»Soy responsable de lo que he hecho en esta relación. No es un trato de igual a igual. Soy totalmente responsable de mi vida. Yo creía que tú eras del todo responsable, pero es algo que te compete a ti, no estoy aquí para hablar de ello. Yo poseo mis sentimientos y, si te echo la culpa, insulto a mi persona, representa un insulto en la medida en que significa que soy incompetente y no puedo controlar mi propio destino o crear mi experiencia. Pero soy capaz de controlar mi propio destino y continuaré haciéndolo.

»Te pido sólo una cosa: que estés deseoso de tener un espíritu colaborador que me sirva para ayudarte. Puede que no estés interesado en lo más mínimo en involucrarte en un programa para salvar la relación. Si ésta es tu posición, no hay problema. No puedo decirte cómo te tienes que sentir pero, si al menos quisieras pensártelo, sería suficiente para mí. En tal caso, da un solo paso a la vez, pero procura ser un espíritu con voluntad y participa de las cosas en las que he estado trabajando duro. Me comprometo a echarte una mano para que empecemos este proceso juntos.»

Muy bien, ya lo tienes. Ahora con tu introducción completa —por favor, no pienses que tiene que ser así de larga (mi propósito era brindarte una gran variedad de ideas)— deja que tu pareja responda. Si ella es desconfiada y se resiste, no le des muestras de impaciencia. Es muy comprensible que se pueda sentir un poco amenazada. Si dice: «Entonces, ¿quién eres ahora, Sigmund Freud?», no te tragues el anzuelo. Responde de la manera menos crítica posible. Le puedes contestar, por ejemplo: «En absoluto, te comentaba lo poco que sé sobre las relaciones y el comportamiento humano. Sin embargo, tengo claro que quiero que seamos felices. Espero que intentes compartir conmigo las actividades en las que he trabajado tan duramente. Si no lo haces, estaré bien de todos modos. Quizá, en el futuro, cambies de opinión». Sigue tu camino, sin importar lo que se diga. Vive lo que has aprendido y, sobre todo, ten paciencia.

Si asumimos que tu compañero se quedará sentado a tu lado mientras le cuentas tu experiencia, estás en condiciones de iniciar el paso 2. Puedes realizar la acción en este mismo momento, o bien permitirte un descanso para leerlo más tarde.

Paso 2: describe tu trabajo

Resulta realmente útil comentar a tu pareja lo que has hecho para restablecer la comunicación con la persona amada. Pero, ¿cómo podrás hacerlo sin manifestar algún signo de arrogancia? Confía en mí, en esta etapa del juego no te interesa aparecer como un condescendiente sabelotodo. Quieres dialogar con tu compañero pero sin que su autoestima se vea perturbada de algún modo. La clave para lograrlo radica en que no se sienta para nada amenazado. Puedes comenzar diciendo algo tan simple como: «Oye, he estado leyendo un libro escrito por un tejano calvo que quizá te guste. El estilo es directo y ofrece ejercicios prácticos que invitan a la acción. No tiene ni un ápice de la jerga tradicional psicoanalítica del tipo "cuando eras pequeño odiabas a tu madre..."».

A continuación ofrezco algunas ideas a tener en cuenta, diferente de lo que hice en el paso 1 cuando os facilité directamente el guión. A pesar de que los puntos están interrelacionados, los desarrollaré profundamente en este paso.

Comenta a tu compañero, sin entrar en demasiados detalles, que te han guiado a través de un proceso de diagnóstico interesante —tal como lo plantea el libro— para determinar lo que funciona y lo que no en la relación. «El autor, doctor Phil, quiere que se midan las cosas según los resultados. No le interesa lo que tú o yo tratemos de hacer, en verdad nos estimula a que busquemos los beneficios. La culpa, la falta y la vergüenza tienen que quedarse en el pasado. Este libro te invita a ir hacia delante y considerar el futuro, no el pasado. El mensaje es muy simple: "Si lo que haces no sirve, cambia de estrategia".»

Explica a tu pareja cómo has identificado algún pensamiento equivocado en tus actos y, a raíz de ese hecho, intentas incorporar actitudes constructivas. No proporciones grandes detalles. (Tal vez prefieras adoptar una posición seductora y dar la impresión de que has aprendido mucho para que tu compañero diga: «¡Sí, cuéntame más!».)

Comenta que has trabajado duro para reconocer algunas de tus actitudes destructivas, las que involuntariamente has aportado a la relación. Dile que has tratado de descubrir cuáles eran tus necesidades y miedos y los de él. Hazle saber que el autor del libro te ha dado una fórmula, basada en el sentido común, para que la relación llegue finalmente a ser un auténtico éxito. Deja bien claro que no te crees todo un experto pero que, sin embargo, has aprendido cuestiones fundamentales para construir una relación sólida.

En caso de que tu pareja pida más explicaciones o ejemplos sobre las actitudes o los pensamientos erróneos que has descubierto en ti, no le ocultes la información que has conseguido gracias a·tu trabajo. Si pregunta sobre las necesidades y los miedos que has podido identificar, haz todo lo que esté a tu alcance para demorarlo hasta que llegues a ese paso. Por otra parte, si tienes la posibilidad de compartir algunos de los conceptos clave que has asimilado a través de la lectura, antes de abordar las discusiones específicas en la relación, éstas se mantendrán en un clima más amistoso.

Recuerda, acércate a tu pareja cualquiera sea el lugar donde se encuentre. No fuerces el proceso, piensa en lo perdido que te sentías hasta hace poco tiempo y así serás capaz de apreciar que tu compañero pueda sentirse abrumado si le insistes demasiado. Ten paciencia, cuando creas que tu compañero está dispuesto, inicia el paso 3.

Paso 3: aprende a trabajar en tu núcleo de conciencia

Ahora has de ser un poco más específico sobre lo que has aprendido. Comparte con tu compañero el concepto de núcleo de conciencia y el camino para aproximarte a él. He aquí un ejemplo de lo que podrías decir: «Realmente he trabajado duro para volver a lo que en el libro se denomina el núcleo de mi conciencia. No se trata de una fantasía, de hecho, es todo lo contrario: es real porque habla del lugar donde nos descubrimos tal y como somos. Menciona también el sitio dentro de nosotros en el que se encuentran nuestros valores, nuestra autoestima y dignidad. Reconozco ese mismo lugar en ti. Percibo que tus valores brillan tan intensamente como los míos, pero se han ensombrecido por el mundo y los problemas a los que nos hemos tenido que enfrentar. He hecho lo humanamente posible para regresar al núcleo de mi conciencia y estoy mucho mejor. Por añadidura, me siento mejor contigo. Sé que si intentas hacerlo, nos podremos encontrar en un nivel totalmente diferente donde nada importe más que mejorar la relación».

Si estás movilizado, continúa en esa línea. Si necesitas un descanso, hazlo. Debes hacer que tu compañero se involucre en la conversación y, con ese fin en mente, promover las preguntas y respuestas adecuadas. Si tu pareja quiere discutir sobre alguno de los temas, me parece muy bien. No te olvides que has de tener presente todo lo aprendido.

Paso 4: habla sobre los 10 mitos

No has de referirte a todos los mitos, pero una explicación de uno o más de ellos puede atraer la atención de tu compañero. Es posible que quieras clarificar el concepto de «mito». Recuerda que tu pareja probablemente esté tan frustrada como lo habías estado tú. Se debe de haber sentido tan inepta y confusa como tú, debido a la falta de habilidad para hacer que la relación mejore. Comenta mi punto de vista al respecto: nunca nadie os había dicho cómo se tenía que hacer para lograrlo y, en consecuencia, buscabas en la oscuridad. Hazle saber que no es de extrañar que vuestra relación haya caído en desgracia porque ambos habéis creído y aplicado pensamientos equivocados. Un ejemplo más de lo que podrías acotar en esta situación: «Me sorprendí al enterarme de que algunas de las cosas en las que creía fervientemente no eran ciertas. Parecían ser lógicas, así que me dejé llevar por la primera impresión. El mito número 4 es un buen ejemplo; siempre pensé que para tener una buena relación de pareja teníamos que resolver nuestros conflictos y ser buenos al resolver los problemas. El doctor Phil lo dice de forma muy clara, que posiblemente nunca resolvamos las diferencias importantes. Dice que si llevamos casados unos 50 años, es posible que continuemos en desacuerdo en los puntos fundamentales y que eso no representa un problema.

»Explica que la mayoría de esos puntos de vista dispares se debe al intento de los hombres y las mujeres de hacer que dos vidas sean una unidad. Necesitaba que alguien me lo aclarase porque me sentía tan frustrado que no podía llegar a entender tu posición ni tú comprendías la mía. Me reconfortaba saber que la única forma de que la relación no se viera afectada en el futuro era dejar de pensar en esos puntos de desacuerdo, aceptar nuestras diferencias y vivir en paz».

Estos mitos pueden ser un gran estímulo para la discusión. Abórdalos, en la medida en que percibas que tu pareja está dispuesta. Nuevamente te recuerdo que no debes ser crítico y, por lo que más quieras, no uses a tu compañero como un mal ejemplo. Si te sientes preparado, pasa al próximo paso.

Paso 5: explica el mal espíritu

Deja que tu pareja note que has echado una mirada de autocrítica al mal espíritu con el que te has aproximado y funcionado en la relación. Este hecho te ha enfrentado, a su vez, a tu mal espíritu —sin poder escapar de la responsabilidad de asumir su acción destructiva— y, como resultado de ello, has modificado ciertas actitudes y tu estilo de vida. Intenta no ser académico, pues podría ayudar que explicaras a tu compañero hasta qué punto pudo afectarte un mal espíritu en particular: «Entre los malos espíritus que cita el doctor Phil, hay uno al que llama "la agenda escondida". Es donde ocultamos el bagaje conflictivo, mediante la crítica de los puntos más superficiales en detrimento de los más significativos. No tengo idea de tu caso en particular, pero confieso que, en mi relación contigo, hubo veces en que me comporté como un cobarde. Desgraciadamente lo fui porque, de haber tenido el coraje suficiente, los resultados habrían sido mejores. Incluso hubo momentos en los que me dediqué a asuntos triviales entre nosotros puesto que no me animé a hablar de lo que en verdad me importunaba. Me doy cuenta ahora de que te engañé a ti y a mí al evitar encarar los asuntos más importantes. Esa pequeña perla de sabiduría despertó en mí una llamada espiritual».

Ejemplifica una situación en la que tu mal espíritu te haya dominado. Elige algún tema que tu pareja recuerde e intenta ser lo más preciso que puedas respecto a la persona, el momento y el lugar en que esta situación ocurrió.

Vuelve a intercambiar opiniones acerca de los momentos en que fuisteis presa de los malos espíritus, de la forma más detallada posible. Habrá mucho tiempo para que tu compañero se concentre en sus propios malos espíritus —si así lo desea—.

Paso 6: introduce los valores personales de la relación

Recomiendo que prestes una atención muy especial a los valores personales, ya que son los que facilitarán tu ascensión hacia los aspectos más positivos de la relación en el futuro. Intercambia opiniones como si fuesen los objetivos por los que se debe luchar. No des la impresión de que comentas todo esto porque tienes los méritos en alguno o todos los valores. Daré un ejemplo de lo que puedes comentar sobre estos valores: «Me ha gustado cuando el doctor McGraw explicó los valores personales de la relación, sobre todo los "basados en la amistad". Me hizo recordar que, en un principio, fuimos grandes amigos. Me gustaba mucho hablar contigo, compartir mis pensamientos y sentimientos. Sin embargo, debo reconocer que me distancié considerablemente.

»El doctor McGraw dice que si alguna vez vamos a ser amantes y compañeros, será debido a que en primera instancia y, sobre todo, somos amigos. He descubierto en este punto mucha fuerza y esperanza porque sé que alguna vez lo fuimos y estoy convencido de que podemos serlo nuevamente. La clase de amigos que no imaginan su vida uno sin el otro».

Esta reminiscencia resulta muy útil. Intenta recordar actividades amistosas que compartisteis entre vosotros, ya sea en las primeras citas, practicando algún deporte o paseando por el barrio. Este paso os ayudará a crear situaciones positivas.

A medida que avances por los valores personales, esfuérzate en encontrar todos los ejemplos específicos que puedas en tu historia personal. Me refiero a las situaciones y circunstancias en que has vivido uno o más de estos valores y que han funcionado. Al recordar que tanto tu pareja como tú los adoptasteis alguna vez, ambos cogeréis confianza para seguir adelante. Si lo consideras apropiado, pasa al próximo paso. Si no es el caso, toma un descanso. Puede que tardes algunas horas, días o semanas hasta completar todos los pasos.

Paso 7: comparte la fórmula del éxito

En este punto espero que tengas memorizada la fórmula, de forma tal que puedas mirar a los ojos de tu compañero y decirle: «La calidad de la relación es una función en gran parte construida a partir de una sólida amistad, que contempla la necesidad de los dos miembros involucrados en la misma». Luego ofrece una visión global de las explicaciones recibidas a propósito de esta fórmula. Sugiero que mantengas un diálogo con tu pareja utilizando las siguientes palabras: «El doctor McGraw me ha convencido de que si quiero tener una relación de calidad debo aprender a satisfacer tus necesidades y enseñarte cuáles son las mías. Francamente, no he completado mi objetivo, lo cual ha hecho que las cosas no sean nada fáciles para ti. En primer lugar, no me tomé el tiempo necesario para descubrir cuáles eran mis necesidades. No podía especificarte lo que yo mismo no sabía, de manera que no estabas en condiciones de satisfacerlas. Para ser honesto, tengo que reconocer que, de todas formas, hubiera sido muy cobarde para transmitir mis carencias, por miedo a que te rieras o las rechazaras. Tampoco era justo para ti. Confieso que esperaba que pudieses leer mi mente. Tal vez todo esto no sea tan significativo en tu caso, pero sí lo es para mí.

»Eso no es todo, el libro ha contribuido a que me diese cuenta de que no había trabajado para conocer cuáles eran tus necesidades, así que no he podido satisfacerlas. De manera que ahora mi propósito es hacerlas realidad. Sé que si ambos empezamos a trabajar juntos en ello e intentamos descubrir lo que necesitamos, nos comunicaremos más y estaremos juntos en lugar de ir por caminos diferentes. Te aseguro que esta fórmula me proporciona una gran esperanza».

Es muy importante que intercambiéis opiniones acerca de este tema, la estructura de sentido común que fundamenta esta fórmula facilita la comprensión de la misma. Por supuesto, igual que tú, deseas que tu pareja la adopte y reconozca. Haya sucedido en la primera conversación o más tarde, cuando estéis hablando sobre vuestra relación, es importante continuar haciendo referencia a la amistad y a las necesidades.

No avances al siguiente paso hasta que haya pasado un razonable período de tiempo, como mínimo una o dos horas. En este lapso, tendrás que realizar una prueba muy seria para detectar si entiendes lo que tu compañero intenta trasmitirte. Si tenéis diferentes opiniones, procura ser amable pero confía en tus percepciones, ya que puede que hayas trabajado más dura y objetivamente que él en descubrir su perfil.

Paso 8: comparte el perfil de tu pareja

Nos encontramos ahora en un extremo crítico del proceso de restablecer la comunicación con tu pareja. Al compartir con tu compañero su perfil (diseñado por ti), debes ser muy cuidadoso y no traslucir ningún detalle que pueda causarle inquietud. Se supone que conocer tu opinión sobre él le producirá muchas expectativas y curiosidad. Se sentirá muy halagado al comprobar el tiempo, la energía y el esfuerzo que has dedicado en descubrir sus esperanzas, sueños y necesidades. Es evidente que a todos nos gusta ser el protagonista. Disfrutamos siendo el foco de atención y energía de los otros.

Con todo, debes presentar el perfil de una manera válida. De lo contrario, te arriesgas a aislar a tu pareja y perder la oportunidad de estar juntos nuevamente. Así como a todos nos gusta convertirnos en la estrella, también nos resulta muy fácil sentirnos amenazados cuando —en este caso el otro miembro de la pareja— se nos observa bajo el microscopio. Si tu compañero tiene recuerdos y eventos dolorosos en su historia, cuando tú le digas que has estado investigando en su pasado, quizá sienta cierta ansiedad. Es importante que seas sumamente cuidadoso con tus comentarios.

He aquí una forma de presentar a la persona amada lo que has hecho: «Una de las cosas que he estado haciendo en las últimas semanas es elaborar lo que el doctor McGraw llama perfil de la pareja. Se trata de un proceso detallado, diseñado para que recuerde lo que sé y valoro de ti. Está pensado también para reflejar aquello que no sé pero debería saber acerca de la persona con quien comparto mi vida. Quiero contarte lo que he descubierto; sin embargo, también deseo compartir contigo todos los agujeros que tengo en mi conocimiento. Hay cosas que tendría que saber, pero aún no me las has explicado; se trata de espacios en blanco que espero me ayudes a rellenar más todo lo que crees que ha sido un error por mi parte. Debía comenzar de alguna manera y estoy muy ansioso por mostrarte el perfil que he construido».

Aconsejo que leas punto por punto con tu compañero, así en todo momento conocerá las conclusiones a las que has llegado. Esta conducta os estimulará al diálogo. Por ejemplo, puede que él encuentre algo en el texto que lo haga comentar: «Bien, no odiaba a mi hermano por hacer eso...».

Ten en cuenta que tu pareja te señalará permanentemente todas las cosas en las que estás equivocado y, en consecuencia, debes estar preparado para no entrar en un debate sobre tus conclusiones. Si se siente acorralado, puede provocar problemas. En cambio, si siente que eres flexible y abierto, se creará un clima en el que ambos os sentiréis en confianza para compartir lo que pensáis sin temor a caer en una discusión desagradable.

Al compartir el perfil, intenta ser amable y, al mismo tiempo, abierto. Asegúrate de que tu pareja entienda que no estás necesariamente interesado en tener la razón en tus conclusiones. Sé claro al transmitirle que lo que buscas es conocer la verdad para entender quiénes sois y qué necesitáis. Si estás equivocado, sencillamente lo estás. Sin embargo, intenta a toda costa descubrir la verdad. Trata de concentrarte en los logros de tu amante y en sus habilidades y talentos, de los cuales deberías estar orgulloso. Puede que se sienta un poco molesto cuando le hables de estas cosas, de manera que tienes que ser muy cariñoso y cuidadoso con lo que dices y en la forma en que lo expresas.

Paso 9: clarifica las necesidades de tu compañero

Ésta es tu oportunidad no sólo de obtener respuestas efusivas respecto a la agudeza con que has hablado de las necesidades de tu pareja, sino también de determinar con precisión la forma en que las satisfarás.

Sé que ya he hablado de esto, pero vale la pena repetirlo: al mencionar las necesidades de tu pareja, tienes que caracterizarlas de manera que no parezca una crítica. Por ejemplo, si eres una mujer y crees que tu marido tiene una constante necesidad de sentirse seguro y aprobado, lo ofenderás si se lo dices con demasiada franqueza. Te arriesgas a perderlo durante el proceso destinado a restablecer la comunicación con él. Un modo más adecuado de expresar esta necesidad es preguntarte qué origina esa conducta obsesiva e insaciable por la aprobación y la adulación. Con toda seguridad, lo más beneficioso sería decirle que piensas que una de sus necesidades consiste en lograr un nivel más alto en la valoración personal. Deberías observar la expresión o manifestación de esa necesidad e identificar la causa. Sé que esto implica que seas demasiado analítico y, en consecuencia, puede que te sientas un poco «psicólogo». No obstante tienes que asumir ese riesgo. Al comunicarle sus necesidades, intenta ser honesto pero diplomático.

Aún más, como has compartido con tu compañero lo que crees que son sus necesidades en las cinco áreas: emocional, física, social, espiritual y de seguridad, explícale que éstas se deben considerar sólo como un punto de partida.

Tanto las necesidades que has mencionado como las tres cosas que has propuesto hacer en cada una de ellas deben ser consideradas un estímulo para posteriores intercambios de ideas entre vosotros.

Te recuerdo nuevamente que es importante que animes a tu pareja para que, en caso de que esté en desacuerdo con la interpretación de una de sus necesidades, la reemplace por una propia. Trata de que te desafíe y no acepte lo que has escrito. Puede que le digas: «¿Estás del todo de acuerdo con el orden de posibilidades que he establecido? ¿Puedes decirme si es eso lo que quieres de mí y si realmente es suficiente para ti?». Este tipo de interacción puede considerarse una de las conversaciones más saludables que jamás hayáis mantenido en vuestra relación, puesto que ambos os daréis cuenta de que el tema en cuestión es de vital importancia.

Por favor trata de estar tranquilo durante la discusión. No te olvides de que, al haber hecho la mayor parte del trabajo, quizá tengas más ventajas que tu pareja en cuanto a la evolución de tus ideas sobre la relación. Si tu compañero niega una de las necesidades o los miedos que tú piensas que son reales, otórgale un tiempo para que se familiarice con el tema. Ten paciencia, pero sé persistente.

Paso 10: comparte tu perfil personal

Este último paso se refiere enteramente a ti y, como es de suponer, estarás un poco asustado. Quizá recuerdes lo que has leído sobre los riesgos de la intimidad, pues ahora, al compartir tus necesidades y miedos más profundos, correrás un enorme riesgo. Te tirarás a la piscina desde una altura considerable.

Sin embargo, este paso puede ser de una importancia crítica para ti. No seas tímido ni inestable cuando hables de ti mismo. En esta vida, lo que consigues es –como máximo– lo que demandas. Ten el coraje de expresar qué deseas para poder reclamarlo. Di a tu compañero lo que necesitas, no titubees al explicar las cosas específicas que se pueden hacer para satisfacer tus necesidades. Recomiendo que se introduzca este paso junto con las siguientes líneas: «Soy honesto cuando te digo que esta parte es para mí la más espeluznante de todo el proceso. Durante mucho tiempo he puesto barreras a mi alrededor para protegerme de ti. No me siento orgulloso por ello, pero lo he hecho. Pensaba que estaría seguro detrás de esas paredes. Por eso, ahora voy a salir y seré vulnerable ante ti. Me da miedo, pero es un riesgo que estoy ansioso por correr porque sé que es la manera de volver a estar juntos. Necesito hacerlo y, además, lo necesito imperiosamente.

»Sólo te pido que escuches lo que te digo con el corazón y con los oídos y que no me juzgues por lo que te comente. Al contarte mis necesidades y miedos, te estoy revelando cómo herirme y controlarme. Lo hago como muestra de confianza, espero que aceptes el reto y hables con franqueza.

»Igual que yo identifiqué en este paso tres cosas que quería hacer para satisfacer tus necesidades, en este libro me propusieron que describiera tres cosas que desearía que hicieras para ayudarme a superar mis miedos y necesidades. No quiero que pienses que te pido algo, simplemente reconozco lo que en un mundo perfecto valoraría y apreciaría...».

A medida que avanzas en tu perfil personal, no dudes en compararlo con el de tu pareja. Traza líneas paralelas y de similitud entre vuestros miedos y necesidades. Recuerda que sois dos personas que intentan encontrar la felicidad en un mundo con un ritmo acelerado, con frecuencia implacable. No sientas que hablar de tus necesidades es un signo de debilidad, pues gracias a ellas comenzasteis a estar juntos.

Ya has finalizado los pasos del diagrama de flujo y establecido un buen comienzo. A través de la comunicación entre tu pareja y tú, reaparecerá la intimidad en vuestras vidas. Se están consolidando las raíces y, tal vez, ya haya comenzado la etapa de florecimiento.

Para mantener las cosas en la dirección correcta, a continuación ofrezco una lista con los pros y los contras para tratar con tu pareja durante esta fase:

PROS	CONTRAS
Sé paciente	Insiste demasiado
Sé humilde	Aparece como un sabelotodo
Sé responsable	Sé crítico
Sé fuerte	Muerde el anzuelo si te provocan
Sé claro	Sé misterioso
Sé totalmente abierto	Oculta las cosas
Utiliza «Yo» en las afirmaciones	Cita a tu pareja como mal ejemplo

Acabáis de completar una tarea de vital importancia, habéis compartido una información esencial sobre vuestra manera de pensar y sentir. Sin duda has inspirado a tu compañero para renovar sus obligaciones y mejorar la relación. No te desilusiones si ha mostrado una minúscula señal de voluntad, pues una chispa puede ser el comienzo de una llama.

Esto es apenas el principio, recuerda siempre que las relaciones se gestionan pero no se curan. No importa lo que haya sucedido a raíz de las discusiones, debes tener presente que este es un proceso que requiere un tiempo de evolución y realización. Debes intentar que vuestras conversaciones sean claras y tratar de asegurarte que las percepciones de ambos estén identificadas. Has de tener paciencia contigo mismo y con tu pareja, ya que estás aprendiendo nuevas habilidades y sólo podrás dominarlas a través de la práctica. Practícalas con mucha frecuencia.

A continuación, presentaré dos elementos de capital importancia: programar y actuar. Tienes que aceptar que este proceso tardará el tiempo necesario hasta lograr el éxito y, durante el transcurso del mismo, no debes permitir que los inconvenientes te desilusionen o reduzcan tu entusiasmo y energía.

Catorce días
para amarse con honestidad

Al principio del libro dije que no me iba a conformar sólo con quitar las máscaras a tu relación y analizarlas. No pretendo escribir un manual de autoayuda con aires de intelectualidad. Mi objetivo, directo y llano, siempre ha sido reparar lo que estaba roto antes de averiguar las posibles causas.

Después de 20 años trabajando con parejas, me consta que no solucionas sus problemas meramente pensando en ellos. De hecho, el análisis implica una parálisis. No te encuentras mejor por saber más; para estarlo, tienes que actuar de forma decisiva y efectiva y seguir un programa específico.

Si no te lo dijera de esta forma tan cristalina, te estaría engañando. Jamás restablecerás la comunicación con la persona amada si sólo realizas algunos cambios o confías en la fuerza de voluntad. **Debes tener un plan**. En este momento quizá te sientas inspirado y, con tal de mejorar la relación, estarías dispuesto a derribar una pared.

Pero la fuerza de voluntad ha sido la causa de tantos fracasos en la vida de las personas que no acabaría de citar ejemplos; simplemente es un mito que no permite cambiar el comportamiento porque está cargada de emoción. Todos sabemos que las emociones son inestables: vienen y van. Cuando éstas disminuyen en intensidad, incluso los planes más elaborados se desintegran.

Piensa en la cantidad de dietas que comenzaste a raíz de las decisiones tomadas en año nuevo; sentías que podrías hacer muchos cambios en tu vida. Inevitablemente, más tarde, aquellas emociones que te hacían sentir tan pleno, comenzaban a desvanecerse, dando lugar al cansancio y la apatía. Sucumbías a la comida, el calor del sofá y la voz monótona de la televisión. Quizás hayas pasado por ciclos —hayas perdido los mismos kilos 20 veces o te hayas apuntado al gimnasio año tras año— creyendo que sería diferente.

Tal vez te haya ocurrido lo mismo en tu relación: hayas resuelto no discutir ni chillar más o no volver a sentirte inseguro con tu pareja pero, en pocos días, tu fuerza de voluntad se ha acabado y tu convicción y compromiso declinado. Con seguridad, llegado ese punto, recaíste en aquellos comportamientos y emociones que te invadían cuando pensabas que tenías todo bajo control.

En verdad, para que tu relación sea diferente a largo plazo, debes adoptar un programa que no dependa únicamente de la buena voluntad. Cuando ésta última se haya desvanecido y las emociones no sean tan fuertes, lograrás los resultados deseados programando al detalle los objetivos apropiados, el tiempo asignado para cada situación, los horarios y la responsabilidad de las acciones.

¿Cómo es que un programa puede determinar los resultados de los enfrentamientos de una relación? La respuesta está en la estructura del programa. Si ésta es buena, te ayudará a salir adelante en esos momentos en que no sientes deseos de actuar. Al crear la atmósfera idónea para llevar a cabo tus objetivos, estarás edificando un mundo que facilite tus aspiraciones.

Admito que es muy fácil hacer cambios rápidos y temporales cuando estás excitado y tu energía emocional es alta. La clave consiste en tener un programa que agilice tu ejecución una vez la energía haya disminuido y estés cansado y confundido.

Un día, poco a poco, podrás cambiar un problema crónico que ha demostrado ser muy resistente a las modificaciones.

Nunca olvides que se trata de los primeros pasos, aunque fundamentales, para mejorar tu relación de pareja. Aún queda un largo camino por recorrer. Debes bucear en el núcleo de tu conciencia una y otra vez hasta que adquiera una naturaleza secundaria. Lo importante son las acciones, no las intenciones, puesto que las primeras salvarán tu relación y ayudarán a que os comuniquéis. Además, éstas te podrán mantener «vivo». Un esquiador, al lanzarse desde una colina, va muy despacio al principio pero, en cuanto adquiere confianza, aumenta la velocidad. Tu relación pasará por esos momentos siempre y cuando hayas programado un plan específico para descender de la montaña.

Durante este capítulo te facilitaré un programa de 14 días que contempla magníficos momentos que puede vivir una pareja feliz. Las actividades diarias son muy directas y están diseñadas para ejecutarse con facilidad. A diario se requiere un comportamiento nuevo. El programa tiene que ser consistente, y realizarás ejercicios de forma individual y en interacción con tu pareja.

Seré honesto contigo: lo que vas a hacer en este capítulo te hará sentir molesto en muchas ocasiones. La idea es que te esfuerces en ser vulnerable, no es mi intención que tengáis momentos agradables y fáciles. Si algo resulta sencillo, significa que ya sabes de qué va y cómo hacerlo. El desafío es que asumas nuevos comportamientos que promuevan recompensas espléndidas y que elimines esas viejas voces negativas en tu interior que te dicen que resulta más fácil volver a tu vida anterior donde lo único que debías hacer era evitar determinados temas con tu compañero.

Sólo te pido que hagas lo que te indico, no tiene por qué gustarte ni pretendo que lo entiendas. Realiza las actividades confiando en llegar a obtener buenos resultados. Recuerda que la serie de malentendidos que hizo que tu relación cayera en desgracia es un proceso activo promovido por tu pareja y tú. Ahora hay que recomponer la relación mediante acciones pautadas y decisivas. Incluso los que tenéis una buena relación, encontraréis que estas técnicas son muy útiles porque apuntan a consolidar los cimientos de una relación fuerte.

Determina un horario específico para cada una de las tareas asignadas y otórgales un tiempo inamovible, tal como harías con otras obligaciones del día. Por ejemplo, sería impensable levantarte e ir a trabajar sin vestirte primero o peinarte. Jamás dirías: «Bueno, es que voy mal de tiempo, mejor llevo puesto el pijama». Si quieres triunfar, esto es lo que se requiere. Planifica tu tiempo y, luego, úsalo.

Ambos debéis ceñiros completamente a las indicaciones; de este modo tendréis la oportunidad de apoyaros mutuamente en vuestros esfuerzos. Puede que algunas de las instrucciones parezcan extremadamente específicas. Lo cierto es que lo son, pero no de forma arbitraria.

No he elegido al azar estas tareas o las palabras específicas en cada una de ellas. Ten mucho cuidado y realízalas siguiendo al detalle las indicaciones. Si, por ejemplo, te piden que te sientes en silencio, hazlo. No cumplas a medias, conversando un poco: silencio quiere decir sin hablar. Sobre todo, sigue puntualmente las directrices del programa. Los viejos hábitos entre las personas surgen de forma natural, lo cual significa que debes tomar conciencia y evitar que estos encuentros pautados se deterioren y conviertan el terreno en un campo de batalla. La precisión del lenguaje te mantendrá fuera de conflicto.

Una cosa más: es importante llevarse bien durante los ejercicios. Frena tu impulso de aparecer como el experto que lo sabe todo. Hasta este momento habías sido el líder y aún lo eres, pero debes procurar que la participación de ambos sea igualitaria. No te erijas como figura autoritaria si no quieres una rebelión. Ten claro que buscas cooperación.

Realizarás una tarea por la mañana y otra por la noche. Si cuentas con un compañero voluntarioso, puedes, por supuesto, llevar a cabo tantos ejercicios como quieras para mejorar la relación con más rapidez. Haz, como mínimo, las dos actividades prescritas para el día. Si tu pareja no quiere realizar la tarea de la noche contigo, no detengas el programa bajo ningún concepto, en todo caso, hazlo solo. Mantén las actividades de la mañana y dirige tu espíritu hacia el lado optimista. Seguramente tu compañero se sentirá persuadido a practicarlas contigo.

Día 1
Actividad matutina
Esta tarea consiste, en parte, en seleccionar algo que puedes activar y hacer afirmativamente en algún momento del día. Tienes que elegir al menos una de las tres opciones siguientes:

• Realizar uno de los actos específicos que has identificado previamente en el perfil de tu pareja, que satisfará una de sus necesidades.
• Liberar la tensión.
• Incorporar algo positivo en tu relación. Cualquier cosa que elijas debe ser reconocible e identificable por tu compañero, quizá algo tan simple como una llamada telefónica diaria, un abrazo y un beso por la mañana o la noche o una nota afectuosa mencionando uno de sus deseos.

¿Acaso estas sugerencias te parecen demasiado simples o poco interesantes? Confía en mí: lo importante es la acción y no la intención. He aquí la clave del éxito. Las cosas más sencillas son fundamentales. Por ello la consistencia de la programación resulta vital. Tu relación no necesita un acontecimiento dramático sino una infusión de energía positiva y acción. No seas impaciente, todos los días pon un pie delante del otro con un marcado sentimiento de amabilidad y atención.

El ejercicio matutino consiste en una «revisión conceptual» de los principios en los que has estado trabajando. La primera mañana escribe la lista siguiente en una tarjeta:

• Tu núcleo de conciencia.
• Los 10 mitos de las relaciones.
• Las 10 características del mal espíritu.
• Los 10 valores personales de la relación.

Mantén la tarjeta a mano durante los próximos 14 días. Vuelve a leer cada uno de los puntos y selecciona uno. Busca la página en el libro en que esté desarrollado ese tema y léelo antes de acabar la jornada. Por ejemplo, si seleccionas el valor personal 4 de la relación: «Concéntrate en la amistad», vuelve a la página 137 y lee esa sección otra vez. Piensa en la importancia que tiene la amistad en los cimientos de una relación.

Actividad nocturna

Estas tareas, al ser interactivas, resultan extremadamente importantes. Sería productivo que tu pareja leyera contigo este programa. Para que sea un éxito, escoge un momento del día en que vuestras actividades no se solapen, por ejemplo, después de la cena, cuando la televisión esté apagada, los niños duerman y el teléfono no suene. Necesitas 30 minutos sin interrupciones.

Coge dos sillas y colócalas una frente a la otra, lo más cerca posible. Desde los asientos tienes que poder ver el reloj o alguna señal que te indique la hora. Es fundamental que controles el tiempo, que cada uno se siente en una silla. Uno de los dos tendrá las rodillas ligeramente separadas tocando el borde de la silla del compañero, el otro juntará las rodillas para que las de su pareja entren cómodamente. Ahora leéis los dos: ambos tenéis que poner vuestras manos en el regazo. Desde el momento en que os sentáis, os miráis a los ojos. Así se colocan dos personas que forman una unidad, cuyos rostros están de frente y que mantienen el contacto de la vista.

Cada noche realizaréis este ejercicio. Os asignaré determinados temas o preguntas para interactuar de una manera estructurada mientras estáis sentados uno frente al otro. Es de vital importancia que sigáis todas las instrucciones al pie de la letra y que os mantengáis sentados en esa posición. Hasta no acabar el ejercicio, no podéis cambiar las instrucciones ni modificar vuestra postura.

Sé que suena rígido pero, cuando os encontrasteis en una situación difícil, no pudisteis salir del pantano. Por lo tanto, creo que es una buena idea que lo intentemos a mi manera en los próximos 14 días. No seas crítico ni etiquetes esta actividad como «extraña». No tiene nada de raro sentarse frente al compañero y mirarlo fijamente. Este ejercicio está tan estructurado y tiene tantas reglas para que no podáis deteriorar la interacción con argumentos destructivos.

Sentaos en silencio, mirad a vuestro compañero fijamente durante unos minutos ininterrumpidamente. Poned énfasis en el silencio, no habléis. Mantened la vista en el otro, puede parecer una eternidad, pero confiad en mí: debéis actuar como si estuvierais por realizar un reconocimiento de la manera de pensar, de sentir y de importarle el mundo y las personas como ser humano a vuestro compañero. Muy rara vez las parejas, especialmente aquellas con problemas, se toman el tiempo para observar al otro como ser humano —mirarse sin ningún tipo de juicio, preguntas o preocupaciones—. Quiero que os miréis y penséis en lo que observáis, sin hablar.

El próximo paso consiste en hablarse aunque, por supuesto, de forma pautada. Cada noche os ofreceré tres tópicos para intercambiar opiniones. Comenzaré cada uno de ellos con una oración y depende de vosotros la manera en que lo completéis: podéis adornarla o ser lo más honestos posible. Existe un modelo de diálogo específico para que tengáis en cuenta.

El que empiece (cualquiera de los dos) comparte sus pensamientos y sentimientos acerca del tema en cuestión durante tres minutos ininterrumpidamente, mientras mantiene su mirada en el otro, quien a su vez debe controlar que no pasen más de tres minutos y dar una señal. Debéis parar de hablar cuando se cumpla el tiempo. Si uno de los dos pasa el rato tartamudeando, pensando qué decir y, luego, habla durante 45 segundos, no tiene ninguna gracia. Cuando el tiempo establecido haya pasado, el turno también. Intentad no desaprovecharlo.

El segundo en participar sólo puede dar una respuesta a todos los comentarios del primero, que es la siguiente: «Gracias por preocuparte y compartir tus sentimientos conmigo. Te prometo que pensaré en lo que me dices con mucha dedicación e interés». No se puede agregar nada más. El segundo participante no tiene la posibilidad de discutir, estar de acuerdo o en desacuerdo ni hacer preguntas. Memorizad esta respuesta y leedla cada vez que vuestro compañero finalice su turno. Él deberá hacer lo mismo tras el suyo.

Luego es el turno del segundo participante quien se tomará tres minutos y expondrá sus sentimientos de la misma manera que el primero. A su vez, el otro es el que debe controlar el tiempo y dar la señal. Toda esta actividad ha de realizarse manteniendo el contacto visual y el segundo en hablar siempre ha de responder con las frases antes citadas.

Esta primera noche tenéis que desarrollar tres ejercicios. Para asegurarme que no hay ningún malentendido, os explicaré exactamente lo que ha de ocurrir. Esta noche, así como las sucesivas, mantener el libro cerca para poder leer con detenimiento las reglas a seguir en cada actividad.

A continuación encontraréis la agenda para la noche número 1. Necesitáis el libro y un reloj con alarma o de arena. Poned las sillas en la posición antes citada y os observáis fijamente en silencio durante dos minutos.

Ejercicio 1

Miembro A: «Te he elegido como pareja porque...». (Tres min.)

Miembro B: «Gracias por preocuparte y compartir tus sentimientos conmigo. Te prometo que pensaré en lo que me dices con mucha dedicación e interés».

Miembro B: «Te he elegido como pareja porque ...». (Tres min.)

Miembro A: «Gracias por preocuparte y compartir tus sentimientos conmigo. Te prometo que pensaré en lo que me dices con mucha dedicación e interés».

Ejercicio 2

Miembro A: «Mi mayor temor al sincerarme contigo ha sido...». (Tres min.)

Consejo: Habla utilizando el pronombre «yo» y no «tú».
              Evita decir:«Mi mayor temor al sincerarme con-
              tigo ha sido pensar que tú no reaccionarías bien
              y no sabrías cómo comportarte». En cambio, ex-
              présate así: «Ha sido tener que admitir que no con-
              fiaba en mí lo suficiente porque...».

Miembro B: «Gracias por preocuparte y compartir tus senti-
              mientos conmigo. Te prometo que pensaré en lo
              que me dices con mucha dedicación e interés».

Miembro B: «Mi mayor temor al sincerarme contigo ha sido...».
              (Tres min.)

Miembro A: «Gracias por preocuparte y compartir tus senti-
              mientos conmigo. Te prometo que pensaré en lo
              que me dices con mucha dedicación e interés».

Ejercicio 3

Miembro A: «Espero ganar, al sincerarme contigo, ...». (Tres
              min.)

Miembro B: «Gracias por preocuparte y compartir tus senti-
              mientos conmigo. Te prometo que pensaré en lo
              que me dices con mucha dedicación e interés».

Miembro B: «Espero ganar, al sincerarme contigo, ...». (Tres
              min.)

Miembro A: «Gracias por preocuparte y compartir tus senti-
              mientos conmigo. Te prometo que pensaré en lo
              que me dices con mucha dedicación e interés».

A continuación, abrazaros durante 30 segundos.

El ejercicio ha salido bien, habéis interpretado bien vuestro papel. El abrazo constituye una herramienta increíblemente efectiva en el campo de la curación. Es también una de las

mejores maneras de que ambos dejéis claro que este ejercicio no representa un simple juego, sino un sincero y honesto intento de encontrar las diferencias en la relación. Mediante el abrazo estáis diciendo que os sentís comprometidos con la actividad.

Día 2

Actividad matutina

Para una explicación detallada de las actividades de la mañana, volved a leer las indicaciones del primer día, página 231.

Actividad nocturna

Adoptad la posición establecida con el libro y el reloj a mano. Hay que elegir un horario en que ambos tengáis tiempo.

Paso 1:   En silencio, mantened el contacto visual durante dos minutos.

Paso 2:   Tópicos para la apertura íntima.

Miembro A: «Siento que mi mayor contribución en esta relación es...». (Tres min.)

Miembro B: «Gracias por preocuparte y compartir tus sentimientos conmigo. Te prometo que pensaré en lo que me dices con mucha dedicación e interés».

Miembro B: «Siento que mi mayor contribución en esta relación es...». (Tres min.)

Miembro A: «Gracias por preocuparte y compartir tus sentimientos conmigo. Te prometo que pensaré en lo que me dices con mucha dedicación e interés».

Miembro A: «Siento que he contaminado esta relación al...». (Tres min.)

Miembro B: «Gracias por preocuparte y compartir tus sentimientos conmigo. Te prometo que pensaré en lo que me dices con mucha dedicación e interés».

Miembro B: «Siento que he contaminado esta relación al...». (Tres min.)

Miembro A: «Gracias por preocuparte y compartir tus sentimientos conmigo. Te prometo que pensaré en lo que me dices con mucha dedicación e interés».

Miembro A: «Estoy muy preocupado por nuestro futuro porque...». (Tres min.)

Miembro B: «Gracias por preocuparte y compartir tus sentimientos conmigo. Te prometo que pensaré en lo que me dices con mucha dedicación e interés».

Miembro B: «Estoy muy preocupado por nuestro futuro porque...». (Tres min.)

Miembro A: «Gracias por preocuparte y compartir tus sentimientos conmigo. Te prometo que pensaré en lo que me dices con mucha dedicación e interés».

Paso 3: Os ponéis de pie y, a continuación, os abrazáis durante 30 segundos.

Paso 4: Comienza a escribir un diario para ti al que sólo tú tengas acceso. (Si tu pareja está leyendo también el libro, es conveniente que escriba su propio diario.) Coge una libreta y transcribe tus pensamientos y sentimientos acerca de lo que ha ocurrido hasta ahora en tu nuevo programa. Será muy interesante que en los próximos meses o semanas puedas releer tales experiencias y reflexiones. Como mínimo, dedica unos cinco minutos diarios a esta tarea.

Día 3

Actividad matutina

Para una explicación detallada de las actividades de la mañana, hay que leer el primer día, página 231.

Actividad nocturna

Adoptad la posición antes descrita con el libro y el reloj a mano. Es importante ponerse de acuerdo a la hora de elegir un horario, que puede ser cuando ambos estéis libres.

Paso 1: En silencio, mantened el contacto visual durante dos minutos.

Paso 2: Tópicos para la apertura íntima.

Miembro A: «Los aspectos negativos que heredé de la relación de mis padres son...». (Tres min.)

Miembro B: «Gracias por preocuparte y compartir tus sentimientos conmigo. Te prometo que pensaré en lo que me dices con mucha dedicación e interés».

Miembro B: «Los aspectos negativos que heredé de la relación de mis padres son...». (Tres min.)

Miembro A: «Gracias por preocuparte y compartir tus sentimientos conmigo. Te prometo que pensaré en lo que me dices con mucha dedicación e interés».

Miembro A: «Los aspectos positivos que heredé de la relación de mis padres son...» (Tres min.)

Miembro B: «Gracias por preocuparte y compartir tus sentimientos conmigo. Te prometo que pensaré en lo que me dices con mucha dedicación e interés».

Miembro B: «Los aspectos positivos que heredé de la relación de mis padres son...» (Tres min.)

Miembro A: «Gracias por preocuparte y compartir tus sentimientos conmigo. Te prometo que pensaré en lo que me dices con mucha dedicación e interés».

Miembro A: «Nuestra relación tiene muy buenas posibilidades porque...». (Tres min.)

Miembro B: «Gracias por preocuparte y compartir tus sentimientos conmigo. Te prometo que pensaré en lo que me dices con mucha dedicación e interés».

Miembro B: «Nuestra relación tiene muy buenas posibilidades porque...» (Tres min.)

Miembro A: «Gracias por preocuparte y compartir tus sentimientos conmigo. Te prometo que pensaré en lo que dices con mucha dedicación e interés».

Paso 3: De pie, os abrazáis durante 30 segundos.

Paso 4: Comienza a escribir un diario para ti al que sólo tú tengas acceso. Coge una libreta y transcribe tus pensamientos y sentimientos de lo que ha ocurrido hasta ahora en tu nuevo programa. Será muy interesante que en los próximos meses o semanas puedas releer acerca de esos sentimientos y pensamientos. Como mínimo, dedica unos cinco minutos diarios a esta tarea.

Día 4

Actividad matutina

Para una explicación detallada de las actividades de la mañana, hay que leer el primer día, página 231.

Actividad nocturna

Adoptad la misma posición que los días anteriores con el libro y el reloj a mano. Elegid un horario en que ambos estéis libres.

Paso 1:   En silencio mantened el contacto visual durante dos minutos.

Paso 2:   Tópicos para la apertura íntima.

Miembro A: «Me tienes que querer y mimar...». (Tres min.)

Miembro B: «Gracias por preocuparte y compartir tus sentimientos conmigo. Te prometo que pensaré en lo que me dices con mucha dedicación e interés».

Miembro B: «Me tienes que querer y mimar, ya que de esta forma...». (Tres min.)

Miembro A: «Gracias por preocuparte y compartir tus sentimientos conmigo. Te prometo que pensaré en lo que me dices con mucha dedicación e interés».

Miembro A: «Si te perdiera, me haría mucho daño porque...». (Tres min.)

Miembro B: «Gracias por preocuparte y compartir tus sentimientos conmigo. Te prometo que pensaré en lo que me dices con mucha dedicación e interés».

Miembro B: «Si te perdiera, me haría mucho daño porque...». (Tres min.)

Miembro A: «Gracias por preocuparte y compartir tus sentimientos conmigo. Te prometo que pensaré en lo que me dices con mucha dedicación e interés».

Miembro A: «Mis sueños más sinceros en cuanto a nuestra relación son...». (Tres min.)

Miembro B: «Gracias por preocuparte y compartir tus sentimientos conmigo. Te prometo que pensaré en lo que me dices con mucha dedicación e interés».

Miembro B: «Mis sueños más sinceros en cuanto a nuestra relación son...». (Tres min.)

Miembro A: «Gracias por preocuparte y compartir tus sentimientos conmigo. Te prometo que pensaré en lo que me dices con mucha dedicación e interés».

Paso 3: De pie, os abrazáis durante 30 segundos.

Paso 4: Por favor, registra tus pensamientos y sentimientos en tu diario personal durante cinco minutos diarios.

Día 5

Actividad matutina

Para una explicación detallada de las actividades de la mañana, hay que leer el primer día, página 231.

Actividad nocturna

Adoptad la misma posición que en los días anteriores, con el libro y el reloj a mano. Hay que elegir un horario en que ambos estéis libres.

Paso 1: En silencio mantened el contacto visual durante dos minutos.

Paso 2: Tópicos para la apertura íntima.

Miembro A: «Los acuerdos a los que habíamos llegado juntos y que, por algún motivo se rompieron o no se llevaron a cabo,...». (Tres min.)

Miembro B: «Gracias por preocuparte y compartir tus sentimientos conmigo. Te prometo que pensaré en lo que me dices con mucha dedicación e interés».

Miembro B: «Los acuerdos a los que habíamos llegado juntos y que, por algún motivo se rompieron o no se llevaron a cabo,...». (Tres min.)

Miembro A: «Gracias por preocuparte y compartir tus sentimientos conmigo. Te prometo que pensaré en lo que me dices con mucha dedicación e interés».

Miembro A: «Me siento mal cuando no se respetan nuestros acuerdos porque...». (Tres min.)

Miembro B: «Gracias por preocuparte y compartir tus sentimientos conmigo. Te prometo que pensaré en lo que me dices con mucha dedicación e interés».

Miembro B: «Me siento mal cuando no se respetan nuestros acuerdos porque...». (Tres min.)

Miembro A: «Gracias por preocuparte y compartir tus sentimientos conmigo. Te prometo que pensaré en lo que me dices con mucha dedicación e interés».

Miembro A: «Me siento mejor conmigo mismo cuando te trato con dignidad y respeto porque...». (Tres min.)

Miembro B: «Gracias por preocuparte y compartir tus sentimientos conmigo. Te prometo que pensaré en lo que me dices con mucha dedicación e interés».

Miembro B: «Me siento mejor conmigo mismo cuando te trato con dignidad y respeto porque...». (Tres min.)

Miembro A: «Gracias por preocuparte y compartir tus sentimientos conmigo. Te prometo que pensaré en lo que me dices con mucha dedicación e interés».

Paso 3: De pie, os abrazáis durante 30 segundos.

Paso 4: Por favor, registra tus pensamientos y sentimientos en tu diario personal durante al menos cinco minutos diarios.

Debido a que ninguno de nosotros es perfecto, todos sin excepción acordamos tratos que son imposibles de realizar. Tal vez se trate de algo tan simple como sacar la basura, llamar cuando vayamos a llegar tarde o tan complejo como un acuerdo de amor y respeto hacia el ser amado.

Incluso los más insignificantes acuerdos pueden representar escollos en el camino de nuestra relación. El mensaje que encierra este comportamiento es que él o ella no es lo suficientemente importante para dedicarle tu tiempo y energía. Estoy seguro de que tienes siempre una excusa preparada, que hasta puede parecer válida. Sin embargo, el resultado no cambiará por ello.

Examina este tema profundamente y con el corazón. Sé muy específico al presentar los detalles por los que los acuerdos no se han cumplido. Exige conocer todas las posibles instancias. Por ejemplo: «He roto un trato contigo cuando dije que recogería la ropa de la tintorería el martes de la semana pasada», «no cumplí con el pacto cuando aseguré que controlaría mi ira contra tu hermano», «cuando dije que intentaría que nuestra relación funcionara mejor pero no me dediqué». No te justifiques ante tu pareja, simplemente reconócelo escribiendo una lista. Tus tres minutos pueden llenarse con los tratos que has roto últimamente o con los de tiempos pasados.

Día 6
Actividad matutina
Para una explicación detallada de las actividades de la mañana, hay que leer el primer día, página 231.

Actividad nocturna
Adoptad la misma posición de los días anteriores con el libro y el reloj a mano. Hay que elegir un horario en que ambos estéis libres.

Paso 1: En silencio mantened el contacto visual durante dos minutos.

Paso 2: Tópicos para la apertura íntima.

Miembro A: «Me ayuda juzgar tus actos con perdón y aceptación, en lugar de con el corazón, porque...». (Tres min.)

Miembro B: «Gracias por preocuparte y compartir tus sentimientos conmigo. Te prometo que pensaré en lo que me dices con mucha dedicación e interés».

Miembro B: «Me ayuda juzgar tus actos con perdón y aceptación, en lugar de con el corazón, porque...». (Tres min.)

Miembro A: «Gracias por preocuparte y compartir tus sentimientos conmigo. Te prometo que pensaré en lo que me dices con mucha dedicación e interés».

Miembro A: «Necesito y quiero tu perdón porque...». (Tres min.)

Miembro B: «Gracias por preocuparte y compartir tus sentimientos conmigo. Te prometo que pensaré en lo que me dices con mucha dedicación e interés».

Miembro B: «Necesito y quiero tu perdón porque...». (Tres min.)

Miembro A: «Gracias por preocuparte y compartir tus sentimientos conmigo. Te prometo que pensaré en lo que me dices con mucha dedicación e interés».

Paso 3: De pie, os abrazáis durante 30 segundos.

Paso 4: Por favor, registra tus pensamientos y sentimientos en tu diario personal durante cinco minutos diarios.

Día 7

Actividad matutina

Para una explicación detallada de las actividades de la mañana, hay que leer el primer día, página 231.

Actividad nocturna

Adoptad la misma posición de los días anteriores con el libro y el reloj a mano. Elegid un horario en que ambos estéis libres.

Paso 1:   En silencio mantened el contacto visual durante dos minutos.

Paso 2:   Tópicos para la apertura íntima.

Miembro A: «Las cosas que funcionan bien en mi vida son...». (Tres min.)

Miembro B: «Gracias por preocuparte y compartir tus sentimientos conmigo. Te prometo que pensaré en lo que me dices con mucha dedicación e interés».

Miembro B: «Las cosas que funcionan bien en mi vida son...». (Tres min.)

Miembro A: «Gracias por preocuparte y compartir tus sentimientos conmigo. Te prometo que pensaré en lo que me dices con mucha dedicación e interés».

Miembro A: «Las cosas que no funcionan bien en mi vida son...». (Tres min.)

Miembro B: «Gracias por preocuparte y compartir tus sentimientos conmigo. Te prometo que pensaré en lo que me dices con mucha dedicación e interés».

Miembro B: «Las cosas que no funcionan bien en mi vida son...». (Tres min.)

Miembro A: «Gracias por preocuparte y compartir tus sentimientos conmigo. Te prometo que pensaré en lo que me dices con mucha dedicación e interés».

Miembro A: «Las excusas que daría si nuestra relación se rompiera son ...». (Tres min.)

Miembro B: «Gracias por preocuparte y compartir tus sentimientos conmigo. Te prometo que pensaré en lo que me dices con mucha dedicación e interés».

Miembro B: «Las excusas que daría si nuestra relación se rompiera son...». (Tres min.)

Miembro A: «Gracias por preocuparte y compartir tus sentimientos conmigo. Te prometo que pensaré en lo que me dices con mucha dedicación e interés».

Paso 3:   De pie, os abrazáis durante 30 segundos.

Paso 4:   Por favor, registra tus pensamientos y sentimientos en tu diario personal durante al menos cinco minutos diarios.

Día 8

Actividad matutina

Para una explicación detallada de las actividades de la mañana, hay que leer el primer día, página 231.

Actividad nocturna

Adoptad la misma posición de los días anteriores con el libro y el reloj a mano. Elegid un horario en que ambos estéis libres.

Paso 1:   En silencio mantened el contacto visual durante dos minutos.

Paso 2:   Tópicos para la apertura íntima.

Miembro A: «Las barreras más grandes que nos impiden tener una relación exitosa son...». (Tres min.)

Miembro B: «Gracias por preocuparte y compartir tus sentimientos conmigo. Te prometo que pensaré en lo
que me dices con mucha dedicación e interés».

Miembro B: «Las barreras más grandes que nos impiden tener una relación exitosa son...». (Tres min.)

Miembro A: «Gracias por preocuparte y compartir tus sentimientos conmigo. Te prometo que pensaré en lo
que me dices con mucha dedicación e interés».

Miembro A: «Los valores en los que coincidimos para que nuestra relación tenga éxito son...». (Tres min.)

Miembro B: «Gracias por preocuparte y compartir tus sentimientos conmigo. Te prometo que pensaré en lo
que me dices con mucha dedicación e interés».

Miembro B: «Los valores en los que coincidimos para que nuestra relación tenga éxito son...». (Tres min.)

Miembro A: «Gracias por preocuparte y compartir tus sentimientos conmigo. Te prometo que pensaré en lo que
me dices con mucha dedicación e interés».

Miembro A: «Merece la pena todo este esfuerzo porque...».
(Tres min.)

Miembro B: «Gracias por preocuparte y compartir tus sentimientos conmigo. Te prometo que pensaré en lo que
me dices con mucha dedicación e interés».

Miembro B: «Merece la pena todo este esfuerzo porque...».
(Tres min.)

Miembro A: «Gracias por preocuparte y compartir tus sentimientos conmigo. Te prometo que pensaré en lo
que me dices con mucha dedicación e interés».

Paso 3:   De pie, os abrazáis durante 30 segundos.

Paso 4:   Por favor, registra tus pensamientos y sentimientos en tu diario personal durante al menos cinco minutos diarios.

Día 9

Actividad matutina

Para una explicación detallada de las actividades de la mañana, hay que leer el primer día, página 231.

Actividad nocturna

Adoptad la misma posición que en los días anteriores con el libro y el reloj a mano. Elegid un horario en que ambos estéis libres.

Paso 1:   En silencio mantened el contacto visual durante dos minutos.

Paso 2:   Tópicos para la apertura íntima.

Miembro A: «Mi registro* o mis creencias predeterminadas de los hombres son...». (Tres min.)

Miembro B: «Gracias por preocuparte y compartir tus sentimientos conmigo. Te prometo que pensaré en lo que me dices con mucha dedicación e interés».

* Nota del noveno día: «Registro» es todo pensamiento, aparentemente sin sentido, que nos acompaña a lo largo de nuestras vidas. Se trata de creencias predeterminadas que han invadido tu mente en muchas ocasiones, por lo que se consideran automáticas y sólo pueden eliminarse o compensarse si se las reconoce de forma consciente. Ejemplo: los hombres y las mujeres se guían por el sexo. Los hombres no son sensibles. Las mujeres son soñadoras y manipuladoras.

Miembro B: «Mi registro o mis creencias predeterminadas de los hombres son...». (Tres min.)

Miembro A: «Gracias por preocuparte y compartir tus sentimientos conmigo. Te prometo que pensaré en lo que me dices con mucha dedicación e interés».

Miembro A: «Mi registro o mis creencias predeterminadas de las mujeres son...». (Tres min.)

Miembro B: «Gracias por preocuparte y compartir tus sentimientos conmigo. Te prometo que pensaré en lo que me dices con mucha dedicación e interés».

Miembro B: «Mi registro o mis creencias predeterminadas de las mujeres son...». (Tres min.)

Miembro A: «Gracias por preocuparte y compartir tus sentimientos conmigo. Te prometo que pensaré en lo que me dices con mucha dedicación e interés».

Miembro A: «Mi registro o mis creencias predeterminadas de las relaciones son...». (Tres min.)

Miembro B: «Gracias por preocuparte y compartir tus sentimientos conmigo. Te prometo que pensaré en lo que me dices con mucha dedicación e interés».

Miembro B: «Mi registro o mis creencias predeterminadas de las relaciones son...». (Tres min.)

Miembro A: «Gracias por preocuparte y compartir tus sentimientos conmigo. Te prometo que pensaré en lo que me dices con mucha dedicación e interés».

Paso 3:   De pie, os abrazáis durante 30 segundos.

Paso 4:   Por favor, registra tus pensamientos y sentimientos en tu diario personal durante al menos cinco minutos diarios.

Día 10

Actividad matutina

Para una explicación detallada de las actividades de la mañana, hay que leer el primer día, página 231.

Actividad nocturna

Adoptad la misma posición que los días anteriores con el libro y el reloj a mano. Hay que elegir un horario en que ambos estéis libres.

Paso 1:   En silencio mantened el contacto visual durante dos minutos.

Paso 2:   Tópicos para la apertura íntima.

Miembro A: «Lo que menos me gusta de mí es...». (Tres min.)

Miembro B: «Gracias por preocuparte y compartir tus sentimientos conmigo. Te prometo que pensaré en lo que me dices con mucha dedicación e interés».

Miembro B: «Lo que menos me gusta de mí es...». (Tres min.)

Miembro A: «Gracias por preocuparte y compartir tus sentimientos conmigo. Te prometo que pensaré en lo que me dices con mucha dedicación e interés».

Miembro A: «Lo que más me gusta de mí es...». (Tres min.)

Miembro B: «Gracias por preocuparte y compartir tus sentimientos conmigo. Te prometo que pensaré en lo que me dices con mucha dedicación e interés».

Miembro B: «Lo que más me gusta de mí es...». (Tres min.)

Miembro A: «Gracias por preocuparte y compartir tus sentimientos conmigo. Te prometo que pensaré en lo que me dices con mucha dedicación e interés».

Miembro A: «Lo que menos me gusta de ti es...». (Tres min.)

Miembro B: «Gracias por preocuparte y compartir tus sentimientos conmigo. Te prometo que pensaré en lo que me dices con mucha dedicación e interés».

Miembro B: «Lo que menos me gusta de ti es...». (Tres min.)

Miembro A: «Gracias por preocuparte y compartir tus sentimientos conmigo. Te prometo que pensaré en lo que me dices con mucha dedicación e interés».

Miembro A: « Lo que más me gusta de ti es...». (Tres min.)

Miembro B: «Gracias por preocuparte y compartir tus sentimientos conmigo. Te prometo que pensaré en lo que me dices con mucha dedicación e interés».

Miembro B: « Lo que más me gusta de ti es...». (Tres min.)

Miembro A: «Gracias por preocuparte y compartir tus sentimientos conmigo. Te prometo que pensaré en lo que me dices con mucha dedicación e interés».

Paso 3: De pie, os abrazáis durante 30 segundos.

Paso 4: Por favor, registra tus pensamientos y sentimientos en tu diario personal durante al menos cinco minutos diarios.

Día 11
Actividad matutina
Para una explicación detallada de las actividades de la mañana, hay que leer el primer día, página 231.

Actividad nocturna
Adoptad la misma posición de los días anteriores con el libro y el reloj a mano. Hay que elegir un horario en que ambos estéis libres.

Paso 1:   En silencio mantened el contacto visual durante dos minutos.

Paso 2:   Tópicos para la apertura íntima.

Miembro A: «De las cinco categorías posibles*, siento que encajo mejor en la categoría... porque...». (Tres min.)

Miembro B: «Gracias por preocuparte y compartir tus sentimientos conmigo. Te prometo que pensaré en lo que me dices con mucha dedicación e interés».

Miembro B: «De las cinco categorías posibles, siento que encajo mejor en la categoría... porque...». (Tres min.)

Miembro A: «Gracias por preocuparte y compartir tus sentimientos conmigo. Te prometo que pensaré en lo que me dices con mucha dedicación e interés».

Miembro A: «De las cinco categorías posibles, siento que encajas mejor en la categoría... porque...». (Tres min.)

Miembro B: «Gracias por preocuparte y compartir tus sentimientos conmigo. Te prometo que pensaré en lo que me dices con mucha dedicación e interés».

Miembro B: «De las cinco categorías posibles, siento que encajas mejor en la categoría... porque...». (Tres min.)

Miembro A: «Gracias por preocuparte y compartir tus sentimientos conmigo. Te prometo que pensaré en lo que me dices con mucha dedicación e interés».

* Nota del día 11: Para completar esta actividad nocturna, observar el cuadro situado en la página 255. En él se describen cinco categorías de personalidad. A cada una le he asignado el nombre de un animal que, según mi opinión, se relaciona mejor con las distintas categorías personales. Espero que os resulte divertido y que tengáis sumo cuidado en las respuestas a las preguntas del ejercicio.

Miembro A: «Puedo recurrir concretamente a esa categoría para intentar mejorar nuestra relación de la siguiente forma:...». (Tres min)

Miembro B: «Gracias por preocuparte y compartir tus sentimientos conmigo. Te prometo que pensaré en lo que me dices con mucha dedicación e interés».

Miembro B: «Puedo recurrir concretamente a esa categoría para intentar mejorar nuestra relación de la siguiente forma:...». (Tres min)

Miembro A: «Gracias por preocuparte y compartir tus sentimientos conmigo. Te prometo que pensaré en lo que me dices con mucha dedicación e interés».

Miembro A: «Podría contaminar nuestra relación si dejase que las características más peculiares de mi personalidad...». (Tres min.)

Miembro B: «Gracias por preocuparte y compartir tus sentimientos conmigo. Te prometo que pensaré en lo que me dices con mucha dedicación e interés».

Miembro B: «Podría contaminar nuestra relación si dejase que las características más peculiares de mi personalidad...». (Tres min.)

Miembro A: «Gracias por preocuparte y compartir tus sentimientos conmigo. Te prometo que pensaré en lo que me dices con mucha dedicación e interés».

Paso 3: De pie, os abrazáis durante 30 segundos.

Paso 4: Por favor, registra tus pensamientos y sentimientos en tu diario personal durante al menos cinco minutos diarios.

```
          CATEGORÍAS DE PERSONALIDADES
        CONTRIBUCIONES / CONTAMINACIONES
```

LOBO	LEÓN	PERRO	BÚHO	CASTOR
Promotor	Controlador	Defensor	Analizador	Trabajador
Suave	Lleva cosas	Todo vale	Lo separa	Gana camino
Persuasivo	Voluntarioso	Camino fácil	Calculador	No descansa
Adopta reglas	Líder	Relajado	Receloso	Perfección
Siempre vende	A su manera propia	Ingenuo	Juicioso	Virtuoso
		A prueba		

Día 12
Actividad matutina
Para una explicación detallada de las actividades de la mañana, hay que leer el primer día, página 231.

Actividad nocturna
Adoptad la misma posición que los días anteriores con el libro y el reloj a mano. Hay que elegir un horario en que ambos estéis libres.

Paso 1: En silencio mantened el contacto visual durante dos minutos.

Paso 2: Tópicos para la apertura íntima.

Miembro A: «El dolor más grande que he experimentado en mi vida fue cuando...». (Tres min.)

Miembro B: «Gracias por preocuparte y compartir tus sentimientos conmigo. Te prometo que pensaré en lo que me dices con mucha dedicación e interés».

Miembro B: «El dolor más grande que he experimentado en mi vida fue cuando...». (Tres min.)

Miembro A: «Gracias por preocuparte y compartir tus sentimientos conmigo. Te prometo que pensaré en lo que me dices con mucha dedicación e interés».

Miembro A: «La peor soledad que he experimentado en mi vida fue cuando...». (Tres min.)

Miembro B: «Gracias por preocuparte y compartir tus sentimientos conmigo. Te prometo que pensaré en lo que me dices con mucha dedicación e interés».

Miembro B: «La peor soledad que he experimentado en mi vida fue cuando...». (Tres min.)

Miembro A: «Gracias por preocuparte y compartir tus sentimientos conmigo. Te prometo que pensaré en lo que me dices con mucha dedicación e interés».

Miembro A: «Nunca me he sentido más amado y valorado que cuando...». (Tres min.)

Miembro B: «Gracias por preocuparte y compartir tus sentimientos conmigo. Te prometo que pensaré en lo que me dices con mucha dedicación e interés».

Miembro B: «Nunca me he sentido más amado y valorado que cuando...». (Tres min.)

Miembro A: «Gracias por preocuparte y compartir tus sentimientos conmigo. Te prometo que pensaré en lo que me dices con mucha dedicación e interés».

Paso 3: De pie, os abrazáis durante 30 segundos.

Paso 4: Por favor, registra tus pensamientos y sentimientos en tu diario personal durante al menos cinco minutos diarios.

Día 13

Actividad matutina

Para una explicación detallada de las actividades de la mañana, hay que leer el primer día, página 231.

Actividad nocturna

Adoptad la misma posición que en los días anteriores con el libro y el reloj a mano. Elegid un horario en que ambos estéis libres.

Paso 1: En silencio mantener el contacto visual durante dos minutos.

Paso 2: Tópicos para la apertura íntima.

Miembro A: «Si tuviera la posibilidad de cambiar algunas de tus experiencias de vida, haría...». (Tres min.)

Miembro B: «Gracias por preocuparte y compartir tus sentimientos conmigo. Te prometo que pensaré en lo que me dices con mucha dedicación e interés».

Miembro B: «Si tuviera la posibilidad de cambiar algunas de tus experiencias de vida, haría...». (Tres min.)

Miembro A: «Gracias por preocuparte y compartir tus sentimientos conmigo. Te prometo que pensaré en lo que me dices con mucha dedicación e interés».

Miembro A: «Estoy muy orgulloso de ti cuando...». (Tres min.)

Miembro B: «Gracias por preocuparte y compartir tus sentimientos conmigo. Te prometo que pensaré en lo que me dices con mucha dedicación e interés».

Miembro B: «Estoy muy orgulloso de ti cuando...». (Tres min.)

Miembro A: «Gracias por preocuparte y compartir tus sentimientos conmigo. Te prometo que pensaré en lo que me dices con mucha dedicación e interés».

Miembro A: «Quiero que te sientas muy especial porque...».
(Tres min.)

Miembro B: «Gracias por preocuparte y compartir tus sentimientos conmigo. Te prometo que pensaré en lo que me dices con mucha dedicación e interés».

Miembro B: «Quiero que te sientas muy especial porque...».
(Tres min.)

Miembro A: «Gracias por preocuparte y compartir tus sentimientos conmigo. Te prometo que pensaré en lo que me dices con mucha dedicación e interés».

Paso 3: De pie, os abrazáis durante 30 segundos.

Paso 4: Por favor, registra tus pensamientos y sentimientos en tu diario personal durante al menos cinco minutos todos los días.

Día 14
Actividad matutina
Para una explicación detallada de las actividades de la mañana, hay que leer el primer día, página 231.

Actividad nocturna
Adoptad la misma posición que los días anteriores con el libro y el reloj a mano. Hay que elegir un horario en que ambos estéis libres.

Nota del día 14: Todos estamos dotados de habilidades y destrezas que nos son únicas. Son regalos que Dios nos ha dado —únicos para cada uno de los seres humanos—. Resulta muy positivo reconocer y utilizar esas características que observamos en nuestros compañeros. Piensa con detenimiento en las virtudes que observas y experimentas en tu pareja. Descríbelas de forma detallada y pasionalmente.

Paso 1:   En silencio mantener el contacto visual durante dos minutos.

Paso 2:   Tópicos para la apertura íntima.

Miembro A: «Creo que eres la persona más sexy y sensual cuando...». (Tres min.)

Miembro B: «Gracias por preocuparte y compartir tus sentimientos conmigo. Te prometo que pensaré en lo que me dices con mucha dedicación e interés».

Miembro B: «Creo que eres la persona más sexy y sensual cuando...». (Tres min.)

Miembro A: «Gracias por preocuparte y compartir tus sentimientos conmigo. Te prometo que pensaré en lo que me dices con mucha dedicación e interés».

Miembro A: «Me haces sentir sexy y sensual cuando...». (Tres min.)

Miembro B: «Gracias por preocuparte y compartir tus sentimientos conmigo. Te prometo que pensaré en lo que me dices con mucha dedicación e interés».

Miembro B: «Me haces sentir sexy y sensual cuando...». (Tres min.)

Miembro A: «Gracias por preocuparte y compartir tus sentimientos conmigo. Te prometo que pensaré en lo que me dices con mucha dedicación e interés».

Miembro A: «Las virtudes que veo en ti son...». (Tres min.)

Miembro B: «Gracias por preocuparte y compartir tus sentimientos conmigo. Te prometo que pensaré en lo que me dices con mucha dedicación e interés».

Miembro B: «Las virtudes que veo en ti son...». (Tres min.)

Miembro A: «Gracias por preocuparte y compartir tus sentimientos conmigo. Te prometo que pensaré en lo que me dices con mucha dedicación e interés».

Paso 3: De pie, os abrazáis durante 30 segundos.

Paso 4: Por favor, registra tus pensamientos y sentimientos en tu diario personal durante al menos cinco minutos diarios.

Sin duda, esto no es un programa completo. Casi a diario, de ahora en adelante, comprobaremos tu habilidad para restablecer la comunicación con la persona amada. También tendrás que confrontar el pensamiento negativo y el mal espíritu que invadió tu relación en el pasado. Te esforzarás constantemente en revisar tu pensamiento distorsionado y continuarás luchando para que aparezca el buen espíritu en ti. Tendrás que practicar, practicar y practicar. Sin embargo, sé que después de 14 días estarás en el camino correcto. Con toda seguridad, si aplicas de forma regular los conceptos y las actividades que has leído en este libro, encontrarás el tipo de comunicación con la que un día soñaste. Seguirás experimentando cambios vitales en tu vida.

Creo que es fundamental que los dos penséis en las afirmaciones que más inspiren vuestra unión.

En suma, quiero que toméis una decisión en vuestra vida respecto a la relación y elaboréis conjuntamente una declaración de vuestros objetivos. Se trata de diseñarla a partir de vuestras esperanzas, vuestros sueños y compromisos. Se tiene que convertir en la Estrella del Norte, la misma que ha guiado a los marinos y navegantes durante siglos. Si los marineros de la antigüedad se perdían, sólo debían buscar su Estrella del Norte, fijar su atención en ella y lo demás volvía a su curso habitual. Esto es lo que pretendo crear en vuestra relación. Simplemente elaborando una declaración de objetivos entre los dos, estaréis creando un punto de referencia al que recurrir para mantener la relación en el buen camino. Ha de ser producto del pensamiento de los dos miembros de la pareja. A continuación, os enseño un ejemplo real de hace algunos años:

«Nosotros, Jeff y Diane, hemos resuelto cumplir al pie de la letra el credo de nuestra relación y tratar al otro con dignidad y respeto. Recuperamos la amistad en la cual nuestro amor se fundó e intentamos vivir con aceptación más que con críticas hacia el otro. No volveremos a discutir frente a nuestros hijos ni, sobre todo, a colocar la relación al borde de un abismo a causa de una disputa. Seremos imperfectos pero, con la ayuda de Dios y de un amor comprometido, triunfaremos. Firmado: Jeff y Diane.»

A continuación, quiero que creéis vuestra propia Estrella del Norte para la relación. Será exclusiva y dinámica, aunque sólo cambiará si se producen cambios en la pareja. Pero el mensaje central siempre será vuestra más preciada filosofía sobre lo que queréis, necesitáis y esperáis. Este manifiesto ha de destacar en algún lugar de la casa, de manera tal que podáis recordar su contenido constantemente.

Alerta roja: las relaciones no se curan, se gestionan

Posiblemente te sientas muy bien ahora, después de todo lo que has pasado. Puede que hayas conseguido erradicar los falsos mitos de tu relación, te hayas concentrado en el lado oscuro de tu personalidad, hayas adoptado un nuevo conjunto de valores personales y, finalmente, hayas trabajado en un programa detallado para restablecer la comunicación con tu pareja. Sin embargo, si estás pensando que, de aquí en adelante, navegarás por aguas tranquilas, mejor relee este libro desde la primera página y haz todos los ejercicios otra vez porque no has entendido bien el mensaje.

Como he dicho en los capítulos anteriores, te has pasado la vida trabajando duramente para lograr cosas equivocadas y crear un estilo de vida que te ayuda a mantener una mala relación de pareja. Lo has provocado tú, y se basa en las características más contraproducentes de tu personalidad que, a su vez, te provocan estrés y frustración. Aun así, reconocer los defectos de tu forma de vida no es un motivo suficiente para que ésta se arregle.

Lo diré una y otra vez: no lograrás lo que quieres sólo con buenas intenciones. La razón por la cual el 85 % de los que dejan la bebida vuelven a caer en ella al año siguiente o casi el 90 % de los que han perdido peso lo recupera al poco tiempo es que, en realidad, nunca han abandonado el estilo de vida que favorece sus comportamientos destructivos.

Los alcohólicos estructuran un mundo en el cual puedan seguir bebiendo, aunque confiesen que quieren dejar de hacerlo. La gente obesa también crea un espacio que le permita seguir acumulando sobrepeso. Se garantiza que la vida gire alrededor de la comida. Puede que en algún momento estas personas tomen conciencia del problema e intenten, durante períodos muy cortos, ejercitar su fuerza de voluntad en medio de una atmósfera adversa: llena de tentaciones. Nunca cambian su estilo de vida, lo postergan. Y, en cuanto a ti, has edificado una existencia que lleva tu relación a la destrucción.

No existe una píldora mágica para que el vínculo amoroso sea satisfactorio o, en 14 días, experimentes una transformación radical. Tienes que renunciar a un estilo de vida vicioso y encontrar tu núcleo de conciencia. Al destruir totalmente tu mundo y volver a estructurarlo, teniendo en cuenta los aspectos positivos que quieres que fundamenten tu relación, garantizarás un cambio permanente.

Si has vivido bajo un determinado estilo de vida A, que generó una mala relación, y has logrado alcanzar el estilo de vida B, que ha generado una relación prometedora, trabajando duro y con la ayuda de este libro. ¿Qué te hace suponer que, de volver al sistema de vida anterior, no vuelvas a tener los mismos problemas? **Si quieres algo diferente, debes comportarte de otro modo.**

A fin de mantener tu relación en el buen camino, tienes todavía otra dificultad añadida. Tu pareja y tú estáis programados para vivir en conflicto. Estar en relación con el sexo opuesto —y enfatizo el término «opuesto»— significa que intentas construir tu vida con alguien que es de diferente naturaleza física, mental, emocional y socialmente. Sois tan compatibles como lo pueden ser un gato y un perro. Doy mi palabra de que lo que señalo a continuación es absolutamente cierto: no existe un libro, interlocutor o terapeuta que pueda eliminar las diferencias naturales entre hombres y mujeres.

Habrá situaciones en el futuro en las que esas diferencias os causarán graves confrontaciones. En caso de no estar preparados para encararlas con cierto grado de conocimiento, os precipitaréis en espiral hacia el fondo de un pozo.

Espero no estar contribuyendo de forma negativa en tu entusiasmo. Con lo que has aprendido en este libro, puedes formar parte de un grupo minoritario que sabe muy bien lo que cuesta mantener una relación estable, pero hay una gran distancia entre saber y hacer, entre ser capaz de cambiar y comprometerse a cambiar. Lo que tú estás a punto de llevar a cabo no es muy distinto a lo que se enfrenta una persona que va río abajo por aguas turbulentas en una canoa y luego, de pronto, gira y va contra corriente. Al cabo de un rato de remar en dirección contraria con mucha fuerza, comprueba que apenas si puede mantenerse en el mismo lugar. Tiene la sensación —y es así— de que necesita una fuerza indescriptible para hacer frente a la corriente. Has girado 180 ° hacia una dirección positiva, pero no te olvides de que tendrás que seguir remando contra la corriente durante el resto de tu vida. Tu historia, tus modelos y expectativas seguirán su cauce negativo en contra de la nueva dirección. Aunque no sea fácil, puedes ganarles.

Quiero que formes parte de ese grupo minoritario que tiene el coraje de continuar remando y, finalmente, vencer al río. Necesitas un programa para mantener sana tu relación. Espero que haya resultado excitante el programa de los 14 días y que hayas completado los ejercicios diarios y cuestionarios respectivos. Ahora esta etapa de rellenar los espacios ha finalizado y estás entrando en una fase relativamente peligrosa, donde tanto tú como tu pareja seréis vulnerables.

Si lo presentara de forma sutil, os estaría engañando. No es cuestión de que en este punto te mime, dé palmadas en la espalda o diga que se trata de escribir una carta de amor a la persona amada. Quiero asegurarme que, en este momento, ya tienes una estrategia definida para conservar todo lo que has logrado.

Si no has pensado en ello, no tendrás éxito. Nuestra tendencia natural es relajarnos tras haber conseguido algo difícil o arduo. Has hecho un progreso significativo, pero no es hora de aminorar la marcha. Como las cosas van en tu misma dirección, debes aprovechar para conseguir más cambios positivos. No caigas nunca en la trampa de trabajar en la relación cuando tiene problemas graves. Las relaciones humanas están sujetas a las mismas leyes existenciales que cualquier otro elemento de este mundo. Si, por ejemplo, te preocupa tu salud al caer enfermo, jamás tendrás una vida saludable. Has de controlar tu estado físico cuando estás bien, y lo mismo sucede con tu relación. Si fracasas en el intento de elaborar y ejecutar una buena estrategia de gestión, este libro habrá sido una lectura más, entre otras, y no te habrá servido para cambiar tu erróneo estilo de vida.

Una vez más deja que te recuerde: las relaciones no se curan, se gestionan. Necesitas una estrategia para llevarte mejor con tu pareja a largo plazo, que tenga en cuenta las presiones negativas de tu larga historia y los retos a los que deberás enfrentarte en el mundo real para conservar el estado óptimo de la relación.

Piensa y actúa hacia delante. Me preocupa lo que tu pareja y tú haréis el próximo verano o la semana que viene. Es fundamental programar una gestión tanto a corto como a largo plazo; la primera, para fijar las bases de una nueva historia y, la segunda, porque representa el trayecto de toda tu vida. Quiero que determines cómo encarrilar tu vida. Las resoluciones que se toman en año nuevo, por ejemplo, basadas en falsas promesas, no desaparecerán de tu mente. Por eso, el plan ha de ser específico y adaptarse a la cotidianidad.

Sé que no quieres trabajar duro pero, si de verdad deseas que tu relación siga por el buen camino, haz lo que viene a continuación. Piénsalo de esta manera: aunque haya sido involuntario, has «trabajado» con mucho empeño durante años para que tu relación fuera insatisfactoria, para que durase mucho tiempo pero con graves problemas. Sólo te pido que inviertas la misma cantidad de tiempo y energía que necesitaste al moldear esa relación para reprogramarla bajo un punto de vista de renovación y de cambio. Puede resultar duro, pero habrá una recompensa a corto y a largo plazo.

Gestión prioritaria

Si prestas especial atención a tus necesidades básicas, habrás avanzado bastante en el camino hacia una nueva relación. La gestión prioritaria es simple y efectiva, siempre y cuando sepas muy bien cuáles son tus prioridades. ¿Recuerdas que en un capítulo anterior mencioné el concepto de las decisiones de la vida? Éstas son justamente las que tomas a raíz de una convicción muy profunda, opuestas totalmente a las que responden a las deducciones intelectuales. Salvar tu relación debe encontrarse entre estas decisiones. Se convierte en una prioridad a partir de la cual evalúas cada pensamiento, sentimiento y comportamiento. Sólo tienes que preguntarte: «¿Mis pensamientos, sentimientos y comportamientos actuales responden a la necesidad de mantener como prioridad mi relación de pareja?». En caso de que la respuesta sea no y estés haciendo algo que no secunde esa urgencia, tienes problemas. La regla que te propongo es la siguiente: si te encuentras en cualquier momento haciendo algo que no tiene nada que ver con tu prioridad o es opuesto a ella, deja de hacerlo y sustitúyelo por una acción relacionada con tus propias necesidades.

Tu actitud ante la relación tiene que ser como un pistón en un motor. Es aquí donde comienza el cambio. Con esta actitud no me refiero a la fuerza de voluntad que te ayuda a construir una fuente de energía a corto plazo que, a su vez, te permite un pequeño cambio. Esta píldora de voluntad es la que te hace perder peso en dos semanas para ir más guapo a una boda. Si tienes que realizar un proyecto importante y acabarlo en una fecha determinada, o de lo contrario pierdes el trabajo, la fuerza de voluntad te permitirá una buena resolución. Sin embargo, nunca será suficiente. No tiene ninguna importancia el tipo de compromiso que tengas o lo excitado que estés respecto a tu pareja; esa energía se disipará. Tu profesión, los niños, la familia, la gripe y un millón más de esas «malditas cuestiones diarias» te molestarán y harán que la energía emocional desaparezca.

Espero que puedas sentirte motivado y asumas el control para cambiar tu psicología interior de forma tal que, cuando te despiertes por la mañana, intentes marcar diferencias en tu relación. Confía en mí: no es una mera charla pretenciosa de autoayuda que suena bien pero no expresa nada relevante. Existe una diferencia fundamental entre los que tienen una vida sencilla y quienes intentan cambiar sus circunstancias para lograr algo más trascendente y satisfactorio. Unos y otros se distinguen en su sistema de creencias; los últimos nunca dicen que deberían tener una calidad de vida mejor, sino que deben buscar algo superior, identificar las acciones a llevar a cabo y ejecutarlas. Aspiran a la perfección. Jamás buscan los caminos más cortos para que sus vidas sean más fáciles, ya que los resultados deseados no podrían quedar garantizados. La ambición de conducir sus vidas hacia niveles más destacados, hace que no se conformen simplemente con lo que hay, luchan por conseguir sus objetivos.

Deciden lo que quieren y salen a buscarlo. Actúan en lugar de quedarse apoltronados en una actitud de análisis intelectual e intención.

Has de adoptar esta forma de actuar para que tu relación trascienda. Ésta es tu prioridad. Debes sentirte orgulloso y desafiado por esa llamada superior que parte de tu interior. No puedes juguetear con la idea de componer tu relación, sino tomar una firme decisión al respecto. No tienes tiempo para hacer pruebas sin tomar cartas en el asunto. La apatía, el ensayo experimental e ir a lo seguro nunca conducen a ningún resultado positivo. Tus nuevas prioridades no te permiten dudar. Si participas en juegos de la mente y constantemente recreas tus prioridades sin llegar a la acción, tu compromiso será poco entusiasta e inconsistente. Al pretender jugar detrás de una pared de protección, fracasarás, pues no se consigue nada sin arriesgar. Y no será una excepción por tratarse de una relación.

La siguiente fórmula se ajusta a una probada realidad: ser, hacer, tener. Sé comprometido, haz lo que corresponda y tendrás lo que quieras. No tomes la decisión de trabajar en esta línea sólo durante un tiempo. Te tienes que comprometer a hacerlo «hasta» lograr lo que buscas.

Tus nuevas prioridades parecen ahora tan poderosas que no podrías imaginar deshacerte de ellas. Recuerda que se trata de prioridades inéditas y que, por tanto, tienes que familiarizarte con ellas. Has hecho un gran trabajo para llegar hasta este punto, quédate con lo que has aprendido e incorporado. Vuelve a leer las últimas páginas sobre el peligro de los mitos y los malos espíritus. Repasa los valores personales en la relación de manera que puedas incorporarlos poco a poco. Evalúa con honestidad si vivir con esos valores daba consistencia a tu vida de pareja. Poseer una visión clara te ha facultado a llegar hasta el umbral, no permitas la confusión en tu vida.

Gestión de comportamiento

La segunda tarea en la gestión de tu relación consiste en buscar un camino hacia la felicidad. No la confundas con la técnica menos genuina de conformarse con «lo falso hasta que lo logres». Tú no engañas a tu pareja de ninguna manera, en verdad quieres una relación sana, feliz y productiva. Si comienzas a comportarte de una manera que define y refleja tus prioridades, disfrutarás de las consecuencias de ese tipo de conducta. Puedes ir en busca de la felicidad al determinar lo que esta palabra significa en el contexto de tu relación.

Hace muchos años que digo que la gente aburrida es aburrida y que la depresiva es depresiva. Si las primeras hicieran más cosas interesantes —por ejemplo, no «actuar» de forma tan poco entretenida—, tendrían otra visión de la vida. En cuanto a los deprimidos, incluso aquellos que son biológicamente deficientes, podrían «actuar» con más entusiasmo para ser más felices. La frase «no hay experiencia sin práctica» es totalmente correcta. No puedes ser feliz si no participas en el juego. Por ejemplo, si te gusta cómo te mira y ríe o sonríe tu compañero, provoca esa situación y ofrécele algo que lo haga mirarte y reír o sonreír. Crea la atmósfera que deseas, haciendo lo que puedas. Para sentirte bien, tienes que promover lo que quieres que suceda.

Si todavía tu relación no ha mejorado lo suficiente, dirige tu pasión en ese sentido, aunque sea un acto más consciente que espontáneo. Aun si consideras que no has llegado al núcleo de tu conciencia, puedes hacerlo muy pronto si actúas como si ya hubieras llegado. En pleno proceso de restablecer la comunicación con tu pareja, quizá te sientas ambivalente y te preguntes acerca del resultado logrado hasta ese momento. Debes comportarte como un ganador. Una de las maneras de alimentar tu deseo es actuar de la forma en que sabes que te sentirás cuando lo logres. Mostrarse alicaído nunca ha dado nada a nadie. Anímate y entusiásmate con lo que sucede ahora en tu vida, aunque no tengas tan claro que estés bien. Antes de que te des cuenta, la acción e interacción positiva se convertirán en la regla más que en la excepción. Como diría cualquier psicólogo, los sentimientos nuevos presuponen comportamientos nuevos.

En verdad, es crucial tener un espíritu orientado a la acción para mantener tu ímpetu ardiendo. Quiero que repares en la expresión «restablecer la comunicación». Si lo estás logrando, no sólo estás sintiendo y pensando sino que estás haciendo. No debes limitar esos nuevos comportamientos únicamente a situaciones en las que interaccionas con tu compañero. Recuerda que la relación vive o muere en el estilo de vida y ambiente en el que se manifiesta. Crear un nuevo estilo de vida, fundamentado en una profunda amistad, implica llevar a cabo cambios sustanciales. Para medirlos, puedes observar la reacción de la gente conocida: si no le resulta evidente el cambio en tu estilo de vida, significa que no ha sido trascendente. Las diferencias no existen simplemente porque las deseas; notas una diferencia si actúas de forma distinta.

Tu pareja también lo sabrá. Notará un elemento revitalizante en tu corazón y en tus intereses, y gradualmente se involucrará en tus aficiones y se apasionará al igual que tú. Si eres amado, adorado o admirado en el anonimato, no existen las consecuencias.

Cuando tu pareja tiene que leer tu mente para saber qué sientes, no es que seas misterioso o crees expectativas: esta actitud puede denotar cierta pereza y desinterés.

Tengo que reconocer que los hombres son los más recurrentes en este defecto. A lo largo de muchos años he sido el consejero de algunos que, al ser presionados, revelaron que podían ser tiernos y tener adorables pensamientos o realizar acciones de apoyo e interés. Con todo, en la mayoría de los casos, lo típico es que no digan ni hagan nada y, en consecuencia, no arriesguen nada. Por desgracia, he escuchado estas confesiones de hombres que acababan de separarse, abandonados por su pareja, quien se sentía poco deseada y apreciada.

Esto no quiere decir que debas expresarte de forma jocosa y extremadamente cálida para convencer a tu compañero de que es adorable. Al mostrar tu compromiso y comportarte según ese criterio, estarás dejándole claro que no te separarás de él apenas algo funcione mal entre vosotros. Percibirá que tu compromiso es incondicional, que estás involucrado y que no te desanimarás porque no estés seguro. Te estarás manifestando de una forma abierta y entusiasta: interpretará que no quieres hacer el viaje con ninguna otra persona que no sea él. También estarás transmitiendo que velas por los intereses de la relación, que no le causarás un daño intencionado y que estarás a su lado cuando te necesite.

El amor, si se expresa mediante actitudes, genera buenos sentimientos entre tu pareja y tú. Cree y actúa como si supieras que tendréis una mejor relación y tu compañero comenzará a creer y a actuar como si fuese así. Los ganadores siempre explican que ellos pueden anticiparse a la victoria y al éxito y verlos y experimentarlos en sus mentes y corazones para, de alguna manera, insistir en lograr lo que tanto desean.

Quien mejor predice el futuro es el tiempo pasado. Tu nuevo estilo de vida cambiará tu rutina y, en consecuencia, contribuirá a edificar una historia nueva y positiva para ti. Tal como he dicho muchas veces, los días se convierten en semanas, las semanas en meses y, muy pronto, tu conducta pasada se volverá positiva y productiva.

Gestión de objetivos

Como parte del plan para reprogramar tu vida en general y tu relación de pareja en particular, has de tener una estrategia específica para encarar vuestros puntos débiles. Uno de ellos puede ser tu carácter combativo o de retirada.

Quizá tiendas a actuar con mala intención en ciertas circunstancias o a quedarte paralizado en una zona de bajo riesgo. Tal vez trates de resolver algunos problemas de pareja, flirteando de forma descarada con alguien de tu trabajo.

Cualquiera que sea la naturaleza de tu problema —que estoy seguro que conoces muy bien—, necesitas contar con un plan de «objetivos» para superar estas debilidades prominentes. Si, por ejemplo, crees que la calidad o la frecuencia de vuestras relaciones sexuales es uno de los puntos débiles de tu relación, elabora un plan meticuloso y consciente para cambiar esa situación. Uno de tus objetivos puede ser tan simple y directo como establecer un número de veces por semana para vuestros encuentros sexuales. O bien hacer más ejercicio físico para tener más energía, acicalarte y vestirte con más elegancia para ser más atractivo o crear una atmósfera sugerente y romántica con mayor frecuencia.

Del mismo modo, necesitas un plan de objetivos similar para construir una relación sólida. Si consideras que vuestro tiempo compartido los fines de semana o en las vacaciones es una parte muy importante de tu vida, planifica tus metas para asegurarte que estimularás e incrementarás esos encuentros. Si ambos lo pasáis bien juntos y socialmente, tiene sentido que promováis las ocasiones.

Elaborar un programa de objetivos representa una parte fundamental en el programa de gestión, y no es algo que puedes dejar de hacer porque las cosas «van mejor entre vosotros». Que así ocurra es muy seductor y te puede hacer perder el sentido de la urgencia y de la conducción, puesto que el dolor causado por la relación conflictiva ha disminuido, pero se trata de un corto respiro porque no se han resuelto las diferencias. Es muy fácil ignorar los problemas que requieren trabajo porque todos preferimos estar tranquilos, igual que nos gusta más dar por sentado las cosas buenas a riesgo de que queden estancadas. Intenta ser una persona activa en la elaboración de los objetivos y, sobre todo, consecuente con los mismos.

Tu filosofía de gestión a largo plazo debe basarse en un dominio permanente de la situación. No digo que no aprecies y disfrutes el momento en el que te encuentras ahora, pero la realidad es que puedes acabar situándote en la zona de comodidad y volverte a estancar. Debido a que las relaciones se gestionan pero no se curan, tu tarea es la de estar siempre en marcha. Es conveniente que tengas siempre presente un objetivo de la relación con todos los pasos específicos a seguir. Recuerda que un buen gestor nunca es reactivo, no se levanta por la mañana y reacciona según las circunstancias. Tienes que ser productivo y decidir de antemano las metas y la forma de alcanzarlas. A esta altura podemos decir que cumples con los requisitos para ser un gestor activo de la relación porque conoces tus fuerzas y debilidades y estableces los objetivos conjuntamente con un plan de acción para su concreción.

A continuación te presento algunos objetivos simples y bien definidos en sus características que, por consiguiente, son bastante fáciles de lograr. Analiza cada uno de los comportamientos o elementos observables que te acercarán a tu pareja. Por ejemplo, si quieres más armonía en tu relación, has de circunscribir lo que entiendes exactamente por «armonía». ¿Acaso significa una ausencia de discusión, una hora diaria de tranquilidad con tu pareja, un paseo por el vecindario o parque con la consigna estricta de no discutir sobre los problemas durante el paseo? Especifica todo aquello que permita una mejor comprensión de tu objetivo.

Escribe tus metas. Cuando las formulas en tu mente, no tienes que darles la cristalización y objetividad que se requiere al expresarlas por escrito.

También regula el tiempo. Un objetivo sin un horario no es otra cosa que un sueño o fantasía con la que entretenerte. Cuando quieres alcanzar una meta determinada, ya planteas una situación muy diferente.

Divide los pasos a seguir; ten en cuenta que a menudo los objetivos se componen de muchas partes. Haz una valoración realista del tiempo que necesitas y divídelo en intervalos, que sean lo suficientemente cortos para que no pase demasiado tiempo antes de poder medir el progreso.

Crea un clima de responsabilidad, designa una persona de control a quien tengas que informar sobre los adelantos. Si no puedes rendir cuentas después de cada intervalo, al menos hazlo una vez por semana.

Confecciona un esquema mental claro; para ello, piensa cómo definirías la palabra «éxito». Usa el sentido común y analiza detalladamente tus pasos, así sabrás cuándo has llegado a la meta.

Gestión de diferencia

He pasado años ocultando que creía que mi mujer, Robin, había enloquecido. Además, estaba completamente convencido de ello. Lo peor es que a veces se lo decía a ella. La lógica de mi razonamiento podía parecer muy clara. Escuchaba lo que mi esposa comentaba y me decía: «No es posible» (porque no coincidía con mi pensamiento). Me formulaba la siguiente pregunta: «¿Cómo alguien tan brillante y capaz puede tener tal cacao mental?».

En esa época me encontraba paralizado por una fuerte creencia: el mito 1. Consideraba que una relación sólida sólo se daba cuando ambos miembros de la pareja se entendían por completo. Así que me invadía una aplastante frustración al corroborar a diario que eso no ocurría entre Robin y yo. Intentaba entenderla utilizando mi lógica de hombre y ella, a su vez, mediante la de mujer. Era un total inadaptado.

Las inconsistencias en su manera de razonar o de hacer las cosas muchas veces me dejaba pasmado. Por ejemplo, la había observado parir a nuestro primer hijo y comprobado que tenía una gran tolerancia al dolor que superaría la de cualquier hombre. Al cabo de un tiempo, una tarde, en un descuido cerró la puerta del coche con fuerza y se magulló dos dedos. Yo no cancelé mis sesiones de aquel día, por lo tanto no regresé a casa para ponerle hielo y, cuando lo hice por la noche, ella estaba ofendida. Me manifestó que sabía que no podía contar conmigo si me necesitaba y que era evidente que no la amaba.

¿En qué momento mi actitud, para ella, adquiere una dimensión de crueldad? Yo puedo estar en casa subido a una escalera de sólo dos peldaños, cambiando una bombilla y ella decir: «Ten cuidado, por favor, te puedes caer». Pocos minutos más tarde quizá estemos en el coche, rodeados por varias personas de apariencia dudosa, y ella podría decir: «Phil, ese hombre me está mirando. Dile que se meta en sus asuntos». Yo le contestaría: «¿Qué?, son trece. Nos matarán y se comerán al niño. Hace tres minutos tenías miedo de que me cayese de la escalera y ahora quieres que salga valientemente del coche y estrangule a esos tipos». Es evidente que yo no puedo decodificar su pensamiento.

Parecemos diferentes, es realmente increíble. Si tenemos que llegar a algún sitio a las nueve de la mañana, yo me levantaré a las ocho y media para tener un poco de tiempo. No se trata de un tiempo para ducharme y peinarme con parsimonia. Yo me ducho, me sacudo como un perro y estoy listo. Robin se desliza de la cama alrededor de las cuatro y media y comienza la función. Al principio son las luces; desde el dormitorio se percibe un extraño resplandor. Enseguida, la atmósfera se cubre de densas nubes de polvo. Se diría que estamos en la zona gris. Y, a partir de allí, los ruidos. Uno de ellos es el ruido a vapor. Cuando estoy en casa y mi mujer ha salido, trato de encontrar lo que produce esos ruidos raros, pero no tengo suerte, no logro imaginarme de dónde provienen.

De todas maneras, volviendo al ejemplo anterior, sigo en la cama hasta que me decido a atravesar la «zona gris» debido a las necesidades fisiológicas de la mañana. No quiero, pero no tengo otra elección. Entro sintiéndome bien y cuando salgo trato de pasar inadvertido. Entonces le escucho decir: «Espera un minuto» y enseguida hace una de esas preguntas que no tienen respuesta. Quiero correr hacia las montañas. Miro con cautela hacia arriba y compruebo que toda su ropa está tirada por el vestidor. Coge uno de sus vestidos, me lo enseña y me pregunta: «¿Me hace más delgada?». Si contesto que no, se enfada. En cambio, al decir que sí, contraataca: «¿Necesito ropa que me favorezca?». No importa cuál sea mi respuesta, nunca será correcta. Tienes que actuar con perspicacia y saber cuándo marchar para no caer en la trampa.

Por supuesto, ahora comparto estas cosas contigo y me hacen gracia. Sin embargo, Robin y yo, tu pareja y tú, tenemos grandes diferencias y nada puede acortarlas. Como conclusión, tienes que aprender a convivir con ellas. Es más, debes estar encantado de que existan y valorarlas. Ser crítico y resistirte a ellas sólo te causará dolor. Tu programa para restablecer la comunicación con la persona amada se destruirá en medio de acusaciones latentes y furiosas miradas. Tu vida estará cargada de frustración y desilusión.

Me siento un poco incómodo al confesarte que he pasado muchos años con ese sentimiento de frustración en la relación con mi mujer, juzgándola e impidiendo su plena realización. Dios no nos ha creado a todos por igual, somos diferentes. Tenemos que realizar distintas tareas en este mundo y nos damos el lujo de criticar al otro por ser de otra manera y hacer lo que debe hacer. Los hombres hablan mal de las mujeres por ser emocionales, sensibles y más intuitivas que lógicas. Se supone que son estas características las que mejor las describen, pero no se excluye que sean inteligentes, profundas y que tengan un pensamiento decisivo. Simplemente, actúan de diferente manera.

Las mujeres gozan de algunas de estas características más que la mayoría de los hombres, puesto que Dios concibió a la mujer para desempeñar un papel y un ciclo determinado en la vida donde, gracias a ello, se encontraría perfectamente provista. Dios dio al hombre menos cualidades de este tipo y más lógica y fuerza física, también porque le ayudarían a desenvolverse en ciertos trabajos diseñados especialmente para ellos en esta sociedad. No es en absoluto una cuestión de jerarquía, pues no se debe considerar la emotividad, la intuición y la sensibilidad de segunda categoría. Tampoco lo son los rasgos tradicionales de los hombres. No existe ningún problema a raíz de las diferencias entre hombres y mujeres, a menos que tú quieras encontrarlo.

Te he contado cuál es el precio por resistirte al orden natural de las cosas. Yo lo he pagado. Hoy estoy muy contento de que mi mujer sea como es. Me doy cuenta de que habría arruinado todo si hubiese podido cambiarla hace unos años. Creo que ella está de acuerdo conmigo. Hace unos años, cuando se quejaba de que yo me comportaba de forma ruda y cruda, le decía: «Si pudieras cambiar la manera en que actúo, cómo hablo, pienso y expreso mis sentimientos, ¿qué modificarías exactamente?». Robin me miraba llena de amor y me describía al hombre que le gustaría que fuese: emotivo, sensible, preocupado, a quien le gustara coger una manta e irse al bosque a hablar de sentimientos. Yo le decía: «Me dices que quieres una persona que luche por todo, incluso te gustaría que fuese un bailarín de ballet que escribiese poesía. Pero te garantizo que no es eso lo que quieres. Yo nunca te atraje por mi sensibilidad. Te gustaba, entre otras cosas, porque te hacía sentir sana y a salvo: yo te protegía y tú protegías nuestra cueva». Más tarde, me confesó que, si me hubiese convertido en lo que ella quería, ya no sería la persona ideal para pasar el resto de su vida.

Ambos nos hemos comprometido a analizar las diferencias en nuestros puntos de vista y en la forma de expresar nuestros pensamientos como atributos complementarios. No es necesario que sea tan sensible y emocional como mi mujer y ella tampoco necesita ser lineal y lógica como yo. Juntos nos complementamos extraordinariamente bien. Robin jamás verá las cosas como yo y puede que piense —con razón—, que soy frío e insensible en cuanto al tratamiento de algunas situaciones. De igual manera, yo nunca entenderé cómo o por qué ella puede ser tan poco organizada en ciertas ocasiones, pero reconozco que estas características crean un ambiente de calor y ternura en nuestro hogar y en la vida familiar que es de agradecer. Quiero que mi compañera tenga una forma de ser cuyos rasgos no se encuentren dentro de mí, de forma tal que ayuden a completarme. Y, lo que es más importante, no creo que mi mujer quiera estar casada con alguien exactamente igual a ella.

Podríamos hablar durante horas de las diferencias entre hombres y mujeres. Cómo definimos los primeros lo que es «solucionar un problema» y la forma radicalmente opuesta en que lo hacen las segundas. Los hombres estamos interesados en la solución mientras que las mujeres se interesan más por el proceso que por el resultado. Nosotros vamos directos al objetivo mientras que ellas buscan la riqueza de los detalles. La clave radica en que, si no se controlan las diferencias, éstas se vuelven destructivas. Control no significa en absoluto ver la situación a través de los ojos del otro miembro de la pareja, pues no siempre se puede entender al otro. Se trata de aceptar las diferencias y no sentirse frustrado por ello.

No eres inocente de tus actos y aportaciones en la relación de pareja, por muy conflictiva que ésta llegue a ser. Eres un abonado con experiencia, respaldado por una educación magistral. La tasa de dolor que has pagado fue extremadamente alta, de manera que no la desperdicies. Las investigaciones demuestran que las conductas que violan las expectativas de la gente provocan que las personas se depriman.

Cuando el conflicto aparece no te desesperes y, sobre todo, no coloques tu relación al borde del precipicio simplemente porque te enfrentas a los retos normales de dos personas que conviven. Te dirás: «Ya habíamos hablado de todo esto, sabíamos que pasaría y sabemos cómo manejarlo».

Gestión de admiración

Puede que te parezca un tópico extraño. ¿Qué significa gestionar la admiración? ¿Cómo se hace algo así? La realidad es que así como puedes olvidarte de construir los cimientos de la relación, eres capaz de olvidarte de trabajar para volver a descubrir, encontrar y concentrarte en las cualidades que admiras en tu pareja. Recuerda que quienes sólo tratan los problemas, tienen una relación problemática. Incluso en las relaciones sólidas, las parejas a menudo se centran en lo negativo, con la esperanza de poder resolverlo y hacer que la relación mejore. Pero, si te obsesionas con lo que va mal, es muy probable que pierdas la dirección de lo que está bien. Al deleitarte con los defectos y las falacias, es muy posible que no llegues nunca a conocer la admiración. En verdad, si te concentras en los mensajes negativos de tu relación, tus expectativas respecto a ésta no serán muy altas. En cambio necesitas un plan para recordar todas las cualidades admirables de tu compañero.

Ésta es una parte diferente de tu programa que se basa en la simple aceptación de las diferencias. Tienes que ir un poco más allá del mero hecho de aceptar a tu compañero y, en consecuencia, actuar activamente para valorar su manera de ser «diferente» de ti. Al llevar a cabo esta actividad, te comprometes conscientemente a desarrollar y nutrir tu admiración por él. Identifica sus cualidades, de forma tal que puedas construir a partir de ellas. Al convertirte en el admirador más ferviente de tu compañero, te concentrarás con un entusiasmo gradual en aquellas cosas que él posee que son únicas e inspiradoras.

No has escogido a esta persona porque era una perdedora desafortunada, sino porque veías cosas en ella que te conducían por el camino positivo. Incrementa el respeto, el honor y la admiración y dedícate a encontrar motivos para sentirte orgulloso de tu pareja.

Ten presente que no necesitas entender o estar de acuerdo con su estilo o peculiaridades para poder apreciarlos. Yo no sé nada de electricidad pero, en cambio, la utilizo a diario y aprecio su existencia. Tal vez ocurra lo mismo con la manera de tu compañero de estar en este mundo.

Al comenzar a descubrir la excelencia de las cualidades de mi mujer y dejar de criticarla por sus diferencias, los beneficios fueron indescriptibles. En lugar de estar en su contra, deposité mi confianza en ella. No dejé de reconocer sus carencias y diferencias, pero lo hice a través de la valoración de Robin en su totalidad y de forma más madura.

El doctor está en tu interior

Durante la elaboración de este libro, muchas veces he intentado ponerme en la posición del lector para darme cuenta de lo que éste podría querer y necesitar saber sobre las diferentes etapas. Se me ocurre que, si fuera uno de vosotros y hubiese estado trabajando tan duro, probablemente desearía tener un contacto más directo con un especialista. Algunas veces imagino alguno diciéndome: «¡Oye!, doctor, lo he entendido, mi pareja y yo te hemos hecho caso, pero nos vendría bien tener una sesión o dos para aclarar un par de ideas». Yo le contesto: «A mí también me gustaría estar contigo para satisfacer tus inquietudes, sin embargo, no es factible».

Debido a que no podemos sentarnos juntos, quisiera contestar las posibles preguntas que me harías. Aunque cada persona vive una situación diferente, existen elementos comunes que pueden aplicarse de forma generalizada.

Con todo, como desconozco tu circunstancia, puedo decirte que algunos puntos específicos resultan siempre de mucha utilidad, ya que permiten un significativo esclarecimiento. Creo que al iniciar una charla abierta contigo sobre estos denominadores comunes, te ayudaré a enfrentarte a los retos que se plantean en tu relación. Te ofrezco, a continuación, los pensamientos y las sugerencias a partir de las cuales podrás construir.

Para asegurarme de haber escogido los temas apropiados, he revisado las historias de muchísimos casos de parejas que he tratado en mi consulta o en seminarios. A partir de los datos, he intentado identificar las preguntas más frecuentes. Espero que las siguientes respuestas te sirvan de ayuda.

Algunos de estos tópicos hacen que las parejas se sientan meramente molestas, mientras que otros son tan explosivos que hasta pueden provocar una ruptura en caso de no saber cómo manejar el problema.

Me refiero a los temas del día a día que las personas deben enfrentar en el mundo real. Por ejemplo, sospecho que si estás casado y tienes niños, te levantas muy temprano por la mañana durante el año escolar y haces lo imposible para llevarlos al colegio. Tu compañera también tiene prisa y, cuando por la noche comprueba que estás exhausto, te ofrece su ayuda. Cree que te enfrentas a tener que ganar dinero, a los retos del presupuesto y del tiempo, y al agotamiento físico y emocional. No se puede decir que son desafíos entretenidos, pero son reales. Tengo que confesarte que la luz de la mañana no es muy bienvenida en mi casa, pero nos conformamos y enseguida creamos un clima de entusiasmo: preparamos los bocadillos y pedimos al perro que se calle y deje de saltar frente a la puerta de entrada. Si por la noche pongo una rosa sobre su almohada, o ella sobre la mía, muchas veces no se crea la velada romántica que deseamos porque, apenas apoyamos la cabeza, caemos extenuados.

Hablemos ahora de los tópicos en cuestión: sexo, dinero, niños e incluso esos momentos en que miras a tu pareja por encima de la mesa de la cocina y murmuras: «¿Qué diablos hago aquí? Estoy atado a una persona loca».

Sugiero que identifiques tu pregunta de la lista siguiente y confíes en que, si pudiéramos tener una sesión en mi consulta, te comentaría, como mínimo, lo que explico más adelante.

El sexo en nuestra relación atraviesa un grave problema.
¿Deberíamos preocuparnos?, ¿qué tendríamos que hacer?

Como he dicho anteriormente, es un mito absurdo pensar que el sexo pierde su importancia en cierto momento de la relación. Para las parejas sanas representa una extensión natural del amor. Cuando las prioridades responden a bajas expectativas, no se necesita tiempo ni energía para lograrlas. Si deseas tener una vida sexual plena, es fundamental que estructures una relación de las mismas características.

Asegúrate de haber entendido lo que acabo de mencionar: el sexo no es la base de una relación satisfactoria, en cambio representa una extensión natural en la cual dar y recibir mutuo apoyo y bienestar; es un bien común.

No es posible llevar una vida repleta de insensibilidades, hostilidades, desatenciones y enfrentamientos para, luego, por arte de magia, cambiar de golpe e intentar dar y recibir a través de una relación sexual.

Para tener una relación sexual plena y satisfactoria, los miembros de la pareja deben poseer cierto grado de confianza mental, emocional y física. El sexo presupone vulnerabilidad: constituye un acto que fluye libremente a excepción de cuando se enfrenta a situaciones de desconfianza. (Utilizo el término «sexo», como espectro de intimidades físicas: desde una caricia superficial hasta hacer el amor y sus posibles consecuencias.)

De manera que, cuando la gente me dice que tiene frustraciones sexuales, mi primer pensamiento es que estas insatisfacciones no están relacionadas en absoluto con el acto sexual en sí. Sugiero en esos casos que la pareja analice profundamente el *modus vivendi* de la relación para determinar si ambos están creando un entorno propicio para una vida sexual sana, plena y consistente.

Si pretendes ignorar a tu compañero por la mañana, maltratarlo dos o tres veces al día, discutir durante la noche y luego lanzarte a sus brazos para tener una relación sexual plena, no te frustres si no es así. Por el contrario, si os lleváis bien, el sexo no constituirá una incongruencia. No se tiene que forzar, es una manera de expresar apoyo e interés mutuo. Averigua si mantenéis un clima de dar y recibir, y de confianza y relajación.

En muchas situaciones y circunstancias, lo que culmina en una saludable relación sexual a las diez y media de un martes por la noche, bien puede haber comenzado muy pronto por la mañana del lunes, cuando os disteis un abrazo más prolongado que el habitual, un beso en la mejilla, o un abrazo fortuito el lunes por la noche. A través de estos meros actos de participación y cuidado, ambos tomáis conciencia de que existe un intercambio pleno que se ha gestado el día anterior. En esta situación, hacer el amor constituye una extensión natural de dos personas que conviven en un entorno de afecto, participación y confianza. Todavía más, la relación sexual y el intercambio físico y emocional que tuvo lugar el martes por la noche es la plataforma de los pensamientos y comportamientos apreciados que oficiarán de puente para el siguiente encuentro sexual.

Espero que aprecies lo ilógico y poco natural que resulta un intercambio sexual a partir de expresiones de insensibilidad, desatención y hostilidad. Siempre se ha considerado el sexo como la diversión más acabada sin que medie la risa. También puede ser la comunicación más satisfactoria sin palabras. No es usual que, en ese momento, alguien diga: «Te odio y todo lo que representas ha arruinado mi vida».

No encaja, sin embargo ejemplifica lo absurdo que es actuar de forma ruda e insensible durante el día y esperar caricias por la noche. En este caso, la pareja ya no se aviene.

Punto fundamental: si aspiras a mantener una vida sexual sana, construye un modelo de relación que refleje las mismas emociones íntimas.

**Si ahora parece transcurrir todo a la perfección,
¿por qué hemos dejado de hacer el amor
o lo hacemos esporádicamente? ¿Qué nos recomienda?**

Muchas veces los problemas obedecen a una causa y luego persisten por razones diferentes. Puede que hayas dejado de practicar el sexo con tu pareja a causa de conflictos, un período de embarazo o, simplemente, una etapa de excesiva demanda física que derivó en un agotamiento inusual. Existen momentos en que uno de los miembros de la pareja, debido a circunstancias diversas, permite que el sexo pierda escaños en la escala de prioridades. Estas personas se alejan del hábito sexual y permiten que otras actividades invadan ese terreno tan cálido.

Puede que alguno de vosotros se pregunte: «Bien, si todo lo demás funciona —la confianza, compartir y el apoyo—, ¿por qué nos tenemos que preocupar ahora por nuestra intimidad sexual?». Mi respuesta: «Porque la intimidad que proviene de la sexualidad permite que la relación alcance la perfección. Insisto, las relaciones íntimas son únicas y favorecen la comunicación pero, sobre todo, calan más de lo que se puede decir con palabras. Puede que tengas muchos amigos íntimos, gente que te importa y apoyas, con quien compartes verbalmente pensamientos y sentimientos trascendentes. Sin embargo, el intercambio sexual es único en el seno de tu pareja. Elimina esta actividad y esa condición desaparecerá».

Punto fundamental: si en este momento de tu vida no confieres un valor fundamental a la actividad sexual, no te preocupes porque suele suceder. Para solucionarlo, ocúpate de que vuelva a tener un lugar primordial en tu vida diaria. No sólo pienses en ello, actúa en consecuencia. Si piensas y tienes buenas intenciones pero te vas a dormir muy cansado y decides postergar el acto hasta la noche siguiente, te resultará difícil volver a un ritmo sexual normal. Olvídate de los platos, de la televisión e, incluso, de los niños. No te preocupes por nada más y propicia un encuentro amoroso.

Doctor Phil, puedo intentarlo pero, con franqueza, no siento que lo haga bien. Tal vez no estemos suficientemente motivados. ¿Qué deberíamos hacer?

Igual que en otras áreas del funcionamiento humano, hay diferencias entre el hombre y la mujer en cuanto a la sexualidad. Las mujeres, por ejemplo, desde hace mucho tiempo dicen: «Ellos siempre están dispuestos y casi nunca quedan satisfechos. Es en lo único que piensan, se irían a la cama en un abrir y cerrar de ojos». Esta generalización es totalmente incorrecta, aunque hay algo de verdad. Existen grandes diferencias en el apetito sexual. Tienen importancia los factores de personalidad, edad, salud física, experiencia previa y educación, sin embargo, es verdad que el ciclo de excitación de los hombres, en general, es más corto que el de las mujeres. Esto se debe a que nos excitamos con más facilidad. No está ni bien ni mal, simplemente es así.

Con todo, hay un problema que puede surgir en una pareja como resultado directo de las diferencias en el ciclo de excitación. Debido a que los hombres nos excitamos con más rapidez que las mujeres, quizá algunos inicien el juego amoroso de forma más abrupta. Las mujeres tal vez lleguen a excitarse tanto o más que ellos, pero necesitan más tiempo. Muchas veces, porque el hombre no conoce la naturaleza del cuerpo humano, piensa que la mujer lo rechaza y, por ello, se deprime. O puede que la mujer se desilusione porque siente que no responde con rapidez. Con frecuencia los miembros de la pareja no parecen estar en sincronía. Cuando la mujer comienza a excitarse, puede que el hombre ya haya sacado sus conclusiones y crea que hay falta de interés y rechazo por parte de la mujer y, en consecuencia, haya decidido retirarse.

Esta aparente incompatibilidad en los modelos de excitación puede afectar a la relación, no sólo en los momentos previos al acto sexual sino durante el mismo. Mira la figura 1: el cuadro de la respuesta física. Pon atención a la línea del tiempo que atraviesa la parte inferior del cuadro, que está dividida en minutos. La curva de respuesta del hombre es una línea sólida y, la de la mujer, de puntos. ¿No resulta interesante que el ciclo sexual del hombre, que comienza con la erección, el orgasmo y la pérdida de la erección, dure un promedio de 2,8 minutos?

La curva de respuesta del hombre es casi vertical: se levanta y cae en línea recta rápidamente. (Puedes hacer la broma correspondiente.)

Contrasta lo antedicho con la curva de respuesta de la mujer, que se estructura de forma gradual y luego se mantiene durante unos 7 minutos. El ciclo entero dura aproximadamente 13 minutos. El problema radica en que la dilatación del clítoris y la lubricación vaginal suelen tener lugar 7 minutos después de que el ciclo del hombre se haya completado. Por ello, sólo del 20 al 30 % de los orgasmos de las mujeres tienen la posibilidad de intensificarse durante el coito.

Está muy claro que puedes hacer los números tan bien como yo: si el ciclo del hombre dura 2,8 min. y el de la mujer 13, sólo habrá unos 10 minutos de compatibilidad. Las mujeres hacen hincapié en este lapso de tiempo. Se consideran los 10

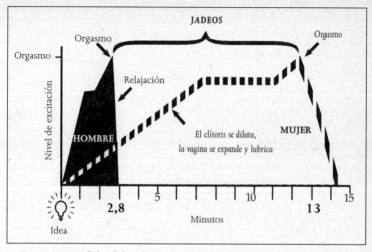

Figura 1: Modelo del ciclo de excitación del hombre y de la mujer

minutos entre el pico en el ciclo masculino y en el de la mujer. Y en esto consiste el juego amoroso previo. «El abrazo a uno mismo», no tiene sentido. Para que las caricias adquieran vida, se tiene que llegar al ciclo de excitación.

Es fundamental que la mujer también alcance el ciclo. Recuerda parte de la fórmula: una buena y completa relación implica la satisfacción de ambos miembros de la pareja, y esto también ocurre en el intercambio sexual.

En el área de la sexualidad, así como también en cualquier otra del comportamiento humano, el conocimiento es sinónimo de poder.

Utiliza este conocimiento para que tu relación sexual sea más compatible y satisfactoria. Es importante entender la psicología que sustenta las respuestas de los hombres y las mujeres durante el encuentro sexual. He incluido las figuras 2 y 3 para ilustrar detalladamente el fracaso de los modelos de las

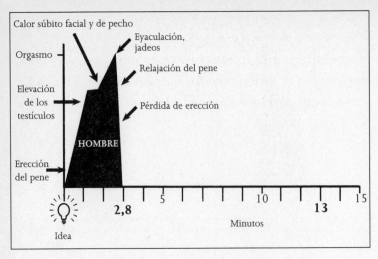

Figura 2: Modelo de excitación sexual del hombre

respuestas de los hombres y las mujeres respectivamente. Estudia estos conceptos y entenderás mejor el funcionamiento del cuerpo de tu compañero. Mediante la comprensión de los aspectos sexuales físicos, emocionales y de comportamiento, sospecho que obtendrás muy buenos resultados.

El punto fundamental para tener una relación sexual satisfactoria radica en practicarlo con mucha frecuencia y con calidad. Por supuesto, tu sexualidad recorrerá toda la gama desde el apasionamiento romántico que dura toda la noche hasta el contacto físico más superficial. Está bien en la medida en que te preocupes por las preferencias de tu compañero. Si eres sensible y flexible, podrás experimentar los dos extremos y, sorprendentemente, sentirte bien en ambos. Podéis encontrar un punto medio en el cual estéis a gusto.

Como punto de partida, ayudo a mis pacientes a vencer las inhibiciones a través del diálogo sobre sus preferencias sexuales. Comunicar a tu pareja lo que piensas, sientes y prefieres contribuye enormemente a que la relación sexual sea plena. Aunque parezca un poco raro al principio, insiste y mantén una discusión abierta. Es normal reírse tontamente y sentirse incómodo mientras os abrís. Recuerda: si deseas tener una buena relación sexual, tienes que «hacer» en lugar de «pensar» en ello.

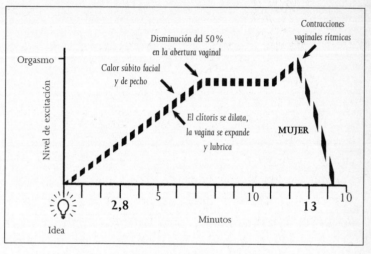

Figura 3: Modelo de excitación sexual femenino

Está bien discutir y tener confrontaciones cuando sea necesario pero, si lo hago, no tengo que ser cruel, perverso o humillante, ¿existen buenas reglas para discutir bien con tu pareja?

Las discusiones no determinan el éxito o el fracaso a largo plazo de la relación. El tema es cómo se discute y, lo más importante, cómo pones el punto final. Resultan inevitables los desacuerdos y cambios de opiniones asociados a ellos. Sin embargo, pueden estar bien y, de hecho, ser constructivos si no media la agresión. Antes de llegar a las reglas, se tiene que entender un requisito primario: mantener el control. Debe aceptarse que es adecuado que surjan discusiones en la relación, pero eso no implica que se tenga la licencia para actuar de forma infantil, abusiva o inmadura. Si tienes sentimientos legítimos, estás autorizado a expresarlos de forma razonable; entonces ciertas cosas de ti –que en el pasado no eran fundamentales–, pasan a ser relevantes. Por ejemplo, no te tomes todo tan seriamente. En el acto de dar y tomar de una relación, a veces la santurronería resulta apropiada aunque poco justificada. Mantén discusiones, pero trata de llegar a un entendimiento; y reconoce que no has de hacer de cada una de ellas una acusación federal o provocar un desgarrador llanto de ángeles.

A continuación te ofrezco algunas reglas de compromiso específicas. Síguelas, tal vez encuentres que las diferencias de opiniones te conducen a cambios constructivos en tu relación.

Regla 1: hazlo y manténlo en privado

Si hay niños en medio, no discutas en presencia de ellos. Lo repito: no lo hagas delante de los niños, pues sería un abuso que les dejaría una cicatriz emocional, sólo porque no tienes el control de ti mismo y no te contienes hasta estar en privado con tu pareja. La llaga emocional les puede hacer tanto daño que no sabrán quiénes son.

Los hijos ven a sus padres como una base de operaciones sólida y segura. Cuando están sujetos a hostilidades abiertas y a disputas entre las dos personas en quienes confían su seguridad y confianza, esa base se tambalea y acaba destruida. Comienzan a sentir inseguridad y temor por la desintegración de la unidad familiar. Incluso muchas veces se sienten culpables de haber provocado la discusión, cualquiera sea el contenido de la misma, y cargan con el peso de la pena de la pareja. Además, es muy usual que los hijos no estén presentes en el momento de la reconciliación; por tanto están expuestos a todas las adversidades y aflicciones sin gozar del beneficio de ninguno de los actos de conciliación. En el propio seno familiar, los niños sufren una profunda conmoción y su autoestima y confianza se debilitan. Por ejemplo, los pequeños no invitan a sus amigos a casa por temor de que éstos puedan sentirse incómodos frente a las agresiones abiertas de sus padres. Si sabes que discutirás con tu pareja, intenta que no sean los inocentes niños quienes paguen las consecuencias.

Regla 2: no te vayas por las ramas

Si vais a poner las cosas claras sobre algún tema conflictivo, tenéis que delimitar con mucho cuidado el campo de acción. En concreto, si la discusión está relacionada con la madre del compañero, es fundamental centrarse en ese tema. En otras palabras, si después de 15 minutos de discusión se está hablando de la madre del otro miembro de la pareja o de algún pariente político, no se habrán respetado los límites.

Con frecuencia, las discusiones derivan en un «vale todo», de modo que se vuelven totalmente ineficaces y, lo que es peor, no permiten ningún progreso ni ninguna solución. Haz esta pregunta a tu pareja y a ti mismo: «¿Cuál es el tema?». Cuando obtengas una respuesta ¡sigue adelante! Puede que tengas que decir a tu compañero: «Nos estamos alejando del tema, hemos dicho que discutiríamos sobre tu madre. No nos vayamos por las ramas. Más adelante hablaremos de otras cosas, ahora centrémonos en lo que nos compete». Trata de abordar el problema o volverás a tener esta misma discusión, ya que no habrás dicho lo que tenías que decir.

Una típica confusión que hará que transites fuera del límite establecido, es la que se gesta a raíz de la actitud defensiva. Cuando los comentarios empiezan a escocer o a acercarse demasiado a nuestra interioridad, ya no son divertidos en absoluto. Si no soportas el fuego, no entres en la cocina. Si lo haces, acepta las consecuencias.

Regla 3: haz que sea real

Tal como he mencionado anteriormente, resulta muy sencillo ser un «cobarde emocional». Esto se debe a que muchos desacuerdos llevan a la fase primaria de aceptación o rechazo de un miembro o del otro. Parece más seguro y fácil escoger un tema insignificante para discutir que armarse de coraje para tratar el problema de base. Por ejemplo, es más fácil atacar a tu pareja por pasar mucho tiempo con los amigos o mirar la televisión que mencionar el tema a colación: «Me siento rechazado porque eliges pasar tu tiempo libre con cualquier otra persona antes que conmigo».

Toma la decisión de tratar específicamente el tema que os distancia, ya que toda discusión implica un gasto de energía y cierto dolor. Esto presupone ser lo suficientemente honesto contigo mismo para plantear lo que importa de verdad. No existe nada más absurdo que correr el riesgo de tener una confrontación y no tocar el tema en cuestión. Trata de descubrir lo que te molesta o saldrás de ese intercambio de sentimientos todavía más frustrado.

He aquí una pista: recuerda que la ira no es más que un síntoma de una herida o frustración subyacente. Si de la discusión pasáis a la ira, uno de los dos ya no discute en el plano real. Ten el coraje de expresar tus sentimientos verdaderos.

Regla 4: evita el asesinato del carácter

Una de las maneras de estar a salvo y evitar el tema real es esconderlo detrás de otros tópicos benignos. Otra estrategia –aunque destructiva– es atacar directamente al compañero. Tienes que intentar mantener el tema de vuestro interés más que llegar a agredir a la persona amada en su autoestima. Si tu tono se vuelve maligno o sarcástico y lo fundamental es la crítica a tu pareja como ser humano, sin importar el tema, lo que obtendrás serán respuestas defensivas y de represalias. Hay muchos aspectos en que la gente razonable puede no coincidir. Tu compañero no está equivocado por no estar de acuerdo contigo. Merece ser tratado con dignidad y respeto a pesar de que sientas –por alguna extraña razón– que no es así. Seguramente has oído a tus padres decir que estaban enfadados por tu comportamiento y no contigo. Esto es verdad, y lo puedes aplicar en tu relación. Si no te gusta la conducta de tu pareja, no ataques su personalidad. Considera que las frases que comienzan de la manera siguiente son tabúes: «Bien, en cuanto a ti qué...», «vale, supongo que piensas que tú...», «no soporto tu puritanismo...», «qué te hace pensar que eres tan...».

Regla 5: permanece en la tarea

Acepta que no deseas discutir. Evita dar vueltas porque no tienes una idea clara en mente. Si te enfrentas a una discusión dolorosa y al trastorno que ésta conlleva, al menos sé consciente del límite al que puedes llegar. Decide qué quieres, ya que puede ser más fácil de alcanzar de lo que imaginas. El problema radica en que con frecuencia la gente no sabe qué quiere y, en consecuencia, no se da cuenta de que lo ha conseguido. Por ello debes tener muy claro qué buscas para poder reconocer el momento en que lo has logrado.

Si consigues lo que buscas, acéptalo. Puede que todavía no estés enfadado, de manera que en caso de desear una disculpa y obtenerla, hay que darle la bienvenida. No te ensañes en castigar y maltratar a tu compañero porque te brindó lo que deseabas demasiado rápido.

Regla 6: deja que se retire con dignidad

La manera en que dejas de discutir es tan importante como el modo en que lo haces y el tema en cuestión. Si tu relación se basa en la amistad, en cierto momento de los desacuerdos, uno de los miembros de la pareja extenderá una rama de olivo en un intento de aplacar las agresiones. La forma en que se reaccione determinará el resultado no sólo de esas desavenencias sino de la relación en general. Al volver a comunicarte a través de la aceptación de los esfuerzos de tu pareja por reducir el problema, estás enviando el siguiente mensaje: «Estamos muy bien aquí, podemos no estar de acuerdo, pero no tenemos nada uno en contra del otro».

Ten cuidado cuando reconozcas que te han extendido una rama de olivo. Este hecho puede presentarse de diferentes formas, que incluyen la disculpa, el buen humor, el reconocimiento parcial de tu punto de vista o el cambio de tema hacia algo menos significativo pero cargado de emotividad. Para asegurarte que te aproximas a los desacuerdos en un escenario de ganadores, acepta que no tiene importancia la razón que creas tener y que harás todo lo posible por que tu compañero salga dignamente de la situación. Esta muestra de clase por tu parte hará que seas más apreciado y querido.

Es fundamental siempre que estés en el lado correcto de los hechos del desacuerdo. Si resulta evidente que tu compañero está equivocado, sé piadoso y acepta las diferencias. Con frecuencia, debido a que la mayoría de las áreas de conflicto no se resuelve, ambos ventilaréis vuestros sentimientos y luego, pasaréis a otro asunto. La manera en que acabéis el problema es fundamental. Del mensaje que reciba tu pareja y la receptividad que tengas con los que recibas de su parte, dependerá que sobreviváis a la disputa con la autoestima y la seguridad intactas.

Regla 7: sé proporcionado en la intensidad

Intenta aclarar las cosas. No debes hacer de cada insignificante desacuerdo un problema demoledor. Ser insensato cada vez que tienes el derecho a serlo; hacer valer tus opiniones es una opción, no un requisito. En algunas ocasiones puedes expresar tu queja y no esperar una respuesta. No debes ser pasivo o guardar tus sentimientos, pero pasar por alto algunas imperfecciones es una gran virtud. Tu pareja apreciará que hayas evitado una disputa. Mantén el control y la proporción en la intensidad de tus emociones. No montes una escena sin una razón contundente.

¿Cómo encaro el tema del abuso del alcohol y las drogas en mi relación?

No deben tolerarse en absoluto. Te recordaré lo obvio: son sustancias que, si se abusa de ellas, alteran la conciencia. Cuando tu pareja es un adicto a las drogas o al alcohol, te enfrentas a esas sustancias y no a la persona que hay en ella. Si sucumbe a la adicción, ha renunciado a la dignidad de la libre elección y se ha convertido en pasajero de un tren que se escapa y que no dudará en atropellarte si te cruzas en su camino. La gente dependiente no es la que tú crees que es o que desearías que fuera, esta adicción los cambia y reduce su capacidad de lógica, sus valores e integridad.

Sé que mi posición es demasiado radical, pero trato de serlo. Quiero tener cierta influencia sobre ti y que traces una línea en la arena que diga lo siguiente: «No viviré con una persona adicta al alcohol o a las drogas». No puedo especificar cuántas parejas he visto destruidas durante estos últimos 25 años trabajando en el campo de la conducta humana. Cuántas lágrimas he visto derramar y cuántos años perdidos para los miembros de las parejas que se convencían de que sus compañeros podían manejar el tema de la adicción o que no tenían en verdad un problema grave. Muchas de estas relaciones se rompieron porque no se tuvo el coraje de trazar una línea en la arena con estas palabras: «No viviré en este infierno tóxico». Cuando el compañero toma una resolución determinante, el adicto se tiene que enfrentar a su problema y trabajar los aspectos de autodestrucción que lo llevan a refugiarse en la droga o el alcohol antes de que la relación se haga añicos. ·

Si crees que tu pareja abusa de esas sustancias, recomiendo que consultes de inmediato a un profesional para confirmar tus sospechas. En caso de confirmar tus temores, trata el tema con tu compañero en un clima de amor y cariño pero exigiéndole como condición que busque ayuda profesional. Persiste en la demanda hasta que acepte la ayuda. Si se resiste, entonces el pacto entre vosotros se habrá roto. Tienes que estar dispuesto a dejar la relación hasta que tu pareja pueda demostrarte objetivamente que su problema está bajo control y que sigue un tratamiento de desintoxicación. Tu pareja debe tener claro que no permanecerás en la relación mientras exista tal adicción. No hay excepciones. Sé fuerte en tu resolución. Puede que de esta manera salves más vidas además de la tuya.

Entiéndeme cuando digo que no hay excepciones ni circunstancias en que el tema se pueda mitigar. No hay ninguna posibilidad. La falta de medios no es una excusa válida. Existen instituciones sin fines de lucro que realizan programas para el tratamiento del abuso de las drogas y el alcohol.

Todos estos programas cuestan menos de lo que tu pareja suele gastar en drogas o alcohol. Muchos trabajadores tienen un seguro de salud o mutua que también puede ser de ayuda. El tema financiero sirve de excusa y es una de las resistencias más comunes que plantean los enfermos para evitar acudir a un centro de rehabilitación (sin duda, el más absurdo).

La mayoría de la gente quiere que se disculpe al adicto a las drogas y el alcohol, puesto que se entiende que es una disposición genética y una «enfermedad» que debe ser tratada con cariño y pasión. No tiene ninguna importancia el motivo por el cual una persona destruye su vida, puesto que la realidad es que ya está destruida. Que el alcoholismo se considere una enfermedad no devuelve ni una chispa de la vida ni tampoco reduce la necesidad de una intervención; puede incluso que plantee una urgencia mayor.

Cada enfermedad o, al menos, el tratamiento implica un elemento de elección personal. Al forzar la situación haces que tu pareja ejercite la condición de la elección y eso constituye un regalo.

Ama a tu pareja desde lejos, perdónalo con el corazón, asiste a las sesiones de su tratamiento, pero no vivas con ella. Te mereces algo mejor.

Una última cosa: si tenéis niños, pon mucha atención en lo que acabo de decir. Si no tienes el coraje de protegerlos, estarán a merced del abuso de la droga y el alcohol. No te atrevas jamás a considerar la posibilidad de rendirte a la confrontación de la situación, puesto que eres la única persona que se encuentra entre los niños y una vida destruida.

¿Qué piensas del abuso físico?

De la misma manera que no admito el abuso de las drogas y el alcohol, pienso que el maltrato físico suscita la ruptura de un pacto en la relación. Soy todavía más radical en este tema: si convives con una persona que tiene esta tendencia, debes marcharte ahora mismo.

No hay justificaciones, excusas ni disculpas válidas que mitiguen los abusos físicos. Tanto me refiero a hombres como a mujeres. Sorprende el número de hombres maltratados que hay en Estados Unidos, aunque por supuesto es una cifra menor al de las mujeres. De cualquier forma, es un tema serio de ruptura de los pactos comunes en la pareja. Todo lo explicado en la pregunta anterior sobre el abuso de drogas y alcohol, sirve para esto. No repetiré lo antedicho pero sí resumiré lo siguiente: si el maltrato es parte de la relación, no tienes una relación. El abuso emocional y mental son muy destructivos pero, cuando alguien te maltrata físicamente, significa que ha traspasado la línea en la que no se acepta ni un ápice de tolerancia. Si tus hijos o tú estáis sometidos a abusos físicos de cualquier naturaleza, tienes que encontrar otro lugar donde vivir.

No hay excusas, existen recursos para que tu familia y tú estéis protegidos. Así recurras a los fondos privados, a los centros de planificación familiar o a las agencias del gobierno, encuentra el camino para proteger tu vida y la de tus hijos. Recuerda que los niños no son pasajeros en tu viaje, dependen de ti. No debes padecer un día más estas circunstancias de abuso físico.

Si ésta es tu situación personal y prestas atención a mi consejo y actúas en consecuencia, sé firme en tu compromiso. En caso de haber vivido bajo estas circunstancias durante algún tiempo, ya sabes que la actitud de tu compañero es cíclica.

El modelo es típicamente el siguiente: después de un abuso físico, aparece la culpa y las promesas de que no se volverá a repetir. Muchas veces, los abusadores parecen del todo racionales fuera del episodio de maltrato. Hasta pueden reflejar un estado de desesperación, compasión y arrepentimiento. Uno de los dos tiene que abandonar la casa y no volver hasta que un profesional competente asegure que podéis volver a convivir bajo el mismo techo.

Tienes que tomar muy en serio mis palabras. Las estadísticas sobre este tipo de abuso son alarmantes y el número de asesinatos de niños y cónyuges se incrementa a una elevada velocidad. No creas que estás exagerando y, por ello, te inhibas de actuar. Toma una decisión y reacciona de inmediato. No escuches sus justificaciones ni te culpes por ser quien provoca el conflicto. Puede que sí lo hagas, pero es absurdo pensar que eso justifica un ataque físico contra ti o los niños.

¿Cómo puedo tratar las enfermedades mentales y emocionales en la relación?

El término común de enfermedad mental y emocional cubre un amplio espectro que va desde peculiaridades inofensivas hasta comportamientos psicóticos donde corre peligro la vida. Los rasgos individuales y las idiosincrasias, aunque muchas veces representen inconvenientes, nunca determinan el grado de deterioro de la pareja. Existe un criterio, que suelo recomendar a la gente corriente, que da muy buenos resultados: preguntarse si el pensamiento en cuestión o el modelo de comportamiento interfiere con la funcionalidad. Si un individuo o una pareja continúa bien —y, en consecuencia, el comportamiento no está alterando su calidad de vida— en mi opinión es apropiado buscar una ayuda profesional pero no se trata de un caso de urgencia.

Cuando, por otra parte, la característica en cuestión interfiere de forma negativa en la relación, tal vez se necesite una intervención más drástica. Recomiendo que se formule la siguiente pregunta: «¿Este comportamiento nos crea un problema a alguno de los dos?». Si es así, algo debe cambiarse. Por el contrario, en caso de que no lo sea: «No arregles lo que no está roto».

Si consideras que el comportamiento es mucho más grave que lo que acabo de describir, tendrás que barajar otras alternativas. Compartiré contigo el proceso de pensamiento que seguía cuando trabajaba como psicólogo profesional. Lo primero que pensaba cuando un individuo o miembro cercano de la familia me consultaba un problema en representación de otro, era determinar si éste constituía una amenaza para el individuo o los demás. Si concluía que había un inminente peligro en la seguridad de alguien, resolvía que era un candidato para ingresar en un hospital. Lo podrían examinar con más atención que si se tratara de un paciente externo. Sugiero que sea ésta vuestra primera consideración del caso.

Soy consciente de que quizá esté hablando con un lector preocupado por su pareja o con otro cuya angustia consiste en que esos desórdenes emocionales interfieren en su propio comportamiento. Si este último es tu caso, no seas arrogante respecto a tu habilidad para manejar algo que te provoca miedo o que niegas. Mi consejo es pedir ayuda, tanto si se trata de una simple fobia, cierta dosis de depresión o una interferencia destructiva seria en tu pensamiento y razonamiento. La medicación y la terapia demuestran ser bastante efectivas para manejar o eliminar los trastornos más graves. Pero los psiquiatras y los psicólogos no pueden curar a quienes no ven. No te niegues ni a tu pareja ni a ti la posibilidad de tener una vida feliz.

Debido al incremento de depresiones, siento que tengo que hablar del tema y de la consecuencia asociada a ella que no es otra cosa que la idea del suicidio. El suicidio es uno de los principales problemas de Estados Unidos entre todos los grupos y edades, así como también lo es en otros países. Lo que la mayoría de la gente no sabe es que tras casi la mitad de los suicidios, se comprueba que se trataba de un accidente. Es decir, los fallecidos no querían realmente morir, pero de hecho estaban representando un papel suicida por motivos de pura especulación o desesperados por llamar la atención y recibir ayuda. En esos actos suicidas accidentales, la víctima no calculó bien el peligro de las drogas, el gas u otro medio de autodestrucción y acabó muerta de forma trágica. La otra mitad se quitó la vida teniendo la intención de morir.

Si tu pareja y tú estáis atravesando un período en que alguno de los dos tiene pensamientos suicidas, es importante que lo toméis en serio y os pongáis en manos de un profesional de inmediato.

Es un mito que quienes hablan de suicidio nunca lo llevan a cabo. Nada puede estar más lejos de la verdad. Si te da miedo admitir que este tipo de problema forma parte de una realidad en tu relación y estás tentado a evadirte a través de la negación más que a enfrentar la cruda realidad, no lo hagas. Aceptar una intervención profesional no es comparable a tener que asumir un posterior suicidio, así sea la pérdida de tu pareja o para ella la tuya.

Hace algunos años me vi en medio de las secuelas de una situación trágica. Un ejecutivo de una empresa muy importante en Miami, Florida, que yo asesoraba, apareció una mañana de un viernes en mi oficina de Dallas sin haberse anunciado y totalmente turbado. Tomó asiento y comenzó a relatar una historia que le preocupaba mucho. Me contó que su mujer, Kim, había estado deprimida durante muchos meses pero se había negado a recibir ayuda profesional. Hal, quien en ese momento era el presidente de una compañía multinacional prestigiosa, estaba entre los candidatos a ser promovido a presidente. Me dijo que si se descubría que su mujer estaba ingresada en una clínica para «locos» —su término, no el mío—, le hubiera sido difícil conseguir la promoción. Me confesó que ella se quedaba despierta hasta altas horas de la noche y daba vueltas por la casa sin poder dormir. Le había manifestado en varias ocasiones que sentía que si ella se moría sería mejor para los niños y para él. Hal le respondía que sabía que ella quería mucho a sus niños y que jamás haría algo «por el estilo». Él también se refugió en el mito de que todos los que hablan de suicidio finalmente no lo llevan a cabo.

Después de un rato de intercambiar ideas, lo convencí de que no podía estar más equivocado. Que su mujer necesitaba un psicólogo o psiquiatra profesional en Miami de inmediato. Dijo que ella había llevado a sus dos hijos de nueve y siete años a un campamento durante dos semanas. De repente reaccionó y, concluyó que sería el momento ideal para concentrarse en los problemas de Kim e intentar conseguir un terapeuta.

Con ese proyecto en mente, subió a su jet privado y regresó a Miami. Se dirigió directamente a su casa sin perder ni un solo minuto. Llegó alrededor de las cuatro de la tarde. Cuando entró sintió la música y el olor a café recién hecho en la cocina. Al entrar en la cocina encontró una nota debajo de la cafetera que decía lo siguiente: «Te he preparado un poco de café. Tienes que llamar al 911 y luego a Bob y a Sharon. Por favor, no vayas al patio trasero. Os quiero a las niñas y a ti. Intenta no odiarme. Adiós, Kim».

Completamente conmocionado y en estado de pánico, Hal fue al patio y encontró el cuerpo de Kim. Se había cubierto la cabeza con una toalla, tumbado cerca de la casa y disparado un tiro en la sien con un Magnum 357. Había desafiado todos los mitos sobre el suicidio, había hablado de ello antes de llevarlo a cabo, había usado un revólver, lo cual no era de suponer que haría una mujer, no lo había intentado previamente y tenía todo lo que podía desear en el mundo. Todavía hoy, Hal y las dos niñas están afectados.

El mensaje de esta historia es claro: si alguno de los miembros de la pareja atraviesa por una enfermedad mental y/o emocional, se debe pedir ayuda profesional de inmediato.

Has dicho que los miembros de la pareja o contaminaban o contribuían a la relación. ¿Qué sucede si he aportado debilidad?

La respuesta es sí: cuando te han herido emocionalmente antes de comenzar la relación y esas cicatrices no se han curado, eres un contaminador. Puede que de pequeño hayas tenido un contacto sexual no deseado o un maltrato físico que te inhibió de poder participar libremente en una relación. Quizá te hayan herido profundamente en una relación amorosa anterior y aún lleves el peso de ese dolor. Tal vez mantengas un vínculo conflictivo y combativo con el padre de sexo opuesto y eso dificulte la relación con tu compañero. Cualquiera que sea la causa, si te han herido emocionalmente, tu personalidad ha cambiado y también la forma en que te comunicas con tu pareja actual.

No puedes desprenderte de lo que no tienes. Si no posees amor puro y limpio, eres incapaz de ofrecerlo. No te engañes creyendo que puedes efectivamente dividir ese dolor en categorías y, de esa forma, evitar que infecte la relación. Se necesita tener mucha energía para contenerlo, está permanentemente allí, intentando contaminar la relación. Como resultado de ello, cambias tu forma de ser.

Sin embargo, este comportamiento sólo refleja dónde estás ahora, no quién puedes llegar a ser en la relación. Negar o suprimir los sentimientos y los problemas no ayuda en nada. No puedes mejorar si sufres en silencio o escondes quién o qué te define. Tienes que ventilar tu angustia e incorporar el apoyo de los que te aman y cuidan. Si, por ejemplo, cuando eras pequeño te violaron o abusaron sexualmente de ti, y ello naturalmente afectó tu concepción de los valores y la posibilidad de tener una relación de pareja, sabrás que todo este bagaje no es constructivo para tu relación. Al compartir tus problemas y desafíos con la persona amada, te enfrentas más que sucumbes al miedo a la crítica y, así, garantizas una posibilidad de éxito.

Lo bueno y lo malo es que eres responsable; es malo porque nadie puede hacerlo por ti y, bueno, porque tienes la posibilidad de remediar el problema. Sé que suena extraño sugerir que la gente es responsable de lo que le ha ocurrido de niño —por eso, permíteme que lo aclare—. Los hijos no tienen ni una décima parte de un 1 % de responsabilidad de lo que les sucedió durante su niñez. El pequeño fue víctima de una fuerza enferma y maligna, pero, como adulto, tiene la responsabilidad de lo que hará con las secuelas de esos eventos trágicos. Puede elegir escapar de la prisión, caminar y buscar ayuda para curarse. Nadie más que él es capaz de conseguirlo. La responsabilidad en un adulto es un bien innegable.

No sigas sufriendo en silencio, ya que así indirectamente estarás contaminando a tu pareja. Ábrete a los que confías y busca apoyo en aquellos que pueden brindártelo. Tú lo vales. Conseguir ayuda es el primer paso para demostrar tu valor.

¿Cómo integro a Dios en mi relación de pareja?

Creo que tengo la responsabilidad de explicitar cuándo incluyo opiniones personales en mis escritos y no sigo una pauta restringida totalmente a la investigación objetiva, la observación y la experiencia. Ahora es uno de esos momentos. Mi experiencia es sustancial en cuanto al papel de Dios en las relaciones. No seré objetivo puesto que tengo sentimientos personales muy fuertes en esta materia. No pretendo imponer mis creencias, pero me gustaría compartirlas.

Considero que existe un poder supremo en el universo al que llamo Dios y, que cada persona mantiene una relación particular con éste. Si no compartes mi creencia, tal vez leas esta sección sin demasiado interés. En caso de que la compartas, en parte o totalmente, creo que encontrarás valores específicos.

Creo que Dios tiene un plan para cada uno de nosotros y se refleja de diferentes maneras. Primero y lo más importante, existe un hecho peculiar y es que estamos aquí. Pero, además, su plan se manifiesta en regalos concretos y mediante talentos con los que hemos sido dotados. Pienso que elige ciertas áreas en las que seremos fuertes para poder utilizar esas herramientas a su servicio. Creo fervientemente en la fuerza de voluntad. Nos ha adjudicado unas habilidades que dependen de nuestro deseo de usarlas o no a su servicio y para hacer el bien a quienes comparten su vida con nosotros. Parte del plan que Dios ha diseñado para los seres humanos es tener un compañero, a través del cual satisface gran cantidad de nuestras necesidades e inspira en nosotros ciertas cualidades y talentos importantes.

Todo esto dice mucho acerca de la relación con tu pareja. Dios te conoce, tiene algo especial previsto para ti. Por este motivo pienso que no puedes rechazar y criticar a tu compañero y, al mismo tiempo, aceptar a Dios y su voluntad en tu propia vida. Si deseas deshacer tu relación, básicamente estás diciendo: «Dios, sé más que tú. Me has dado la pareja equivocada, con las características erróneas. No es la persona que necesito, la cambiaré por la que creo más indicada para mí, en lugar de que sea como Tú crees que la necesito». Es más, reconozco que existe un propósito divino en las debilidades y adversidades de la pareja. Tu tarea consiste en averiguar ese propósito divino. Pienso que tu compañero bien puede ser débil en lo que tú eres fuerte y tener defectos que inspiren lo mejor de ti.

También existen enseñanzas profundas sobre las relaciones en la Biblia. Soy totalmente consciente de que posiblemente no crees en Dios, Jesucristo o la Biblia. No quiere decir que carezca de valor lo que estoy señalando. Tanto si piensas que la Biblia es «el libro» o meramente un buen libro, tienes que admitir, al menos, que es profundo y que es el bestseller de la historia de la humanidad. Acabo de aceptar que, en mi opinión, es «el libro», de manera que compartiré contigo algunos de los pasajes específicos que quisiera que analizaras detenidamente. Confío en que tanto sea por creer que estos pasajes son de inspiración divina, como yo, o no creer, comprobarás al menos que transmiten sabios consejos.

Como mínimo, deberías saber que una de las mejores descripciones del amor –que trasciende a uno mismo, al que todos aspiramos– proviene de 1 Corintios 13. 4: «La caridad [como el amor] es paciente, es servicial; la caridad no es envidiosa, no es jactanciosa, no es engreída, es decorosa; no busca su interés; no se irrita; no toma en cuenta el mal; no se alegra de la injusticia; se alegra con la verdad. Todo lo excusa. Todo lo cree. Todo lo espera. Todo lo soporta». Vuelve a leer, especialmente la última frase: «[El amor] todo lo soporta». El plan de Dios implica que tu relación funcione.

A continuación, otros ejemplos que probablemente puedan servir de inspiración:

La Biblia y el sexo

«Que el marido dé a su mujer lo que debe y la mujer de igual modo a su marido. No dispone la mujer de su cuerpo, sino del marido. Igualmente, el marido no dispone de su cuerpo, sino la mujer. No os neguéis el uno al otro sino de mutuo acuerdo, por cierto tiempo, para daros a la oración.»

1 Corintios 7. 3-5

La Biblia y el amor

«Con toda humildad, mansedumbre y paciencia, soportándoos unos a otros por amor, poniendo empeño en conservar la unidad del Espíritu, como una es la esperanza a que habéis sido llamados.»

Efesios 4. 2

La Biblia y el valor del hombre y la mujer

«Ni la mujer sin el hombre, ni el hombre sin la mujer, en el Señor. Porque si la mujer procede del hombre, el hombre a su vez, nace mediante la mujer. Y todo proviene de Dios.»

1 Corintios 11. 11-12

La Biblia y el perdón en la relación

«Revestíos, pues, como elegidos de Dios, santos y amados, de entrañas de misericordia, de bondad, humildad, mansedumbre, paciencia, soportándoos unos a otros y perdonándoos mutuamente, si alguno tiene queja contra otro. Como el Señor os perdonó, perdonaos también vosotros.»

Colosenses 3. 12-14

La Biblia y la discusión

«Toda acritud, ira, cólera, gritos, maledicencia y cualquier clase de maldad, desaparezca de entre vosotros. Sed más bien buenos entre vosotros, entrañables, perdonándoos mutuamente
como os perdonó Dios en Cristo.»

Efesios 4. 31-32

Tal como he reconocido tu derecho de compartir o no mi opinión, has de aceptar que tu pareja tenga sus propias creencias
en cuanto a la espiritualidad. Algunas parejas son muy abiertas
y cándidas en este tema, mientras que otras sienten que es un
tema muy personal y no permiten ninguna intromisión. Acepta su posición y respeta lo que siente. Por favor, quiero que no-
tes que existe una gran diferencia entre una persona espiritual
y otra religiosa. Esta última puede ser espiritual, pero una espiritual no será religiosa en absoluto. Cada uno tiene su propia
manera de ser. Te aseguro que con el espíritu de compasión
y aceptación, sobre el que tanto hemos hablado, tu pareja y tú
encontraréis un terreno en común que funcione para ambos.

He sido testigo de grandes victorias en relaciones que rei-
vindicaban en el nombre de Dios y, asimismo, he visto el daño
y la destrucción justificados por hipócritas que reclamaban el
poder y la aprobación de Dios. Esto no es una falta de Dios, es
nuestra. Más arriba mencioné que yo amo al Señor, pero no estoy de acuerdo con los cristianos. Justifico mi juicio en el daño
y las vidas destruidas —que he presenciado— por parte de los
«cristianos» al juzgar a los otros mediante criterios santurro-
nes y afirmando que lo hacían en nombre de Dios. Sin embargo, he observado otras relaciones centradas en la creencia de
Dios de una forma sincera: oponerse a cualquier precio a los ataques y desafíos. Una estadística interesante que comparte con

nosotros David McLaughlin, en su serie *The Role of the Man in the Family* (*El papel del hombre en la sociedad*), refleja que el índice de divorcios en Estados Unidos es, como mínimo, de uno cada dos matrimonios. Sin embargo, en parejas que rezan juntas, el índice es de uno cada 10.000. Estas cifras dan que pensar, aunque se las reduzca unas 1.000 veces.

Personalmente, yo deseo que incorpores a Dios en tu relación de la forma que mejor funcione. Si no es así, no hay problema; tengo confianza en que tu corazón sincero y el trabajo duro te ayudarán.

¿Existe un punto en el que debas admitir que simplemente no funciona, cortes por lo sano y te marches?

En el caso de ciertos matrimonios, sé que muchos líderes cristianos no estarán de acuerdo con esto. Confieso que no estoy tan maduro espiritualmente para creer en la religión hasta este punto. Presento algunos ejemplos ilustrativos de cuándo este tipo de decisión puede estar justificada en la mente y, de hecho, en la acción. Una situación evidente es si la relación está contaminada por el abuso de la droga o el alcohol y el miembro adicto se niega a reconocer el problema o a hacer un esfuerzo para dejarse ayudar. Lo más duro de sobrellevar es cuando todos los problemas se deben a cuestiones de elección y personalidad. También el conflicto sobreviene si ambos miembros de la pareja parecen interesados en que la relación funcione, pero no saben cómo hacerlo. Existen dos factores fundamentales a tener en cuenta al tomar decisiones.

Primero, no decidas cuestiones relevantes en medio de una confusión emocional. Si cuando los sentimientos están alborotados, y la expresión y la retórica aún más desordenadas, no es el momento adecuado para las decisiones que afectarán tu vida y la de tu pareja e hijos, si los tienes. Nunca tengas prisa, ya que las consecuencias te acompañarán durante mucho tiempo. Si vives un impacto emocional como cuando te subes a la montaña rusa, trata de pisar tierra firme de modo que puedas ver las cosas racional y objetivamente antes de tomar decisiones trascendentes. Durante este libro hemos combatido el efecto de inestabilidad y desorden producido por la montaña rusa y provisto de una perspectiva mejor del lugar en el que te encuentras.

El segundo punto respecto a cuándo dejar una relación es el siguiente: si vas a marcharte, te tienes que ganar ese derecho. No es que te hayas vuelto loco. No te levantas un día por la mañana, te sientes herido en tus sentimientos y decides obtener tu libertad. Has de ganarte el derecho a abandonar la relación. Mientras no te mires a los ojos frente a un espejo y mires a los ojos a tus hijos y digas: «He hecho todo lo que estaba en mis manos para salvar esta relación y no ha podido ser», no te habrás ganado el derecho a abandonarla. Por arrogante que parezca, hasta que no hayas realizado todas las actividades que planteo en este libro, no creo que puedas sentirte preparado para abandonar a tu pareja. En primer lugar tienes que pasar por este proceso y, si al final del mismo puedes decir: «Muy bien doctor, he hecho todo lo posible pero no funciona», debes tomar la decisión.

Seguramente se puede salvar una relación mediante el sacrificio personal. En este caso sería una negociación de prisioneros de guerra. Puede que quieras decir con cierta lealtad: «Me voy a sacrificar por la relación». Siento sobre ese tema lo mismo que Patton con respecto a la guerra. En el campo de batalla dijo: «No quiero escuchar ninguna de esas frases provenientes del campo de batalla, tales como que los hombres buenos mueren por su patria».Y agregó: «Dejad que otros hijos de sus madres mueran por su patria. Ésta no es mi idea de victoria, negociar con las vidas para conseguir la tierra». De igual manera, no quiero que digas: «Dejaré que mi espíritu muera por esta relación», ni «abandonaré mis esperanzas, mis sueños, mi dignidad, mis objetivos y mi espíritu en armonía para conseguir adaptarme a esta relación».Así no se consigue la victoria, si una entidad tiene que morir para que otra viva, no hay progreso.

Confía en mí, si ésa es tu forma de pensar, la relación no está viva. Simplemente estás viviendo a expensas del espíritu del otro miembro de la pareja. Es una relación basada en una existencia parasitaria. Sabes que no sobrevivirá por mucho tiempo. Trabaja duro para salvar tu relación, merece la pena. Pero, te advierto, puede llegar un momento en el que tengas que tomar una decisión difícil.

Espero haber podido satisfacer algunas de tus preguntas. Sé que aunque haya intentado incluir diferentes temas, nunca podría hablar de todas tus inquietudes. Sin embargo, debo decir que, con las herramientas y los conceptos que has adquirido trabajando con este libro y tu habilidad para llegar hasta el núcleo de tu conciencia, estás preparado para encontrar las respuestas. Cuando sea necesario, recomiendo que recuerdes tus problemas y desafíos y trates de encontrar en tu diario las respuestas y la guía para enfrentar tales retos. Piensa que las respuestas a todas las preguntas –actuales o futuras– están dentro de ti. Tu tarea es llegar al núcleo de tu conciencia y tener el coraje de vivir con la verdad.

Conclusión:
un mensaje para ti

A las mujeres lectoras

Concluyo este libro con una carta cándida y personal, escrita desde mi corazón hacia el vuestro. Igual que el mago os permite ver detrás del telón, quiero comentar con franqueza unas cuantas verdades —no siempre reconocidas— sobre la vida y las relaciones desde el punto de vista de los hombres. No justifico esas conductas como buenas o deseadas ni tampoco piensan así todos los hombres; sin embargo, dada mi trayectoria profesional, creo que mi conclusión es bastante típica y posiblemente refleje la situación por la que estáis atravesando.

Primero, personalmente hablando, y en cierta manera delatando a mis iguales, *no entendemos a las mujeres*. Queremos hacerlo y muchas veces creemos que lo logramos, pero no es así. No tiene importancia por qué no somos capaces de hacerlo, no me interesa plantear el papel de víctimas y contar una historia describiendo la manera en que fuimos programados de forma imperfecta y defender la posición de que no tenemos la culpa de ello. Qué más da el motivo, lo fundamental es que no podemos comprender el razonamiento femenino. Todo lo que llevamos a la acción u omitimos hacer se basa en la ignorancia y en una extraña manera de establecer las prioridades, que nos domina y define nuestra esencia de hombres.

Por ejemplo, muchas veces medimos el éxito desde un plano económico. Nos sentimos orgullosos de proteger y mantener a nuestras familias y nos enfrentamos a una gran desilusión cuando comprobamos que hemos fracasado en ese objetivo. Nos convertimos en seres con un pensamiento restringido y obsesionados con la idea del logro material, al extremo de olvidar o ignorar que vuestras necesidades van mucho más allá del dinero. Perdemos la visión de la realidad de que necesitáis amor, apoyo, interés y cuidado. Esta mentalidad de hombre de las cavernas nos erige como ciegos ante vuestro dolor, vuestra soledad y vuestras necesidades. En resumidas cuentas, podemos llegar a ser increíblemente egoístas.

Y lo queremos todo antes de que volváis a casa del trabajo y sin que nos cueste un duro. Os comparamos con nuestras madres y pretendemos que nos situéis delante de todos los demás seres queridos, pero no tenemos ni la más mínima idea de cómo ser recíprocos en aquello que os importa especialmente. Nuestro «ego» es frágil y, cuando el mundo se vuelve hostil, hacemos como la tortuga: nos cerramos, nos recluimos en nuestro interior y dirigimos el foco de nuestra frustración hacia vosotras. Queremos vuestra ayuda, pero, en especial si tenéis la razón, os criticamos y molestamos con comentarios odiosos.

Puede que no os entendamos, al menos no de la forma que os gustaría, pero no significa que no nos importe. Cuando estamos heridos necesitamos apoyo de la misma manera —urgente— que vosotras. Actuamos de forma recia y escondemos nuestras emociones. Puede que sea verdad que los muchachos duros nunca lloran, pero os garantizo que los hombres sí lo hacemos. Quizá nuestras lágrimas sean silenciosas e internas; sin embargo, la verdad es que tenemos sentimientos y necesidades profundas. Si intentamos controlar mediante la intimidación es para ocultar los miedos y las dudas. Cuando fanfarroneamos es porque nos sentimos frustrados. El criticar y menospreciar se debe a un falso sentido de superioridad, concebido para disfrazar un ego herido. Por favor, no os desaniméis por la contradicción de este «extraño idioma».

Primera verdad: queremos y necesitamos que nos veáis a través de nuestras «máscaras de macho», necesitamos que nos las quitéis, cojáis nuestras manos y las llevéis hasta el calor de vuestros corazones.

Segunda verdad: no trato de engañaros y haceros sentir optimistas acerca del futuro de vuestra relación si la pareja no está dispuesta a participar en el juego. Sin embargo, podéis lograr una diferencia enorme en la calidad de vida de vuestra relación, aun sin la participación activa del miembro masculino.

Yo he estado felizmente casado durante 23 años porque mi mujer, Robin, hizo que así fuera. A lo largo de estos años he aportado todo tipo de malos espíritus y pensamientos ilógicos imaginables e inimaginables. La inmadurez e irracionalidad con la que empecé el matrimonio hubieran sido suficientes para sellar su fracaso, pero ella no lo permitió. Mi adicción al trabajo y mi comportamiento obsesivo hubieran propiciado una enorme grieta entre nosotros, pero no les prestó atención. Cometí muchos actos sin sentido, me olvidé de fechas claves y compromisos, dije cosas que no pensaba y omití las que sí tenían importancia y debería haber expresado. Hubo veces en las que ella tenía la razón absoluta y tuvo la perspicacia de dejarlo correr. Eligió no entrar en polémica y se concentró en mis mejores cualidades.

Hizo que nuestro matrimonio y yo, como marido, tengamos éxito aunque, en verdad, bajo mi responsabilidad hubiésemos fracasado. Lo consiguió sin mi ayuda y sin mi activa participación, como podréis hacer vosotras.

Nuestro matrimonio es un vivo ejemplo de que, con la persistencia y el cuidado, uno de los miembros de la pareja puede inspirar al otro y sacar lo mejor que tiene. No siempre estuve en sintonía con Robin ni tampoco tuve una actitud permanente de cuidado, pero ella logró extraer lo mejor de mí y, por mi parte, puedo ser ahora mejor compañero.

No estoy seguro de que mereciera el compromiso de mi mujer y que, en tu caso, tu pareja se lo haya ganado, pero sé que tú lo mereces. No abandones la idea de «nosotros» en general ni la idea de «él» en particular. Utiliza lo que has aprendido y comienza a cambiar tu vida y tu relación.

A los hombres lectores

Asumo que esta carta es lo primero que leéis del libro. De cualquier forma, os pido unos minutos para hablaros de hombre a hombre. Si tu pareja te ha pedido que la leas es porque te quiere y le importa la relación, de modo que reaccionas de forma negativa y te resistes porque fue ella quien lo pensó o porque te tendrías que exponer emocionalmente.

Desconozco tu situación pero, si la mujer de tu vida ha comprado este libro, puede que tengas muchos problemas. Si has sido tú, mejor para ti. De cualquier manera, quiero hacer una llamada para despertar ciertas cuestiones fundamentales. Este libro no pretende ser una caza de brujas de mentalidad feminista diseñado para suministrar a ellas municiones para acabar con tu integridad y culparte por todo lo que no funciona en la relación. Con toda seguridad tampoco se trata de un acercamiento poético y sentimental para hacer que vayas al parque envuelto en una manta y hables de tus sentimientos. Existe un plan que termina con la persecución, trata con la realidad y genera resultados. Tienes que concentrarte en lo que quieres y en lo que crees que es importante para ti, junto con lo que es prioritario para ella.

He aquí la pista: tu mujer no sólo oirá lo que tengas que decirle sino que descubrirá, de forma activa, cuáles son tus necesidades y deseos, siempre y cuando asumas el compromiso de que los mismos sean serios y que no dañen la integridad y dignidad de tu compañera.

Puedes utilizar una táctica de acorralamiento y continuar culpándola por todo lo que ha sucedido en vuestra relación. Pero, al final, ese perro no se dejará cazar y lo sabes. ¿Vale la pena seguir yendo por la vida ignorando tu propio sentido corrosivo de insatisfacción?

Tal vez creas que es conveniente evitar la oportunidad de ser feliz, a causa de tu orgullo y por no aceptar todo lo que podrías llegar a mejorar. Sé exactamente dónde te encuentras, yo mismo he estado allí. Sin embargo, puedes usar este libro no sólo para descubrir cómo es que os distanciasteis del camino en vuestra vida y relación, sino para encontrar el modo de salir del pantano. Te ayudará sin que tengas que sentirte mal por ello; no perderás tu cualidad de hombre al leerlo, posiblemente la vuelvas a descubrir.

Te mereces una relación de pareja tranquila, feliz y mutuamente satisfactoria, que incluya diversión, apoyo, sexo e intimidad, compañerismo y libertad. Lee el libro, haz el trabajo y no te imaginas cómo cambiará tu vida. Estoy convencido de que nunca tendrás más apoyo que ahora o una oportunidad mejor que ésta para llegar a restablecer la comunicación con la persona amada.

No es demasiado tarde, pero podría serlo si no te decides a actuar con el propósito de mejorar tu relación. Sin querer presionarte, la siguiente frase ilustra muy bien lo que intento transmitir: «Siempre ocurre así, nunca sabes lo que tienes hasta que lo pierdes».

Las últimas palabras

Bien, ya lo tienes: las herramientas y la claridad necesaria para crear lo que quieras y merezcas en la relación. Me has oído decir que el comportamiento futuro está determinado por los hechos del pasado. Es un gran peso, el obstáculo por excelencia, al que tienes que enfrentarte en este viaje. Tus modelos y hábitos de pensamiento, sentimientos y comportamiento están tan profundamente arraigados que se han vuelto automáticos. El flujo de la vida en general y de tu estilo de vida en particular conspiran en tu contra y favorecen una conducta distante e improductiva. Sin embargo, ya sabes que puedes ganar si haces una inmersión e indagas en todo lo que reside en tu núcleo de conciencia. Tu vida y la forma en que la dirijas representa, en su defecto, un gran desafío. No te atrevas a conformarte con un vivir similar al de un ciudadano de segunda categoría.

Otórgate el permiso —de hecho, exígete a ti mismo— de ir hacia delante con esperanza, optimismo y una pasión insobornable. No temas reconocer que lo deseas ni que te excita la idea de lograrlo. Vivir, amar y reír son actos saludables y naturales. Creo que es parte de un plan trazado por Dios para este mundo. La razón por la cual la mayoría de la gente no lo lleva a cabo es porque en nuestra infinita sabiduría hemos decidido «fijar» un plan.

Vuelve al contenido básico de este libro y vive las experiencias con la pasión, energía y excitación que no has sentido desde que eras un niño. Recuerda cómo solías bailar y cantar cuando no tenías el conocimiento de ti mismo ni te importaba lo que podían pensar los demás. Ése es precisamente el sentimiento, el espíritu temerario e impávido que iluminará y quizá sumergirá a tu pareja en el calor de la pasión. Te has preparado para ganar. Ha llegado el momento de reclamar la victoria.